Ymwybyddiaeth Ofalgar: Canllaw Pen-tennyn

'Os yw'r syniad o ymwybyddiaeth ofalgar wastad wedi ymddangos fymryn yn dila, fe fyddwch chi'n falch o glywed bod Ruby Wax wedi teimlo'r un fath ar un adeg. Nawr, mae'r ddigrifwraig wedi ysgrifennu canllaw i ymwybyddiaeth ofalgar sy'n ffordd synhwyrol o ymdopi â straen'

Yours

'Ffraeth a hawdd ei ddarllen'

Woman & Home

'Mae Ruby Wax yn dangos sut a pham mae newid yn beth da'

Woman's Way

'Bydd y perl hwn o lyfr yn eich cyfeirio at fywyd mwy bodlon... mae ei hangerdd a'i hymrwymiad i iechyd meddwl yn amlwg ar bob tudalen'

Lady

'Mae Ruby Wax yn cynnig golwg ffraeth a hawdd ei deall ar sut mae ymwybyddiaeth ofalgar, yn ei thyb hi, yn gallu newid bywydau er gwell'

Choice

Gair am yr awdur

Mae Ruby Wax yn ddigrifwraig ac awdur teledu sydd hefyd â gradd Meistr o Brifysgol Rhydychen mewn Therapi Gwybyddol yn seiliedig ar Ymwybyddiaeth Ofalgar. Hi yw awdur *Sane New World*, ac yn ddiweddar, cafodd OBE am ei gwasanaeth i iechyd meddwl.

Ymwybyddiaeth Ofalgar:
Canllaw Pen-tennyn

Ruby Wax

atebol

Y fersiwn Saesneg:
Cyhoeddwyd yr ail argraffiad yn 2016 gan Penguin Life.
Hawlfraint © Ruby Wax, 2016

Y fersiwn Cymraeg:
Cyhoeddwyd yn y Gymraeg gan Atebol Cyfyngedig, Adeiladau'r Fagwyr,
Llanfihangel Genau'r Glyn, Aberystwyth, Ceredigion SY24 5AQ
Addaswyd gan Testun Cyf.
Dyluniwyd gan Owain Hammonds
Dyluniad y clawr: Superfantastic
Hawlfraint © Atebol Cyfyngedig 2020

Mae'r awdur a'r cyhoeddwr wedi gwneud pob ymdrech i sicrhau bod y
gwefannau allanol, y cyfeiriadau e-bost a'r wybodaeth sydd yn y llyfr hwn
yn gywir ac yn gyfredol adeg mynd i'r wasg. Nid yw'r awdur a'r cyhoeddwr
yn gyfrifol am gynnwys, ansawdd na hygyrchedd parhaus y gwefannau.

ISBN 978-1-913245-11-5

Dymuna'r cyhoeddwr gydnabod cymorth ariannol Cyngor Llyfrau Cymru.

www.atebol-siop.com

Hoffwn ddiolch i Maddy, Max a Marina Bye,
Mark Williams ac i minnau.

O, a fy ngŵr, Ed, er fy mod i eisiau cadw at Ms yn unig.

A hefyd i'm golygydd, Joanna Bowen
(ond mae hynny'n difetha'r syniad yn llwyr)

Cynnwys

Y Dalai Lama yn edrych yn ffafriol arna i.

Rhagair

Pwy ydw i?

I'r rheini ohonoch nad oes gennych chi unrhyw syniad pwy ydw
i, dyma grynodeb byr o fy mywyd hyd yn hyn...

Dwi ddim yn un i feio fy rhieni am fy iselder (mae'r ddadl
natur / magwraeth yn parhau), ond dyma ychydig o'u cefndir,
sydd efallai'n dangos nad oedd llawer o obaith i mi. Dihangodd
y ddau ohonyn nhw o Awstria ar dipyn bach o frys: pe na baen
nhw wedi ei gwadnu hi mor gyflym, fyddwn i ddim yn ysgrifennu
hwn nawr gan na fyddwn i'n bodoli; byddech yn darllen
tudalennau gwag. Yn ffodus, dwi'n dod o linach hir o bobl
Iddewig a dreuliodd eu bywydau'n dianc o un wlad i'r llall, gan
gario eu neiniau a'u byrddau coffi ar eu cefnau. Y funud y bydden
ni'n ymsefydlu yn rhywle, byddai'n rhaid i ni godi pac unwaith
eto. Dwi wedi etifeddu syndrom o symud yn fy mlaen o hyd, gan
chwilio am ddiogelwch a cheisio dod o hyd i gartref, a byth yn
llwyddo.

Ar ôl i fy rhieni gyrraedd glannau America, sefydlodd fy nhad
ymerodraeth cynhyrchu casys selsig a daeth yn adnabyddus fel
y *Casing King of Chicago*. Roedd pawb yn ei ofni, yn enwedig
anifeiliaid fferm porcaidd eu hanian. Heb fynd i ormod o
fanylder, caiff casys eu gwneud o goluddion mochyn a dyna
sy'n amgylchynu'r darnau cymysg o anifail sy'n ffurfio selsigen.
Fi oedd yr etifedd i'w ymerodraeth, ond fe wrthodais yn
gwrtais.

Roedd fy mam yn ofni baw a threuliodd y rhan fwyaf o'i hoes
ar ei phengliniau'n casglu peli llwch. Roedd ei dull o fagu plant
yn seiliedig ar Chwedlau Grimm, lle câi'r plant eu coginio mewn

pastai am beidio â golchi eu dwylo cyn cinio, ar ôl cael eu bodiau wedi'u torri ymaith â siswrn. Am fwy o fanylion am fy rhieni, er enghraifft y ffordd roedd fy mam yn arfer mynd ar drywydd briwsion dros eangderau enfawr o dir, fe'ch cyfeiriaf at fy llyfr cyntaf, *How Do You Want Me?*

Doedd fy rhieni ddim yn gynnil yn eu defnydd o'r wialen nac yn credu mewn difetha plant. Pan fyddwn i'n cael fy nghosbi, fe wnawn restr gyfrinachol o faint o arian y byddwn yn ei godi arnyn nhw am bob ymosodiad meddyliol. Roedd y bil yn enfawr. Chefais i erioed ad-daliad, ond fe anfonon nhw fi i wersyll haf, a thalu i gael fy nannedd wedi'u sythu. Roeddwn i'n ddiolchgar iddyn nhw am hynny, felly fe wnes i leihau'r ddyled.

Roeddwn i'n hapus am ddau fis bob haf, yn dysgu ysbryd cystadleuaeth, popeth o daflu gwaywffon i gamp eithafol canŵio. Roedden nhw'n dweud wrthyn ni am beidio â bod ofn defnyddio gwn os oedden ni'n colli. Enw'r gwersyll oedd Camp Agawak, sydd, yn ôl pob tebyg, yn golygu 'taga dy elyn' yn un o ieithoedd brodorol America; a'r neges oedd: Cura dy wrthwynebydd doed a ddêl. Gorchfyga! Gorchfyga! Gorchfyga!

Yn y cyfamser, yn yr ysgol uwchradd, fi oedd jôc y dosbarth a chawn fy ngalw wrth yr enw hyfryd 'Tusks', am fod fy nannedd blaen yn debyg i ddannedd gnw. Bu'n rhaid i mi wisgo sythwr dannedd am ddeng mlynedd i'w symud yn ôl i'r un parth amser â'r gweddill ohonof. Prin fod angen dweud nad oeddwn yn blentyn prydferth. Dwi'n gwybod ei bod yn anodd credu hynny wrth edrych arna i nawr.

O ran dod yn berfformiwr, doeddwn i ddim yn llwyddiant dros nos. Yn yr ysgol uwchradd cefais fy nghastio fel 'Earthworm' yn *Hello, Dolly!* (Doedd hi ddim yn rhan fawr.) Ond heb unrhyw brofiad na thalent yn fy mhoced, symudais i Lundain â 'mhen yn y cymylau, i ddod yn actores glasurol wych. Treuliais y deng mlynedd cyntaf yn byw mewn fflat un ystafell. Gwnâi'r papur wal i'r lle edrych fel pe bai rhywun wedi cael gwaedlif yno, a doedd dim gwres, felly roedd yn rhaid i mi gofleidio fy sychwr gwallt er mwyn goroesi'r gaeafau rhewllyd. Fe gefais glyweliad ar gyfer pob ysgol ddrama ond methais gael lle, er gwaethaf fy nehongliad gwych (yn fy meddwl i) o Juliet mewn wimpl cardbord a luniais fy hun. (Peidiwch byth â gwisgo un: mae'n amhosib cerdded trwy ddrws heb dorri'ch gwddf.)

Llam ymlaen... Yn y pen draw, drwy fod yn gwbl benderfynol, cyrhaeddais y Royal Shakespeare Company; drwy fod yn gwbl benderfynol, fe greais yrfa ym myd teledu a barhaodd am bum mlynedd ar hugain; drwy fod yn gwbl benderfynol, fe briodais a chael teulu... a gwthiais fy hun mor galed wrth fod mor gwbl benderfynol nes i mi chwalu'n rhacs saith mlynedd yn ôl, llosgi'n dwll a disgyn oddi ar glogwyn callineb. Yn fuan wedyn, cefais fy rhoi mewn ysbyty ac eisteddais ar gadair am fisoedd, yn rhy ofnus i godi. Roeddwn i wedi bod yn dioddef iselder ar hyd fy oes, ond roedd y pwl hwn yn homar o un mawr.

Daeth fy moment 'a-ha' pan sylweddolais fy mod wedi defnyddio fy llwyddiant fel arfwisg i guddio'r anhrefn y tu mewn i mi. Roeddwn i wedi creu cymeriad ffug, fel y bobl gardbord wenog hynny o ferched sioeau Vegas. Dim ond wyneb oeddwn i; a'r tu ôl i'r wyneb, doedd neb gartref. Dwi wedi sylwi bod bod yn enwog yn foddion gwych ar gyfer bywyd cynnar camweithredol. Fodd bynnag, ar ôl yr iselder dychrynllyd o ddwfn hwn, roeddwn i'n meddwl fy mod wedi torri'r llinyn bogail â'r byd adloniant ac wedi symud ymlaen, ac roedd hynny'n beth digon call i'w wneud, gan fy mod yn mynd yn llai a llai poblogaidd beth bynnag. (Roeddwn i'n gwybod bod pethau'n mynd ar i waered pan gefais wahoddiad i dorri'r rhuban coch i agor siop Costa yn Heathrow. Terfynfa Tri.)

Meddyliais ei bod yn amser da i mi greu fersiwn newydd ohono i fy hun a thra 'mod i wrthi, darganfod pwy'n union oedd wedi bod yn byw yn fy ymennydd am yr holl flynyddoedd. Llam arall ymlaen... Dechreuais astudio therapi gwybyddol yn seiliedig ar ymwybyddiaeth ofalgar. Dydw i byth yn hanner gwneud unrhyw beth, felly fe wnes i hynny ym Mhrifysgol Rhydychen a chefais radd Meistr hefyd – a chyn i mi anghofio, wnes i sôn 'mod i wedi cael OBE eleni? Felly efallai fod y cyfan yn werth yr holl ofid... ond siŵr o fod ddim.

Ymwybyddiaeth Ofalgar: Canllaw Pen-tennyn

'Beth mae'n ei olygu wrth y teitl yma?' 'Pam mae hi wedi dewis y pwnc yma?' 'Faint mae hi'n cael ei thalu am ysgrifennu'r llyfr yma?' 'Ydych chi'n meddwl y bydd unrhyw un yn ei brynu?' 'Pa oed mae hi'n dweud yw hi nawr?' 'Doedd gen i fawr i'w ddweud erioed wrth ei rhaglenni teledu hi.'

Dyma rai o'r sylwadau a glywais gan bobl a ddarllenodd fy llyfr diwethaf, *Sane New World*. Gadewch i mi ateb y cwestiwn cyntaf: beth *ydw* i'n ei olygu wrth y teitl?

Pan mae niwrolegydd yn dweud bod rhywun wedi cyrraedd pen ei dennyn, yr hyn mae'n ei olygu yw bod straen parhaol yn gorlwytho system nerfol yr unigolyn dan sylw, gan greu gorlif o gortisol ac adrenalin; mae sylw'r unigolyn wedi'i hoelio ar yr hyn sy'n ei boeni ac nid ar yr hyn mae'n ei wneud, a gall hyn arwain at chwythu plwc neu gael *burn-out*. (Dwi'n tyngu nad oeddwn yn gwybod bod 'frazzled' yn air technegol pan benderfynais ar deitl Saesneg gwreiddiol y llyfr hwn, felly mae'n rhaid 'mod i'n hynod o glyfar a chraff.)

Ail gwestiwn: pam gwnes i ddewis y pwnc hwn? Wel, dwi wedi treulio'r rhan fwyaf o fy oriau effro (a rhai o fy oriau cwsg) ym Mhen-tennyn, felly dwi'n teimlo fy mod i'n gymwys i weithredu fel tywysydd ymwelwyr arbenigol, gan dynnu sylw at rai o'r corsydd mwyaf nodedig o ddryswch a hunanamheuaeth. Cysurwch eich hun wrth wybod nad ydych chi ar eich pen eich hun yn y tiroedd hyn. Dois i'r casgliad ein bod ni i gyd yn hyn gyda'n gilydd: mae llawer o bobl yn byw ym Mhen-tennyn, ac mae pawb ohonon ni'n ceisio dod o hyd i ryw fath o ddrws allan. Yn hytrach na threulio ein hamser yn cwyno, neu'n pwyntio bys at broblemau yn y byd y tu allan am wneud i ni deimlo mor gynddeiriog, penderfynais fod angen inni ddysgu sut i lywio heibio i greigiau geirwon ansicrwydd a dryswch. Yn y llyfr hwn, fe fyddaf yn rhoi argymhellion i chi ar gyfer y cyrchfannau gwyliau gorau i orffwys ac atgyfnerthu ynddyn nhw.

Stori bersonol

Mae'n fis Tachwedd, dwi yng Ngwesty'r Ritz, Llundain, ac mae fy meddwl mewn rhyw fath o niwl trwchus, llwyd. Dwi ddim yn siŵr beth ddaeth â fi i'r digwyddiad hwn, na hyd yn oed sut cyrhaeddais i yma. Gofynnaf i ba elusen maen nhw'n codi arian. Mae menyw fawr fwstasiog mewn cardigan wedi'i gweu o flew cath yn dweud: 'Achub y pâl'. Hi yw'r llefarydd ar ran yr elusen, yn digwydd bod, ac yn nes ymlaen mae'n rhoi araith fach ysbrydoledig i mi mewn acen Albanaidd gref ynglŷn â pha mor anodd yw hi i balod lanio ar y creigiau ar Ynysoedd Erch oherwydd y gwyntoedd cryfion, a phan fyddan nhw *wedi* llwyddo i lanio a dodwy eu (hunig) wy, maen nhw'n wynebu anhawster mawr yn ceisio ei atal rhag chwythu ymaith. Dim gair am gynhesu byd-eang, dim ond nad yw'r adar yn gallu glanio yno mwyach.

Mae'r byd yn toddi, a dwi'n gwrando ar rywun yn siarad am ba mor galed yw hi ar y pâl. Rhaid i mi atal fy hun rhag gweiddi, *Pam na wnewch chi eu cludo nhw i gyd ar long i Miami?* a rhoi diwedd ar y broblem.

Bob tair i bum mlynedd, byddai'r niwl yma'n dod i lawr a byddwn yn cael cyfnod o iselder… ond doedd ganddyn nhw ddim enw arno bryd hynny. Roedden nhw'n ei alw'n 'gael pwl' – neu 'wpsi', fel yr hoffai fy rhieni ei alw. Felly, bydden nhw'n dweud er enghraifft fod fy mam yn cael 'wpsi' pan oedd hi'n glanhau'r nenfwd gyda chadach gwlyb. Doeddwn i byth yn gallu dweud pan oeddwn i'n cael pwl, ond un cliw mawr oedd fy mod i'n mynd i ddigwyddiadau fel yr un Achub y Pâl tebyg i'r un dwi wedi'i ddisgrifio uchod. Mae'n debyg fy mod yn ymdaflu i weithgareddau di-ri i ddangos i'r byd ac i mi fy hun nad oedd dim o'i le arna i a bod fy ymddygiad yn hollol normal. Roeddwn i'n ceisio cuddio'r ffaith fy mod wedi colli fy mhwyll. Roedd fel rhoi plastr ar diwmor.

Dro arall, yn fuan ar ôl digwyddiad y pâl ym mis Tachwedd, roeddwn i'n deifio sgwba o dan bier Brighton fel rhan o'r broses o ennill fy nhrwydded blymio. Roeddwn i wedi rhewi'n gorn, fy nannedd yn clecian, pwysau'n cael eu hychwanegu at fy melt... ac yna dyma ddisgyn yn syth i mewn hyd at dri deg troedfedd o dan y dŵr a dod wyneb yn wyneb â throli siopa a fflip-fflop. Ble'r oedd y riffiau? Y pysgod parot? Roedd yn ymddangos i mi fod pobl eraill wedi cael y pethau hynny yn eu bywydau, ond y cyfan ges i oedd troli a fflip-fflop...

Nawr, ychydig o gefndir ar sut des i i astudio therapi gwybyddol yn seiliedig ar ymwybyddiaeth ofalgar. Yr unig reswm – a dwi'n ailadrodd, *yr unig reswm* – yr es i amdani oedd oherwydd y dystiolaeth wyddonol drawiadol a brofai mai dyna oedd â'r gyfradd lwyddiant orau am drin amrywiaeth helaeth o anhwylderau corfforol a meddyliol.

Dewisais ei astudio am fy mod i wedi bod drwy'r felin gyda phob ymyrraeth seicolegol a oedd yn hysbys i ddyn (a gwraig), o therapi fanila plaen (lle byddwn yn siarad am ba mor wallgof oedd fy rhieni mor hir nes i mi ei droi'n sioe un fenyw) i ryfeddodau therapiwtig amgen fel taro gobennydd gyda bat am dri diwrnod gan ei alw'n Dadi, a rhoi angladd iddo, ei gladdu a galaru drosto. Mae gen i gywilydd dweud fy mod wedi gwneud sesiwn ailenedigaeth, lle ces fy sodro mewn bath gyda snorcel a chael fy nhynnu allan wedyn gerfydd fy sodlau. (Roedd yr un mor ddrwg â'r enedigaeth gyntaf.) Megis dechrau oedd hynny – fe es i at berson a wisgai wisg ganoloesol a oedd yn dweud ei bod hi mewn cysylltiad â'r dewin Myrddin er ei bod hi'n siarad yn ei hacen San Diego ei hun, gydag ambell 'thou' a 'm'lud' wedi'u taflu i mewn. Roedd ei gŵr, mewn gwasgod, teits a het octopws gyda chlychau ffŵl, yn gweini medd. (Gallwn fynd ymlaen, ond fe wna i gadw hynny at lyfr arall.) Galwch fi'n wallgof, ond ar ôl hyn oll, penderfynais mai gwyddoniaeth oedd y ffordd orau ymlaen.

Felly, ar ôl fy mhwl diwethaf o iselder saith mlynedd yn ôl, fe wnes i addo i mi fy hun y byddwn yn dysgu sut i ffrwyno fy meddwl cythryblus rywsut, a gweithredu. Yn obsesiynol, fe fwriais iddi i ymchwilio am y gwelech chi, gan larpio cyfnodolion a phapurau gwyddonol. Dyma ddysgais i. Gydag iselder yn unig, i'r rhai sydd wedi cael tri neu fwy o byliau, mae therapi gwybyddol yn seiliedig ar ymwybyddiaeth ofalgar yn cynnig 60 y cant o siawns o atal cael pwl arall. Yr hyn a wnaeth fwyaf o argraff arna i oedd y ffaith eich bod yn ei wneud ar eich pen eich hun: dim rhedeg at seiciatryddion yn gweiddi, 'Gwellwch fi!' bob awr o'r dydd... a'r newyddion gorau oll yw: mae'n rhad ac am ddim (a minnau'n Iddew, dyna hanner yr iachâd). I ddechrau, roeddwn i'n meddwl bod 'ymwybyddiaeth ofalgar' yn golygu eistedd yn gefnsyth ar fryncyn, eich coesau mewn cwlwm, yn mwmian mantra, sef y llyfr ffôn wedi'i ganu am yn ôl mwy na thebyg. Ond roeddwn i'n dal i fod yn barod i roi cynnig arni.

Gadewch i mi ddweud yn glir fy mod yn cymryd meddyginiaeth ar gyfer fy iselder, yn union fel y byddech chi'n ei wneud ar gyfer unrhyw salwch corfforol arall. Serch hynny, pe bai gwarant yn dod gyda gwrthiselyddion, fyddai neb byth yn cael pwl arall, ac eto mae hynny'n digwydd i'r rhan fwyaf ohonon ni... sawl gwaith. Dyma pam dwi wedi ychwanegu myfyrdod at fy meddyginiaeth. Meddyliwch amdano fel gwisgo dau gondom: amddiffyniad dwbl.

Dwi'n gobeithio nad ydw i'n swnio'n rhy efengylaidd; mae ymwybyddiaeth ofalgar yn gweithio i mi, ond mae gan bob un ohonon ni olion bysedd gwahanol a dylech ddilyn beth bynnag sy'n gweithio i chi. Os ydych chi eisiau cropian i Lourdes i gusanu traed Ein Harglwyddes a bod hynny'n gwneud i chi deimlo'n well, ewch amdani.

Beth bynnag, cefais fy ngradd Meistr mewn therapi gwybyddol yn seiliedig ar ymwybyddiaeth ofalgar o Rydychen yn ddiweddar. (Ga i ddechrau ei alw'n ThGYO? Mae'n llafurus gorfod sillafu'r cyfan drwy'r amser.) Felly dyna pam mae'r llyfr hwn yn sôn am ThGYO.

Beth sydd rhwng y cloriau?

Pennod 1: Pam 'canllaw pen-tennyn'? Yr holl esblygiad a fu, ac rydyn ni'n dal i fod heb gyrraedd perffeithrwydd. Er ein bod yn sefyll ar ddwy droed, ac yn gallu cadw cydbwysedd yn wyrthiol ar sodlau saith modfedd ac yn meddu ar yr ymennydd mwyaf ym myd yr anifeiliaid, dim ond wedi ein hanner coginio ydyn ni o hyd.

Mae'r bennod hon yn sôn amdanon ni, a pham nad ydyn ni mor ddoeth ag y dylen ni fod.

Pennod 2: Ymwybyddiaeth ofalgar: Pwy? Beth? Pam? Beth yw'r peth hwn a elwir yn ymwybyddiaeth ofalgar, a pham y bydden ni ei angen? Beth yn ein hymennydd ein hunain sy'n ein cadw ni rhag y cysyniad o 'hapusrwydd', sydd mor anodd ei gyrraedd?

Pennod 3: Sut mae ein hymennydd yn gweithio a'r wyddoniaeth sy'n sail i ymwybyddiaeth ofalgar Yn y bennod hon dwi'n dangos pa mor glyfar ydw i, drwy roi tystiolaeth niwrolegol pam mae ThGYO mor effeithiol wrth ymdrin â straen. Wrth straen, nid eich bod wedi cael diwrnod gwael yn y gwaith dwi'n ei olygu, ond y straen sy'n helpu yn y pen draw i fyrhau eich bywyd.

Pennod 4: Egwyl iselder Cefais ychydig o iselder ar ôl ysgrifennu Pennod 3, felly, ar ôl bwlch hir, ysgrifennais Bennod 4... Bydd yn gwneud synnwyr pan fyddwch chi'n ei darllen.

Pennod 5: Y cwrs ymwybyddiaeth ofalgar chwe wythnos Fel arfer caiff ThGYO ei ddysgu ar gwrs hyfforddi wyth wythnos o hyd. Wedi hynny, eich lle chi yw ymarfer yr hyn a ddysgoch chi. Bellach, dydy e ddim yn fater o redeg at rywun a gofyn iddo helpu i drwsio'ch *psyche* sydd wedi torri; nawr *chi* sy'n gyfrifol. Byddaf yn darparu cwrs ThGYO chwe wythnos hawdd a difyr. (Rhag ofn eich bod chi'n poeni, mae fy athro yn Rhydychen, Mark Williams, wedi cymeradwyo fy nehongliad o'r cwrs. Mae Mark yn un o gyd-sylfaenwyr disgyblaeth ThGYO; nid rhywbeth a ddyfeisiais neithiwr yw hwn, a meddwl, 'I'r diawl â hi, fydd neb ddim callach!')

Pennod 6: Y meddwl cymdeithasol: perthnasoedd ymwybyddol ofalgar Mae'r bennod hon yn ymwneud â defnyddio ymwybyddiaeth ofalgar i wella'n perthynas â'n ffrindiau, ein teulu, ein cymuned, ein gwlad a'r byd. Allwn ni ddim goroesi a ffynnu heb bobl eraill, felly byddwn i'n dweud mai gallu sefydlu clymau agosrwydd yw'r sgìl pwysicaf un i'w feistroli. Yn y bôn, mae'r bennod hon yn cynnwys fy nghyngor gorau ar empathi.

Pennod 7: Ymwybyddiaeth ofalgar i rieni, babanod a phlant Yn y bennod hon byddaf yn cynnig ychydig o ymarferion ymwybyddiaeth ofalgar i rieni eu defnyddio gyda'u plant, ac i rieni eu defnyddio eu hunain. (Cyn i ni hyd yn oed gyrraedd y plant, mae'n rhaid i ni drwsio'r rhieni. Os nad ydyn nhw'n ymwybodol o'u problemau eu hunain, pa obaith sydd i'w plant?)

Pennod 8: Ymwybyddiaeth ofalgar ar gyfer plant hŷn a phobl ifanc yn eu harddegau Os ceisiwch roi unrhyw gyngor i blentyn yn ei arddegau, fe fyddwch mor effeithiol â mosgito bywiog, nychlyd sy'n gwrthod marw. Yr unig ffordd y byddan nhw hyd yn oed yn ystyried meddwl am fanteision gallu ffocysu eu meddwl a gostwng eu lefel straen yw os ydyn nhw'n tybio y gallai hynny eu helpu i ymdopi â phwysau gan gyfoedion, pwysau arholiad a phob pwysau arall sy'n glanio yn ystod y gawod genllysg honno o hormonau. Dwi hefyd yn cynnwys pwt am ymwybyddiaeth ofalgar mewn ysgolion: y rhaglen lwyddiannus sy'n cael defnydd helaeth, rhaglen .b (dot b).

Pennod 9: Ymwybyddiaeth ofalgar a fi Yn y bennod hon byddaf yn gwneud yn ogystal â dweud, drwy gael fy ymennydd wedi ei sganio cyn ac ar ôl cyfnod o encil tawel, dwys sy'n cynnwys saith awr o ymarfer ymwybyddiaeth ofalgar y dydd. Byddaf yn cadw dyddiadur drwy gydol fy nhawelwch… oni bai bod rhywun yn dwyn fy meiro.

Atodiadau Ambell ddarn gwyddonol i gefnogi'r hyn dwi'n ei ddweud.

... ac yn olaf, Nodiadau gan Ddynes Wallgof: Drwy'r llyfr hwn byddaf yn cynnwys pytiau o straeon personol. Fe fyddwch yn gwybod pan fyddaf yn gwneud hyn, oherwydd bydd yn edrych **fel hyn**.

1

Pam 'canllaw pen-tennyn'?

Mae pawb ohonon ni ar ben ein tennyn, *pob un* ohonon ni... wel, y rhan fwyaf ohonon ni... wel, rhai o fy ffrindiau. Pan ddywedaf 'ni', dwi'n cyfeirio at y 'ni' yn y byd rhydd sy'n byw yn eithaf diogel rhag perygl o oresgyniad, newyn, pla a chawodydd o frogaod; y 'ni' lwcus sydd wedi ennill y jacpot trwy gael ein geni yn y lle iawn ar yr adeg iawn. Ac eto rydyn ni, yr enillwyr, yn cwyno am straen. Pam na allwn ni fwynhau'r ffaith ein bod yn gallu byw tan ein bod yn 109 a dal i fod â'n dannedd ein hunain? Fe ddylen ni fod yn popio'r corcau siampên am y ffaith syml ein bod yn dal i anadlu. Dwi hefyd yn euog o greu straen lle nad oes angen iddo fod. Wrth i mi ysgrifennu'r llyfr hwn, dwi dan andros o straen: yn llawn o baranoia ynglŷn â llisafu ppoeth yn gwyr. Dylwn deimlo straen pan fydd bom ar fin glanio ar fy mhen, nid oherwydd nad ydw i'n gwybod ble mae'r, coma'n, mynd nac unrhyw ataldoni allar? Y meddwl am straen sy'n peri straen i ni, nid y digwyddiadau eu hunain.

Pan ddywedaf ein bod yn wynebu argyfwng, dwi ddim yn golygu'r arswyd, go iawn a dychmygol, sy'n llechu ynghylch y bygythiad o Drydydd Rhyfel Byd wedi'i sbarduno gan unrhyw un o'r ynfytyn sy'n arwain Gogledd Corea i'r nifer ddirifedi o ynfydion sy'n arwain eu gwahanol wledydd. Na, yr argyfwng dwi'n sôn amdano yw'r ffaith ein bod ni i gyd yn mynd ar y goriwaered heb neb i'w feio ond ni ein hunain oni bai ein bod yn dihuno'n fuan o'n trwmgwsg; o ran esblygiad – yn emosiynol, beth bynnag – rydyn ni'n anelu'n ôl at fod ar ein pedwar. Rydyn ni wedi anfon rocedi i'r gofod i archwilio'r cosmos ond am ryw reswm rydyn ni wedi anghofio ein harchwilio ni'n hunain. Rydyn ni'n parhau i geisio cyflawni a chystadlu, heb unrhyw syniad pam. Mae angen i ni osod cloc larwm i ysgwyd ein hunain allan o'r syrthni, er mwyn cael gwared ar y meddylfryd lle rydyn ni'n hel meddyliau ac yn poeni, a dod, yn llythrennol, at ein coed. Dyna'r unig ffordd i brofi bywyd: nid trwy eiriau, ond trwy olwg, arogl, sain, cyffyrddiad, blas... sawl llond fforc ydych chi wedi'u gwthio i'ch ceg heddiw a'u blasu mewn gwirionedd? Dwi ddim yn gwybod pryd, yn hanesyddol, y syrthion ni i gysgu wrth yr olwyn, oherwydd yn bendant fe ddechreuon ni ein bodolaeth ar ddihun; fel bodau cyntefig, roedden ni'n effro i sŵn pob cangen dan droed a phob cryndod mewn llwyn. Ond nawr, rydyn ni'n twnelu ein ffordd drwy fywyd ar awtobeilot, mor gyflym ag y gallwn, er mwyn cael y cyfan wedi'i wneud a'i roi i gadw'n dwt mewn droriau.

Fe ddylen ni ymdrechu i esblygu tuag at fyw bywyd heddychlon, nid gorffen y dasg nesaf ar y rhestr yn unig, gan gredu, pan fyddwn wedi ei gwneud, y cawn ni ddechrau byw *wedyn*. Dim mwy o ohirio: mae'n hwyrhau. Naill ai rydyn ni'n dysgu sut i ddihuno nawr neu fe fyddwn ni'n cerdded yn ein cwsg yn syth i mewn i'r bedd.

Esblygiad ein hymennydd

Y gwir amdani yw bod pob un ohonon ni wedi dechrau bywyd fel un gell fach bitw. Er mwyn deall pwy ydyn ni heddiw, mae angen i ni roi sylw i'n gorffennol protoplasmig. Does dim cymaint â hynny o amser er pan ddaethon ni i fodolaeth; dim ond ers 200,000 o flynyddoedd y buon ni'n fodau dynol gwirioneddol fodern; cyn hynny pysgod, madfallod ac amrywiaeth o epaod oedden ni. (Dydy hi ddim yn llinach arbennig o soffistigedig.) Mae'r rhan fwyaf ohonon ni'n anobeithiol o anymwybodol o'r graddau y cawn ni ein dal yn wystlon gan ein dechreuadau moronig.

Mewn rhai ffyrdd, rydyn ni wedi cyflawni llawer (h.y. rydyn ni'n gallu gwneud *soufflés*, ond o ran ein datblygiad emosiynol, rydyn ni'n dal i nofio gyda llysnafedd y pwll. Yn fy marn i, mae angen inni ystyried dylanwad ein gwreiddiau yn ein gorffennol cynhanesyddol. Gallwn esgus ein bod yn wâr, gyda'n te a'n sgons, ond o dan y croen mae'r galon gyntefig yn dal i guro.

Y peth cyntaf i ddatblygu, a rhywbeth rydyn ni'n ei rannu â mamaliaid eraill, yw ymennydd sy'n sicrhau ein bod yn goroesi. Golyga hyn ein bod ni, fel mamaliaid eraill, bob amser yn wyliadwrus rhag perygl. Rydyn ni'n chwilio'n ddiddiwedd am hapusrwydd, ond gadewch i mi ddifetha'ch diwrnod drwy ddweud wrthych mai pesimistiaid naturiol ydyn ni oherwydd, o fod felly, gallwn sicrhau parhad y rhywogaeth. Rhaid i ni fod yn barod am berygl. Dyma pam ein bod yn gogwyddo tuag at y negyddol yn hytrach na'r cadarnhaol. Dywedodd rhywun unwaith mai dim ond un meddwl cadarnhaol sydd gennym ni am bob pum meddwl negyddol. Ond yn y diwylliant hwn, nid y meteor annisgwyl sy'n mynd i'n lladd ond pethau fel terfynau amser ac ad-daliadau morgais; allwch chi ddim dianc rhag y ddyled genedlaethol.

Y broblem yw nad ydyn ni'n ymwybodol fod rhan o'n hymennydd yn dal i chwarae yn ôl rheolau 500 miliwn o flynyddoedd yn ôl. Dwi'n siarad am y ddamcaniaeth 'lladd a chyplu'. Er cymaint y credwn ein bod wedi esblygu, rydyn ni'n dal i fod yn bobl yr ogofâu gydag ymennydd pobl Oes y Cerrig, ond erbyn hyn rydyn ni'n ceisio ymdopi â chymhlethdodau'r unfed ganrif ar hugain. Mae'n bosib mai dyma pam mae angen cymaint o bobl trin pennau a chymaint o feddyginiaeth arnon ni.

Yn y dechrau, roedd pethau'n iawn: roedden ni'n byw mewn llwythau gyda'n teuluoedd. Roedd pawb ohonon ni'n rhannu'r un genynnau, felly roedden ni'n ymddiried yn ein gilydd ac yn amddiffyn ein gilydd. Y peth drwg am hynny yw'r ffaith fod pawb yn perthyn i'w gilydd, ac achosodd hynny fwtaniadau diddiwedd; roedd gan rai o'n cefndryd fwy o fysedd nag oedd eu hangen arnyn nhw, ac roedd gan eraill draed yn tyfu tuag yn ôl. Dechreuodd y problemau pan ddechreuodd y llwythau ehangu, tyfodd dinasoedd a datblygodd gwareiddiad. Roedd yn rhaid i ni wneud rheolau wedyn i reoli ein dyheadau dyfnaf a thywyllaf, h.y. paid â chysgu gyda dy chwaer. Ceisiodd Freud ein helpu i gadw rheolaeth ar ein hunaniaeth, ond mae ein hunain mwyaf sylfaenol yn dal i lithro o gwmpas yn y llaid o dan yr wyneb. Dydy ataliadau ddim yn helpu; mae'r bod cyntefig yn dal i lechu tu mewn drwy'r amser ac yn barod i rwygo a rhefru.

Esblygiad straen

Yn gynharach yn ein bodolaeth, roedd bywyd yn anodd, ond doedd neb yn marw o straen. Roedden nhw'n marw o glefydau. Roedden nhw'n marw o henaint (o gwmpas y dwy ar hugain oed), damweiniau, genedigaeth, dannedd drwg... ond nid o straen.

Doedd dim gair am straen, felly doedd neb yn cwyno amdano.

Fy theori i yw bod y cysyniad o straen wedi cychwyn pan gawson ni iaith. Allen ni ddim byw ar ddim ond taflu gwaywffon mwyach; bellach roedd gennym ni feddyliau gyda geiriau a roddai gipolwg mewnol i ni ar ba mor dda neu wael y bydden ni'n ei thaflu. Fel arfer, roedd yr adolygiadau'n rhai gwael.

Peidiwch â chamddeall: mae llawer o ddaioni wedi deillio o feddwl. Dwi'n meddwl ar hyn o bryd ac mae'n debyg eich bod chithau hefyd, felly mae hynny'n dda. Ond gyda'r ymwybyddiaeth newydd hon fe ddaeth straen.

Yna fe agorodd y llifddorau oherwydd roedd angen mwy o le arnon ni yn ein hymennydd i ffitio'r holl feddwl hwnnw, felly tua 100,000 o flynyddoedd yn ôl (ni allaf roi'r union ddyddiad i chi), yn gwbl annisgwyl, fe welson ni fod ein hymennydd wedi tyfu tua thair gwaith yn fwy o faint. Efallai mai'r tywydd oedd yn gyfrifol, neu ogwydd y blaned, ond fe gyflymodd twf ein hymennydd yn sydyn. Mae'n debyg mai'r rheswm y bu'n rhaid i ni godi ar ein dwy droed oedd er mwyn cadw'r holl sylwedd llwyd yn gytbwys ar ein hysgwyddau. Cyn gynted ag y cawson ni ein hymennydd mawr, dechreuon ni feddwl tybed beth allen ni ei roi ynddo i'w lenwi. Un peth gwych am y cynnydd ym maint yr ymennydd oedd y gallen ni roi'r gorau i lercian yn y llaid fel ein cefnder yr epa a dechrau dyfeisio pethau, fel deunydd lapio swigod. Daeth straen gyda'r dyfeisiadau gwych hyn oherwydd roedd rhaid i ni eu trwsio, eu hyswirio a newid eu batris; doedd neb yn mynd i wneud hynny ar ein rhan, yn sicr nid ein cyfeillion yr epaod (nad oes iddyn nhw fawr o ddefnydd o hyd, heblaw ein difyrru â'r hyn y gallan nhw ei wneud gyda banana).

Fe gawson ni ein gwthio gan ein hymennydd mawr i groesi ffiniau newydd; aethon ni ati i orchuddio'r ddaear â chanolfannau siopa a bariau ewinedd, ond beth wedyn? Fe ddaethon ni'n arloeswyr syniadau, gan ddefnyddio technoleg yn hytrach na'r wagen Conestoga i godi ein baner mewn tiroedd newydd a phell, gan ledaenu ein barn, ein safbwyntiau gwleidyddol, ein hoff bethau a'n cas bethau, i bob man, nid ar droed mwyach ond trwy'r rhyngrwyd.

Fe gawson ni ein swyno i feddwl y byddai cyfrifiaduron (diolch, Bill G.) yn gwneud yr holl bethau diflas ac yn caniatáu i ni fynd ar drywydd gloÿnnod byw neu osod blodau. Mae'n ymddangos ein bod bellach yn gaeth i wneud y pethau diflas, tra bo'r cyfrifiaduron yn mwynhau'r holl hwyl: yn hacio i mewn i Fanc y Byd, a rhoi acen Americanaidd i Stephen Hawking. Dwi'n rhagweld y bydd cyn lleied o'n hangen yn y pen draw fel mai'r hyn a wnawn fydd esblygu i fod yn ddim mwy na theclyn technolegol.

Yr ymennydd gorlawn

Does neb yn crybwyll yr eliffant sydd wedi ymlâdd yn yr ystafell: pam ein bod yn gwneud ein bywydau'n fwy anodd? Pam ein bod yn stwffio'n hunain yn llawn rwtsh? Rydyn ni'n rhoi'r holl sbwriel i mewn – pam na allwn ei dynnu allan yn ei ôl? Fydd 'na ddim prawf yn cael ei osod ar ddiwedd ein bywydau, felly pam ein bod ni'n stwffio cymaint i mewn? Dwi'n gwybod bod fy ymennydd *i* yn llawn bellach. Dwi wedi gorfod anfon fy nghof i'r cwmwl nawr, a dwi ddim yn gwybod sut i'w gael i lawr yn ei ôl.

Mae miliynau o ddarnau o wybodaeth sy'n lawrlwytho i gyfrifiaduron, gyda mwy o bŵer prosesu na chanolfan reoli

Apollo, yn rhuthro i'ch ymennydd trwy flaenau'ch bysedd Mae David Levitan yn ysgrifennu, 'Heddiw, er mwyn cyfathrebu â ffrindiau, heb sôn am waith, mae pob un ohonon ni'n cynhyrchu 100,000 o eiriau bob dydd ar gyfartaledd, mae yna 21,274 o orsafoedd teledu a bydd yn cymryd 17 bywyd, os ydych chi'n byw i fod yn 158 ym mhob bywyd, i fynd drwy'r holl sianeli ar eich teledu' – a does dim byd ond sothach ar y rhan fwyaf ohonyn nhw. Mae yna gost i amsugno'r holl wybodaeth; mae'n flinedig ceisio darganfod beth sydd ei angen arnon ni a beth sy'n ddibwys. Mae 'fyny grisiau' mor llawn, mae'n anodd gwneud penderfyniadau synhwyrol: am beth ddylwn i boeni, am fod Gwlad yr Iâ'n dadrewi neu am gael y past dannedd cywir? Nid cyfrifiadur yw ein hymennydd, does dim angen ei wefru; mae angen iddo orffwys, a does dim gorffwys. Pwy sydd ag amser i orffwys? ... Mae gorffwys wedi mynd yn air brwnt. Yr unig adeg y gallwch orffwys yn gyfreithlon yw pan fyddwch chi yn y tŷ bach. Mae pob trydariad, cofnod Facebook a neges destun yn sugno'ch egni. Dyna pam rydych chi bob amser yn anghofio lle rydych chi wedi parcio'ch car.

Wrth inni gwyno bod ein rhestrau o 'bethau sy'n rhaid eu gwneud' yn ddiddiwedd, gadewch inni beidio ag anghofio mai ni a greodd y rhestrau hynny; wnaethon nhw ddim glanio o'r gofod pan nad oedden ni'n edrych a mewnblannu'r 'rhestr' yn ein hymennydd. Iawn, gadewch i ni ddweud bod angen i ni nodi ychydig bethau pwysig, fel yr angen i brynu llaeth neu i gael colonosgopi, ond pan fydd y rhestr 'pethau sy'n rhaid eu gwneud' yn cyrraedd y cannoedd bob dydd, fe ddylen ni ddechrau poeni. Efallai ein bod yn parhau i ychwanegu pethau newydd rhag ofn na fyddai unrhyw bwrpas i ni, dim rheswm i fodoli pe baen ni'n llwyddo i fynd drwy'r rhestr. Pe baech yn ddirestr yn sydyn iawn, a fyddech chi'n dod i stop? Beth sy'n digwydd pan fydd hynny'n digwydd? Er bod pawb yn cwyno bod ganddyn nhw gymaint o bethau i'w gwneud, beth fydden nhw'n ei wneud pe na bai ganddyn nhw unrhyw beth i'w wneud? Gwneud neu beidio â gwneud, dyna'r cwestiwn. Mae pobl nad oes ganddyn nhw un slot tair munud gwag yn eu diwrnod am eu bod nhw'n rhuthro o gyfarfodydd i ginio i ymarfer corff i apwyntiadau i goctels yn cael eu hystyried yn llwyddiannau mawr yn ein cymdeithas, yn esiamplau disglair i ni i gyd, ond yn fy marn i (a dwi'n dweud hyn gyda thosturi) dylid eu llosgi wrth y stanc am wneud i lawer ohonon ni deimlo'n annigonol.

Mae creaduriaid eraill yn gwybod beth maen nhw'n ei wneud. Mae adar, er enghraifft, yn mudo dros filoedd o filltiroedd i ddodwy wy a hedfan yr holl ffordd yn ôl i ble ddaethon nhw ohono am fwy o ryw; does neb yn cwyno. Rydyn ni, nad oes rhaid inni nofio, hedfan na theithio mil o filltiroedd, yn disgyn ar ein cefnau o orflinder a hynny'n unig er mwyn ceisio dal i redeg wrth ochr y sawl sydd drws nesa i ni... sy'n ceisio cadw i fyny gyda'r boi sydd nesa ato fe, sydd ar ei ffordd i gael chwalfa nerfol. Mae bod yn ddynol yn golygu codi ar eich traed a pherchnogi eich gwendidau. Os gwnewch chi hynny, bydd eraill o'ch cwmpas yn teimlo tosturi ac empathi (rhinweddau nad ydyn nhw'n cael eu harfer ddigon), a dyna sut bydd y byd yn gwella o afiechydon trachwant a narsisiaeth.

Mae angen i ni ddihuno a sylwi ar yr arwyddion y mae ein meddyliau a'n cyrff yn eu rhoi i ni; arafu weithiau ac edrych o'n cwmpas. Dwi ddim yn golygu am byth, dim ond aros am betrol bob hyn a hyn cyn mynd yn ôl i'r ras rydyn ni'n ei galw'n fywyd. Dwi'n adnabod niwrowyddonydd a gafodd drawiad difrifol ar y galon yn ddiweddar. Byddech chi'n meddwl y byddai'n gwybod rhywbeth am yr ymennydd. Byddai'n gwybod nad ydyn nhw'n rhedeg am byth ar ddwy awr o gwsg a 400 awr o waith yr wythnos.

Ar ôl tridiau'n unig, cyhoeddodd nad oedd am gymryd diwrnod o absenoldeb o'r gwaith ac y byddai'n ailddechrau ei ddarlithoedd o'i wely ysbyty, wedi'i blygio wrth beiriant ysgyfaint a thiwbiau bwydo trwy'r trwyn, gan brofi y gall niwrowyddonwyr fod yn ffyliaid hefyd.

Cymharu

Peth arall sy'n ein gwthio i ben ein tennyn yw ein bod bob amser yn cymharu ein hunain â phobl eraill, bob amser yn chwalu a chwilio i weld pwy yw'r pen bandit. Yn y byd naturiol, gall larfa gwenyn mêl benywaidd dyfu i fod naill ai'n frenhines neu'n weithiwr, yn dibynnu ar ba fwyd y mae'n ei gael. Mae cychod gwenyn yn strwythurau cymdeithasol cymhleth gyda gwahanol fathau o weithwyr, fel cynaeafwyr, magwyr a glanhawyr; does yna'r un wenynen yn wraig i bêl-droediwr na gwenyn seléb. Mae pawb yn cael eu bwydo a does dim cystadleuaeth; fyddai gwenynen lanhau ddim yn breuddwydio am fod yn wenynen sy'n magu. Fodd bynnag, rydyn ni'n teimlo bod angen i ni wneud y cyfan: bod yn frenhines, dodwy'r wyau, glanhau, magu, a dysgu sut i ddawnsio'r hwla'r un pryd. Dyma pam mai ni, nid y gwenyn, sy'n troi at Xanax. Beth bynnag, dwi'n gwybod tipyn am gymharu: mae'n un o gynhwysion fy nghawl niwrotig i.

Dwi yng Nghaeredin yn teimlo'n ddiflas, a dwi'n ceisio darganfod pam. Ar yr wyneb, mae popeth yn mynd yn esmwyth – fy sioe, fy mywyd, fy ngwaith – felly beth sydd o'i le? Yn y diwedd, dwi'n dod o hyd i reswm.

Dwi mewn cinio, yn eistedd wrth ymyl Brian Cox. Dwi'n swp sâl am ei fod e'n enetegydd moleciwlaidd, yn astroffisegydd, ymchwilydd, ffisegolegydd gronynnau, gwrthdrawydd cwantwm-electro-hydroaidd.

Mae'n hardd ac yn edrych fel pe bai'n ddeg oed. Mae hyn yn tanio un o fy sbardunau i: cymharu. Dwi'n ceisio tynnu rhywbeth allan o'r gofod gwag a elwir fy ymennydd, a gwneud fy ngorau. Gyda fy nhafod yn glynu wrth dop fy ngheg, dwi'n dweud, 'Os oes yna nifer ddiddiwedd o fydysawdau cyfochrog, sy'n golygu bod miliynau diddiwedd ohonof "fi", sut ydw i'n gallu rhoi bwyd yn fy ngheg ag un fforc?'

Efallai ei fod yn credu bod gen i bwynt, felly mae'n mynd ymlaen i ddweud wrtha i fod cell wedi'i llenwi â mitocondria (dwi'n nodio fy mhen fel pe bawn i'n gwybod beth yw hwnnw)

o ryw ddarn o ffwng wedi dechrau anadlu ocsigen i mewn 600,000 o flynyddoedd yn ôl, a chell arall wedi anadlu methan allan. Does gen i ddim cardiau i'w chwarae. Dwi'n meddwl y gwna i esgus llewygu.

Mae'r saib o dawelwch yn tyfu'n rhy hir, ac mae'n ailffocysu ar ddyn gyferbyn â ni ac yn dweud wrtho y gall gwyddonwyr bennu pa mor bell y gall cell fudo o ganol Affrica i'r Aifft. Dydy'r dyn ddim yn ymateb, felly dwi'n meddwl ei fod mor dwp â fi, ond mae Brian yn dweud wrtha i wedyn mai fe yw prif gosmolegydd y byd. Dwi'n dianc i'm cragen. Carlos Frenk (edrychwch ar YouTube; fe wnes i a bu bron i mi dagu). Dydy'r noson ddim yn dod i ben yn dda. Efallai fy mod wedi yfed gormod. Ofynnodd neb am fy rhif ffôn.

Dyma'r hen gyfaill 'cymharu' sy'n ein gyrru'n wallgof. Mae rhai pobl yn fodlon ar eu bywydau – dwi'n gwybod eu bod allan yno yn rhywle, ynghanol y coed, yn magu eu hieir eu hunain, yn godro â'u dwylo fel bywoliaeth ac yn eistedd o gwmpas y tân yn rhostio malws melys. Ond am y gweddill ohonon ni, daw negeseuon o'r ether i ymosod arnon ni, yn rhestru beth sydd ddim gennym ni ond y dylen ni ei gael os ydyn ni am fod yn cŵl. Nid mater o redeg wrth ochr eich cymydog yw hi mwyach, ond gadael eich cymydog yn gwingo yn y llwch, ac yn berwi o chwerwder.

Mae cymharu'n mynd yn ôl yn bell. 'Pam nad yw fy ffrog ogof i mor ddel ag un Siwsi?' 'Pam nad oes gen i gopis mwy o faint?' Mae bob amser yr un fath – 'Pam? Pam? Pam?' – a dyna sy'n achosi straen i ni. Rydyn ni'n ymdrechu, ymdrechu, ymdrechu mwy o hyd. Felly mae hi wedi bod ers oes yr arth a'r blaidd: rydyn ni'n dioddef o'r hunan-dyb a'r rhithiau sy'n ein rhwygo'n ddarnau; rydyn ni fel ysbrydion llwglyd, bob amser yn chwilio am rywbeth, yn ysu ac yn dyheu. Cyn bo hir, bydd yna feddargraffiadau'n dweud: 'Bu farw o genfigen' neu 'Bu farw am fod ei gar yn rhy fach'.

Teitl fy nghân bersonol yw 'Byth yn Ddigon Da'. Pan fyddaf gyda phobl glyfar iawn, dwi'n troi'n ôl i fod yn dwpsen dair ar ddeg oed. Yn sydyn dwi yng nghefn y dosbarth, yn ddiwerth ac yn llywaeth, gyda fy nannedd cam. Po hiraf y bydda i gyda'r bobl hyn, lleiaf galluog ydw i i fynegi unrhyw beth, sy'n gwneud i mi deimlo fy mod hyd yn oed yn is i lawr yr ysgol allu. Fel arfer dwi'n ceisio sicrhau eu bod nhw'n dal i siarad fel na fyddan nhw'n darganfod nad ydw i'n gwybod dim.

Yn ddiweddar, gwahoddais yr Arglwydd, yr Athro, y Dr, y llawfeddyg a'r athrylith amryddawn Robert Winston i ddod i gael te gyda mi. Mae ganddo ddoethuriaethau er anrhydedd o un ar bymtheg o brifysgolion; mae gen i hanner un. Pan oeddwn mewn hwyliau arbennig o dalog, ar ôl iddo weld fy sioe yng Ngŵyl y Gelli a'i chanmol, rhoddais y gwahoddiad iddo, ac fe gytunodd yntau, ac awgrymu ein bod yn cyfarfod yn Nhŷ'r Arglwyddi. Ar y diwrnod, dechreuais deimlo panig, gan feddwl beth yn union y byddwn yn sgwrsio ag ef yn ei gylch.

Iawn: llam ymlaen. Dwi'n eistedd gyda'r Arglwydd R. yn un o'r sancteiddfannau sancteiddiolaf hynny, ystafell â phanelau pren o'i chwmpas gyda phaentiadau olew o wleidyddion yr oes a fu ar ei waliau, ac mae dynion mewn siacedi yn gweini te i mi gan foesymgrymu. Ar y pwynt hwnnw, dwi'n sylweddoli nad oes gen i ddim i'w ddweud. Gofynnaf i'r Arglwydd R. beth sydd ar y gweill ganddo, ac mae'n dweud wrtha i am ei ymchwil fydeang ar epigeneteg. Dwi wedi clywed am epigeneteg, ond dydy e ddim yn un o fy arbenigeddau a dweud y lleiaf. Dwi'n chwysu bellach, ac mae fy stumog wedi gadael yr adeilad; byddaf yn cael trawiad os yw'n gofyn unrhyw beth i mi ynglŷn ag unrhyw fater. Dwi'n ystyried mynd i'r tŷ bach a gwglo 'epigeneteg' er mwyn iddo fy hoffi ac fel nad yw'n meddwl bod nam ar fy ymennydd. Dwi ddim yn cofio rhyw lawer ar ôl hynny, heblaw ceisio bod yn ddoniol (mae hwnnw'n gerdyn dwi'n ei chwarae i ddenu'r gwrthwynebwyr i mewn i'r gêm), ond pan dwi'n ymdrechu'n rhy galed i fod yn ddoniol, mae'r cyfan yn chwythu'n ôl yn fy wyneb i'n aml. Mae'n weithred o anobaith llwyr.

Ar ein ffordd allan, rydyn ni'n dod i stop a rhewi tra bo dyn mewn siwt goch gyda botymau aur yn cerdded ar hyd y cyntedd *Addams Family* yn cario septwm aur (dwi'n gwybod nad dyna'r gair cywir, ond dwi ddim yn gwybod sut i sillafu'r gair am y baton aur y mae rhywun pwysig yn ei ddefnyddio i guro ar y llawr pa fo sesiwn ar fin dechrau yn y siambrau... neu beth bynnag).

Ar ôl iddo basio ac wrth inni symud ymlaen, mae'r Arglwydd R. yn fy nghyflwyno i arglwyddi ac arglwyddesau eraill; fe wnes i foesymgrymu'n gynnil yn y ffordd y mae'r gweision a'r morwynion yn ei wneud yn *Downton Abbey*. Cefais fy nghyflwyno i Arglwyddes Rhywun-neu'i-gilydd, a chaf wybod mai hi oedd yn gyfrifol am newid deddfau ysgariad yn y Deyrnas Unedig. Mae hi'n amlwg yn ddynes eithriadol, ac unwaith eto dwi'n colli fy ngallu i siarad yr un gair o Saesneg. Symudwn yn ein blaenau, a dwi'n dweud wrth arglwydd sy'n mynd heibio (rhywun dwi'n digwydd bod wedi'i gyfarfod o'r blaen), 'Dwi ddim yn deilwng.' Wedi iddo fynd tua ugain troedfedd heibio i mi, mae'n gweiddi'n ôl, 'Wyt, mi wyt ti.' Aeth hynny â fi allan o'r adeilad heb i mi wlychu fy hun o gywilydd. Mae bywyd yn llawn o wyrthiau bach.

Dewis

Dyma reswm arall pam ein bod yn ei chael hi mor anodd byw yn ein crwyn drwy'r amser: dewis. Pan ddes i i'r Deyrnas Unedig, byddwn wedi lladd am hufen iâ nad oedd yn flas mefus neu fanila. Y pryd hwnnw hyd yn oed, roedd Unol Daleithiau'r America yn gwneud tri deg un o wahanol flasau; mae'n 1,310 bellach. Dechreuodd yn araf – siocled, mintys, gwm swigod, cig moch gydag wy, alffalffa, dim calorïau, dim braster... dim hufen iâ. Bellach, mae gan y Deyrnas Unedig fwy o flasau na'r Unol Daleithiau yn ôl y sôn. Mae dewis yn difetha ein bywydau, yn llyncu eiliadau gwerthfawr. Byddwn i'n dweud bod 99 y cant o'n bywydau bellach yn cael ei dreulio'n ceisio gwneud penderfyniadau (ac nid am hufen iâ yn unig). Rydyn ni'n dioddef gorlwyth o benderfyniadau: rydyn ni'n anghofio bod yna ben draw i ni, ac os ydyn ni'n ei wthio'n ormodol rydyn ni'n cyrraedd blinder niwral. Dylen ni fod wedi bodloni ar fanila.

Mae rhai o'r pethau uchod sy'n peri i ni gyrraedd pen ein tennyn yn broblemau cyfoes a ddaw law yn llaw â'n diwylliant gorllewinol, waeth a ydyn ni'n hoffi hynny ai peidio, ond mae gennym ni rai nodweddion dynol esblygol wrth gael ein geni; maen nhw wedi gweithio'n wych i ni yn y gorffennol ond maen nhw bellach yn ôl-danio ar hyd stryd bywyd fel hen groc o gar.

Awtobeilot

Nodwedd wych o'r ymennydd dynol yw ein gallu i osod rhes o weithgareddau wrth ei gilydd a'u clymu'n un gweithgaredd. Does dim rhaid i chi feddwl: codi brwsh dannedd, agor y cap, gwasgu'r tiwb, crychu wyneb, symud y brwsh dannedd i fyny yna i lawr, wedyn i fyny eto ac i lawr eto, yna poeri. Byddai pob gweithred ar wahân yn cymryd rhan fawr o'ch oes.

Diolch i fwtaniadau dynol, mae awtobeilot yn ein galluogi i gyflawni heb fod angen i ni ddefnyddio'r meddwl ymwybodol. Dyma'r fantais o fod ar awtobeilot: gallu cyfuno'r holl gamau gweithredu ar wahân yn un weithred. Fodd bynnag, am ein bod yn greaduriaid caeth i'n harferion, rydyn ni'n tueddu yn y pen draw i aros mewn gêr awtomatig heb sylwi ar unrhyw beth o'n cwmpas. Cyn i ni droi, mae ein bywydau cyfan yn dechrau dod yn gyfres o ddigwyddiadau wedi'u clystyru gyda'i gilydd nes ein bod yn colli golwg ar y daith. Gwyliau, priodasau, y Nadolig, y diwrnod y byddwch yn colli'ch gwyryfdod (er nad oedd yn brofiad hynod o ddymunol i mi ac mai gwell ei anghofio) – mae'r cyfan yn cael ei wneud ar awtobeilot er mwyn eu gorffen i ni allu symud ymlaen at y nesaf. Y rhan fwyaf o'r amser mae angen i ni wylio fideo i allu cofio unrhyw fath o achlysur.

Dwi'n ymwybodol o faint o 'mywyd i dwi wedi'i fyw ar awtobeilot, gan dreulio fy nyddiau'n penelinio fy ffordd drwy yrfa a phoeni, pryd bynnag y cawn yr hyn roeddwn ei eisiau, y byddai rhywun yn ei gipio oddi arna i ac felly, byddwn yn penelinio rhagor. Dwi ddim yn gallu cofio llawer o fywyd normal nad oedd yn cynnwys gwthio. Weithiau dwi'n cwrdd â dynion sy'n dweud wrtha i ein bod ni wedi bod ar ddêt, a does gen i ddim cof o'r peth. Ble'r oedd fy meddwl? Efallai eu bod wedi rhoi rhyw fath o gyffur treisio yn fy niod.

Fyddwch chi ddim yn sylweddoli eich bod chi ar awtobeilot pan fyddwch chi arno oherwydd dyna'r pwynt: peidio â meddwl, dim ond gwneud.

Yr adegau pan mae awtobeilot yn ddefnyddiol

- Ar daith hir ar drên trwy Siberia gyda phobl yn eistedd ar eich pen am fod y trên mor llawn
- Pan fydd yn rhaid i chi fynd i siopa gyda'ch mam
- Pan fydd yn rhaid i chi wylio drama ysgol nad yw eich plentyn ynddi
- Pan fyddwch chi'n pluo cyw iâr (dydw i erioed wedi gwneud, ond dyna glywais i)
- Pan fyddwch chi yn Glastonbury ac angen mynd i'r tŷ bach
- Pan fyddwch chi'n westai cinio yn Japan a'ch gwesteiwr yn gweini chwyddbysgodyn. Gall eich lladd chi

Yr adegau pan nad yw awtobeilot yn ddefnyddiol

- Yn ystod rhyw (weithiau)
- Pan fyddwch chi'n bwyta mewn bwyty pum seren Michelin
- Ar unrhyw wyliau gyda'ch plant
- Pan fyddwch chi'n cerdded ar raff

Amldasgio

Pe bai gennym ni offer anatomegol i ymdopi â gofynion yr unfed ganrif ar hugain, byddai gennym ni 476 llaw, 75 clust, 451 ceg ac 16 o dyllau eraill yn ein cyrff. Mae amldasgio'n ddawn wych arall sydd gan bobl nad yw anifeiliaid yn meddu arni. Does 'run anifail arall yn meddu ar y gallu i droelli cymaint o blatiau. Ydych chi erioed wedi gweld carw yn gwrando ar glustffonau, yn trydar ac yn cael smôc ar yr un pryd? Dwi ddim yn meddwl. Rydyn ni'n ymhyfrydu yn ein gallu i amldasgio, gan ymffrostio ynghylch nifer y gweithgareddau y gallwn eu llwytho i mewn i eiliad, ac eto dyna'n union sy'n ein cadw rhag bod yn y presennol a hefyd yn ein llosgi'n ulw.

Pan fydd ein cyfrifiaduron yn gorlwytho, rydyn ni'n gwybod bod angen eu diffodd a'u haildanio yn nes ymlaen. Pam na allwn ni wneud hynny gyda ni ein hunain heb deimlo fel methiant? Dwi ddim yn awgrymu ein bod i gyd yn 'chill-io' (Mawredd, dwi'n casáu'r gair hwnnw a phawb sy'n ei ddefnyddio), ond pe baen ni ond yn gallu rhoi ein bysedd i gysgu ar ôl gloddest o e-bostio fel y gallwn ganolbwyntio ar y byrgyr caws rydyn ni newydd ei archebu, byddai bywyd yn fowlen o sglodion i fynd gydag ef.

Meddwl yn y gorffennol a'r dyfodol

Dwi wedi dweud hyn o'r blaen, ond dyma eich atgoffa: roedd straen a lefel uchel o wyliadwriaeth yn gweithio i ni yn y gorffennol am fod rhaid i ni ganfod yn gyflym beth oedd yn ddiogel a beth nad oedd yn ddiogel. Os oedd cryndod yn y llwyni, ai rhywbeth gyda dannedd mawr yn edrych am ginio oedd yn ei achosi neu ffrind yn tynnu coes? (Os felly, doedd e ddim yn ddoniol.) Mae angen i chi ddychmygu'r gorffennol er mwyn rhagweld y canlyniad yn y dyfodol.

Mae'r gallu hwn i deithio mewn amser yn ein galluogi i aros ar y ddaear am ddiwrnod arall. Mae llawer o anifeiliaid yn gwneud hyn, gan gofio beth sy'n beryglus a beth sydd ddim, ond dydyn nhw ddim yn poeni am y peth. Yn amlwg, mae llygoden yn cofio y bydd eliffant yn ei lladd ac wrth ddod wyneb yn wyneb ag eliffant arall, fe fydd yn gwybod bod angen iddi ddianc. Ond dydy'r llygoden ddim yn poeni am y peth, dydy hi ddim yn aros ar ddihun drwy'r nos yn poeni y gallai ddigwydd, dim ond rhuthro oddi yno. Mae'r llygoden wedi ei deall hi. Dydyn ni ddim.

Y ffaith amdani yw bod ein hatgofion yn rhoi adborth annibynadwy iawn i ni am yr hyn a ddigwyddodd go iawn yn ystod unrhyw ddigwyddiad, a bob tro y byddwn yn ei gofio, mae'r delweddau'n mynd yn fwyfwy aneglur. Felly pan fyddwn yn dychwelyd at ein ffeiliau cof rydyn ni'n gweithio gyda thystiolaeth go wamal. Golyga hyn fod meddwl yn y gorffennol ac yn y dyfodol yn defnyddio ein hamser a'n hegni gwerthfawr, heb fawr o fantais.

Yr adegau pan fydd meddwl yn y gorffennol a'r dyfodol yn ddefnyddiol

- O, dwi'n cofio, dyma'r dyn a geisiodd fy mygio fis diwethaf; efallai y dylwn groesi'r stryd
- O, dyma ble roedd y twll yn y palmant y syrthiais i mewn iddo a thorri fy mhenglog; efallai y dylwn gerdded o'i gwmpas

Yr adegau pan na fydd meddwl yn y gorffennol a'r dyfodol yn ddefnyddiol

- Fe wnes i fwyta malwoden ddrwg iawn pan oeddwn i'n naw oed, felly os ydw i'n gweld unrhyw beth sy'n edrych yn debyg i falwoden, rhaid i mi ei ladd, hyd yn oed os yw'n het sy'n edrych yn debyg i falwoden
- Rhoddais wybod i'r heddlu fod dyn a oedd yn gwisgo *toupee* nad yw'n ffitio'n iawn yn aflonyddu'n rhywiol arna i. Nawr, pan welaf rywun â *toupee* nad yw'n ffitio dwi'n sgrechian 'Treisiwr!' ac yn rhedeg oddi yno

Mae meddwl yn y gorffennol ac yn y dyfodol yn peri gofid diddiwedd i ni am ein bod wedi ein dal mewn magl ddiddiwedd o gofio cymaint o drychinebau dychmygol nad oes ganddyn nhw ddim i'w wneud â goroesi mwyach, ac mae hyn yn arwain at gnoi cil; bydd un belen eira o feddwl negyddol sy'n canolbwyntio ar yr hunan yn taro'r nesaf yn oes oesoedd. 'Pam fethais i'r arholiad?' 'Pam na ches i'r swydd / y cariad? Am 'mod i'n dda i ddim fwy na thebyg. Pe bawn i ond yn glyfrach / â phersonoliaeth well / yn fwy golygus... Mae'n debyg na fydda i byth yn gallu cyflawni llawer am 'mod i'n rhy dwp / hyll / dros fy mhwysau... Ges i fy ngeni fel hyn? Alla i gael llawdriniaeth? ...' (Mae'n ddiddiwedd.)

Fyddwch chi byth yn gwybod pam rydych chi'n teimlo sut rydych chi'n teimlo; fydd pendroni byth yn cyrraedd at wraidd eich meddyliau. Mae'r meddyliau negyddol hyn yn bwydo teimladau negyddol, ac mae'r cylch o anobaith yn dyfnhau. Mae gweithredu fel hyn fel llyncu gwenwyn i ladd y gwenwyn. Gallai'r ddamcaniaeth o lyncu rhywbeth gwenwynig i wrthsefyll rhywbeth gwenwynig weithio gyda homeopathi, ond dydy e ddim yn gweithio pan fyddwch chi'n defnyddio straen i ymladd straen. Pan fyddwn yn crafangu am esboniad, mae beth bynnag y byddwn ni'n dod o hyd iddo fel arfer yn anghywir, gan mai dim ond ychydig filoedd o eiriau sydd gennym ni, a thros 50,000 o deimladau. Mae fel ceisio siarad Sbaeneg a chithau ddim ond yn gwybod y gair 'tapas'.

Gall yr ymennydd dynol – ac yn benodol, un Einstein – feddwl am yr hafaliad $e = mc^2$ (dyna pa mor glyfar ydyn ni), ond yr hyn na all ein meddwl ei wneud yw dod o hyd i'r ateb i rywbeth fel 'Pam nad yw'r bobl dwi'n cael rhyw gyda nhw byth yn fy ffonio i?' Mae'n debyg na fyddai hyd yn oed Einstein wedi gallu ateb hynny.

Mae bod ar awtobeilot, amldasgio a defnyddio meddwl yn y gorffennol neu'r dyfodol oll yn dechnegau ar gyfer sicrhau ein bod yn goroesi, ond gallan nhw hefyd fod yn ganolog i'n hanfodlonrwydd. (Yn y bennod nesaf, ar ymwybyddiaeth ofalgar, byddaf yn trafod sut i ailwampio pob un o'r tri a'u cael i weithio o'n plaid yn hytrach nag yn ein herbyn.)

Unigrwydd

Os oes 7 biliwn o bobl ar y ddaear, pam dwi'n teimlo mor unig? Dwi'n gwneud cymaint â fy mysedd i gadw mewn cysylltiad â phobl nes fy mod wedi anghofio mai'r hyn sydd angen i mi ei wneud mewn gwirionedd yw codi a mynd i rywle i'w cyfarfod. Weithiau, bydd meddwl nad ydw i wedi siarad â fy ngheg â ffrind go iawn neu wedi gweld eu cnawd ers deuddeng mlynedd yn ysgytwad i mi. Dwi'n mynd i banig y gallwn gael fy anghofio am nad ydw i wedi siarad â rhywun, felly dwi'n anfon neges amwys, ond dwi ddim yn gwybod sut i ysgrifennu rhywbeth o'r galon, rhywbeth personol, am mai dim ond defnyddio fy nghyfrifiadur i archebu pethau ar-lein dwi wedi bod yn ei wneud. Dwi'n gwybod sut i archebu dwfe plu gŵydd o Ddenmarc a dwi'n falch iawn o'r ddawn honno, ond mae dweud, 'Dwi'n dy golli di', heb deipio emoticon o gylch twp yn gwenu a chalon yn pwmpio y tu hwnt i mi. Dwi mor gyfarwydd â defnyddio'r pethau hyn bellach nes fy mod yn rhoi symbol calon a chusan ar negeseuon e-bost at fy rheolwr banc a fy mhlymwr.

Dyma'r broblem: yr holl gysylltu, ac rydyn ni'n dal i deimlo'n unig; a lleia'n y byd rydyn ni'n teimlo'r angen i gysylltu'n emosiynol â'n gilydd, mwya'n y byd y byddwn ni'n colli ein gallu i wneud hynny. Gallwch dreulio gweddill eich oes ar-lein ond fydd hynny byth yn gwneud i chi deimlo'r un fath â phan fydd rhywun sydd wedi'i orchuddio â chroen yn gwenu arnoch. Efallai ein bod wedi colli'r cyffyrddiad dynol hwnnw o fod gyda'n gilydd am nad yw anfon wyneb yn gwenu yn dweud popeth.

Rydyn ni'n defnyddio ein ffonau nawr i deimlo ein bod wedi cysylltu. Rydych chi'n gweld pobl wedi'u cloi rhwng clustffonau, yn chwerthin, yn sgrechian ac yn crio, ac yn chwifio breichiau o flaen petryal plastig. Mae'n siŵr eu bod yn siarad â'u iWraig neu iŴr, gan gwyno am rywbeth a ddigwyddodd yn eu iGartref.

Yn ddiweddar, roeddwn yn Iwerddon ac fe es i dref fechan Westport, lle mae pawb yn ymddwyn fel pe baech chi'n berthynas nad ydyn nhw wedi'i weld ers amser maith ac wrth eu bodd yn eich croesawu, a rhoi cyfarchiad 'Top o' the morning' i chi hyd yn oed pan nad yw'n fore. Maen nhw'n siarad am gael 'craic', na wnes i ei ddeall hyd nes i mi adael. (Roeddwn i'n meddwl eu bod nhw i gyd ar y stwff.) A phan oeddwn i'n dechrau mynd yn ffroenuchel a meddwl bod y dref mor blwyfol, aethon nhw â fi i dafarn: a dyna pam dylai pawb ohonon ni fyw yn Iwerddon.

Yng nghhornel y dafarn dywyll, fyglyd, ac iddi lawr pren, mae sawl ffidlwr, tri ffliwtydd, canwr a rhywun yn curo drwm. Maen nhw'n chwarae'r gerddoriaeth Wyddelig honno sy'n gwneud i'ch calon lamu; mae'r cyfan yn swnio'r un peth, ond mae'n wych. Roedd un dyn o'r Chieftains (band Gwyddelig gwych) yn chwarae gyda nhw ac mae'n debyg fod y gerddoriaeth yn digwydd bron bob nos. Roedd pawb yno'n dawnsio – yr hen, yr ifanc, pawb yn feddw gaib – a phawb yn hollol hapus. Roeddwn i'n meddwl cymaint rydyn ni'n ei golli yn Llundain. Yma, daw'r gymuned gyfan at ei gilydd ac maen nhw'n cael nosweithiau o'r fath fel un teulu mawr. Yn ôl y sôn, pan fydd rhywun yn marw yn y dref mae pawb yn ymgasglu yn nhŷ'r sawl sy'n galaru ac yn gofalu am y coginio a'r glanhau, ac mae yna gerddoriaeth a chrio ac yfed. Byddwn yn dwlu byw yno yn fy mywyd nesaf!

Chwilio am hapusrwydd

Dyma y mae pawb ohonon ni'n chwilio amdano, ond un o'r problemau gyda'r gair 'H' yw na allwn gytuno ar yr hyn yw e a sut i ddal ein gafael arno.

Rydyn ni'n rhannu ein holl emosiynau eraill am fod pawb ohonon ni'n dod i'r byd gyda'r un cyfarpar yn rhan ohonon ni. Pan fyddwch chi'n taro'ch penelin ar rywbeth caled, hyd yn oed os ydych yn aelod o lwyth Amasonaidd anghysbell, yr ymateb yw

'Owww!' (ond yn iaith yr Amason). Mae tristwch yn weddol gyffredinol, hefyd: mae'r rhesymau drosto'n newid, ond mae pob un ohonon ni'n cael yr un teimlad o ddŵr yn diferu o'n dwythellau dagrau a'n genau'n crynu.

Hapusrwydd yw'r fanana fawr y mae pawb ohonon ni'n ei cheisio, ac eto does gennym ni ddim syniad pam na sut mae rhywun arall yn ei deimlo. Does dim llawer o lyfrau wedi'u hysgrifennu am y teimlad o beth sy'n digwydd mewn gwirionedd pan fyddwch yn taro'ch penelin, ond mae biliynau i'w cael ar hapusrwydd.

Hyn sy'n wybyddus: os byddwch chi'n llwyddo i oroesi sefyllfa byw-neu-farw, rydych chi'n cael teimlad o blu'n goglais eich tu mewn ac mae ochrau'ch ceg yn troi ar i fyny'n wên.

Gall y sefyllfaoedd isod greu teimlad o hapusrwydd.

- Rydych chi newydd groesi mynyddoedd yr Himalaya heb fwyd am bythefnos ac yn sydyn fe welwch gwningen
- Ar ôl hanner can mlynedd o chwilio, daethoch o hyd i'ch mam fiolegol… ac mae hi'n gyfoethog
- Rydych chi newydd gael gwybod bod y diagnosis yn anghywir: dydych chi ddim yn dioddef o glefyd angheuol
- Roeddech chi'n ddall a nawr rydych chi'n gallu gweld, ac rydych chi'n byw yn Barbados

Efallai y bydd rhai o'r profiadau hyn yn perthyn yn agosach i'r gair 'Rh', sef 'rhyddhad', yn hytrach na'r gair 'H', ond gadewch i ni beidio â chael ein baglu gan semanteg; rydych chi'n cael teimlad o *wi-hi!* mawr os ydych chi wedi profi unrhyw un o'r uchod.

Os ydych chi mewn sefyllfa argyfyngus, mae hapusrwydd yn fwy anodd ei ddiffinio. Hoffwn eich atgoffa fy mod yn sylweddoli mai dim ond tua 5 y cant o bobl y byd dwi'n siarad â nhw yn y llyfr hwn: y rhai sydd â digon o fwyd yn eu cegau, a dillad ar eu cefnau. Does gan y rhan fwyaf o bobl yn y byd ddim amser i ystyried hapusrwydd; mater o lwc yw hi p'un a ydyn nhw'n byw neu'n marw. Dwi'n ymddiheuro iddyn nhw – nid y bydden nhw'n darllen y llyfr hwn, ond os ydyn nhw'n digwydd bod yn defnyddio rhai o'r tudalennau hyn i gynnau tân ac yn darllen rhywfaint ohonyn nhw... mae'n ddrwg gen i.

Mae rhai enwogion wedi siarad am hapusrwydd, ac nid ffyliaid mohonyn nhw.

Seneca: 'Yr unig beth sy'n eiddo i ni yw ein meddwl, rhodd yw popeth arall.'

Epicurus: Dywedodd nad oes ond tri chynhwysyn pwysig i hapusrwydd: cyfeillgarwch, rhyddid (i beidio â bod yn eiddo i unrhyw un), a bywyd wedi'i ddadansoddi. Po leiaf o'r tri pheth hyn fydd gennych, mwyaf y byddwch am gael pŵer ac arian, ac mae'r rheini bob amser yn arwain at anhapusrwydd.

Aristoteles: Ysgrifennodd mai hapusrwydd yw'r nod uchaf o'r holl nodau.

Nietzsche: Ysgrifennodd fod hapusrwydd mawr yn galw am ddioddefaint mawr.

Dr Seuss: 'Peidiwch â chrio am ei fod wedi dod i ben; gwenwch am ei fod wedi digwydd.'

Kurt Vonnegut: 'Dwi'n eich annog i sylwi pan fyddwch chi'n hapus a dweud, neu sibrwd hyd yn oed, neu feddwl ar ryw bwynt, "Os nad yw hyn yn braf, dwi ddim yn gwybod beth sydd."'

Abraham Lincoln: 'Mae'r rhan fwyaf o bobl mor hapus ag y maen nhw'n penderfynu bod.'

Bwdha: 'Dioddefaint yw bywyd.' (Dwi wrth fy modd gyda'r bachan hwn.)

Person Anhysbys: 'Os ydych chi'n meddwl bod heulwen yn dod â hapusrwydd i chi, dydych chi ddim wedi dawnsio yn y glaw.' (Mae'n amlwg nad yw'r person hwn erioed wedi cael iselder.)

Dalai Lama XIV: 'Nid peth parod yw hapusrwydd. Mae'n dod o'ch gweithredoedd.'

Yn y bôn, mae'r holl bobl hyn yn cytuno â mi...

Iawn: dyma fy safbwynt i ar hapusrwydd.

Rydyn ni i gyd (wel, mi ydw i) yn cael ias o lawenydd pan fyddwn yn cael ein dewis yn aelodau o'r tîm pêl-foli merched (ches i ddim, ond gallaf ddychmygu'r wefr pe bawn i wedi cael fy newis... Yn amlwg, dwi'n dal i deimlo'n chwerw iawn) neu'n cwympo mewn cariad... pan mae'n deimlad ar y ddwy ochr (na ddigwyddodd lawer yn fy mywyd cynnar, felly dechreuais stelcian).

Gwaetha'r modd, waeth pa mor gryf yw'r ias, dydy hi ddim yn para; ni all yr un ohonon ni gynnal y codiad emosiynol hwnnw am byth. Hyd yn oed os ydych chi'n dal eich gafael ar yr ail deimlad yn ddigon hir i briodi, ryw ddydd byddwch yn edrych arno / arni a meddwl, 'Beth ddaeth drosof fi?' Daw dydd pan fyddwch chi'n eistedd yno, yn casáu'r ffordd y mae e / hi yn cnoi ei fwyd. Mae popeth yn dod i ben. Waeth pa mor ddeallus, prydferth neu ddoeth ydych chi, ar ryw bwynt daw model newydd i'ch disodli, fel pe baech chi'n hen dostiwr. Felly dyna ni: rydyn ni'n treulio ein bywydau'n chwilio am rywbeth sydd ag oes silff fer iawn, rhywbeth nad yw ond yn para eiliadau weithiau. Pe bai orgasmau'n para am byth, fydden ni byth yn llwyddo i wneud dim.

Bodlonrwydd

Os na allwn ddisgrifio hapusrwydd yn fanwl gywir, rydyn ni'n cael anhawster go iawn gyda bodlonrwydd. Mae'n swnio fel pe baech chi wedi ymddeol ac yn gwenu'n ddiniwed yn eich trôns anymataliaeth. Mae'n swnio rhywbeth yn debyg i hynny, ond nid dyna ydy e. Y broblem yw bod yn rhaid i ni *ddysgu* teimlo bodlonrwydd. Pan fydda i wedi gwneud rhywbeth dros rywun arall heb ddisgwyl dim yn ôl, dwi'n gwybod fy mod i'n cael teimlad cynnes, melys yn fy ngwythiennau. Dyna sut byddwn i'n disgrifio sut mae bodlonrwydd yn teimlo, ond dydy e ddim ond yn gweithio os gwnewch chi eich gweithred anhunanol yn breifat, heb weiddi o bennau'r toeau yn ei chylch. Pe bawn i'n cyhoeddi, 'Hei, bawb, fe wnes i helpu i achub pâl', fyddai hynny ddim yn teimlo cystal ag achub pâl yn gyfrinachol... (Efallai fy mod i'n colli trywydd y ddadl yn y fan hon...)

Dwi'n credu mai fy nod mewn bywyd yw anelu am gyflwr sydd heb fod yn rhy uchel nac yn rhy isel, er mwyn gallu cadw fy nghydbwysedd ar fwrdd syrffio bywyd. *'You can't stop the waves, but you can learn how to surf'* – darllenais hynny ar grys T. Daw hyn â fi'n ôl at y rheswm pam fy mod yn ymarfer ymwybyddiaeth ofalgar bob dydd: er mwyn aros ar y bwrdd syrffio.

Dyfodol y ddynoliaeth

O ran ein datblygiadau esblygol, dydyn ni ddim angen mwy o fodiau er mwyn goroesi, na gallu rhedeg yn gynt, diolch i'r diwydiant ceir. Y ffordd y byddwn yn symud ymlaen fel rhywogaeth yn y dyfodol fydd drwy ddal i fyny'n seicolegol â'n technoleg. Credwch chi fi: dwi ddim yn cwyno yn y fan hon fod yna ormod o dechnoleg, does neb yn fwy balch na fi y gallwn i gael Brasilian rhithwir ryw ddydd – ond bydd yn rhaid i ni ddysgu sylwi pan fydd y tanc yn wag a phryd i stopio a gorffwys ac ail-lenwi.

Dwi'n credu y byddai larwm wedi'i fewnblannu yn ein hymennydd sy'n dweud wrthyn ni pryd i aros i gael ein gwynt yn ddyfais ddefnyddiol; fyddwn ni ddim yn colli unrhyw beth oherwydd pan fyddwn yn ailymuno â'r ras, byddwn yn gyflymach, yn fwy gwydn ac yn gallu curo'r gystadleuaeth. (Mae'n wir, gallwch ddefnyddio ymwybyddiaeth ofalgar i'ch helpu i ennill y ras heb ladd eich hun yn y broses.)

Dwi'n hoffi clywed pobl yn dweud, 'Fe wnes i gawl o bethau. Dwi ddim yn gwybod beth dwi'n ei wneud. Mae arna i ofn. Dwi ar goll.' Mae codi ar eich traed a pherchnogi eich gwendidau'n rhywbeth dynol i'w wneud.

Dylen ni edmygu pobl sy'n gallu aros yn y gwely a pheidio â phoeni. Dylen ni ddweud, 'Waw, gall y bachan hwn fforddio amser sbâr, gadewch i ni ei wneud yn farchog.' Mewn gwirionedd, pan fyddwn yn cwrdd â rhywun sy'n ymddangos yn berffaith, yn gyfrinachol allwn ni ddim aros i'w weld yn methu. Os oes gan rywun wendidau, dwi'n gwybod fy mod i'n cael fy nenu ato ar unwaith, yn falch ei fod yn debyg i mi o dan yr wyneb. Ond am nad ydyn ni byth yn mynegi ein cyfyngiadau am ein bod ni'n ofni dod o dan chwyddwydr y llwyth, rydyn ni'n cadw'n ddistaw ac yn cuddio ein diffygion gan deimlo'n llawn cywilydd. Mae'r cyfrinachedd hwn a'r gwrthodiad i fod yn agored yn gwneud inni deimlo'n unig ac yn ynysig.

Casgliad

Y tro nesaf y byddwn yn esblygu, fydd e ddim yn digwydd yn ôl mympwy dethol naturiol, bydd yn cael ei ddethol *gennym ni*, a bydd yn fater o ddatblygu ein dealltwriaeth emosiynol yn ymwybodol yn hytrach na rhyw 'beth' arall a allai fod yn destun rhyfeddod yn dechnolegol ond na fydd yn gwneud ein bywydau yn haws nac yn hapusach. Mae gennym ni ddigon o bennau: nawr rydyn ni angen mwy o galonnau.

Dwi wedi sylwi pan fydd pobl yn hynod o lwyddiannus eu bod yn dechrau credu eu bod yn anorchfygol. Maen nhw mor brysur yn bod yn glyfar nes eu bod nhw'n anghofio mai dim ond darn o gig ydyn nhw gyda dyddiad dod i ben; does ganddyn nhw ddim rhithyn o ymwybyddiaeth o'u marwoldeb eu hunain. Maen nhw'n anghofio eu bod nhw hefyd yn fioddiraddadwy a bod yn rhaid iddyn nhw gael eu trin gyda gofal, neu fe allan nhw ddechrau meddwl am ddweud ta-ta wrthyn nhw'u hunain.

Os na ddatblygwn ni ein rhinweddau mwy dynol, o ran esblygiad, rydyn ni wedi ein tynghedu i fod yn seiborgiaid, gyda sglodion silicon yn lle celloedd, gefeiliau dur yn lle bysedd (ond cannoedd ohonyn nhw i wneud yr holl amldasgio), ac yna byddwn yn berffaith, heb unrhyw wendidau, dim ond carcas arian sgleiniog, gydag argraffnod yr afal lle'r oedd ein calonnau ni'n arfer bod.

2

Ymwybyddiaeth ofalgar: Pwy? Beth? Pam?

Peidiwch â gwneud rhywbeth, eisteddwch.

Yn gyntaf, beth nad yw e

Cyn i mi ddechrau, hoffwn roi fy rhestr bersonol i chi o'r hyn nad yw ymwybyddiaeth ofalgar, yn fy marn i.

1. Dysgu bod yn neis wrth bobl
2. Dweud helô wrth eich llestri cyn i chi eu golchi, neu ddysgu caru eich sebon cyn i chi ymolchi ag e
3. Sefyll yn noeth yn y glaw a gwenu'n ynfyd
4. Symud yn araf bach nes creu ciw o bobl tu ôl i chi
5. Ymdoddi'n ddim wrth eistedd yn eich dillad isaf
6. Gweld Duw a / neu Siôn Corn
7. Tocyn un ffordd i nirfana neu Burning Man (yr un peth)
8. Gadael eich hen groen ar ôl a dod yn rhan o bopeth, ond yn deneuach

Beth yw e

Mae ymwybyddiaeth ofalgar yn ffordd o ymarfer eich gallu i gymryd sylw: pan allwch chi roi ffocws i rywbeth, mae'r meddyliau beirniadol yn tawelu. Maen nhw'n dweud wrthyn ni, yn enwedig pan fyddwn ni'n blant, am gymryd sylw, ond dydyn ni ddim wedi cael cyfarwyddiadau ar sut i wneud hynny. Ewch ati: canolbwyntiwch eich sylw ar rywbeth neu rywun a cheisiwch ei gadw yno. Mae'n bosib y gallwch chi wneud hynny am ychydig eiliadau, ond wedyn bydd eich sylw'n symud at y peth nesaf fel pilipala'n chwilio am gymar. Mae'n debyg na fyddwch chi hyd yn oed yn sylwi eich bod bellach yn canolbwyntio ar rywbeth arall oherwydd nad oeddech yn cymryd sylw yn y lle cyntaf. Dydy e ddim yn ymwneud â chymryd sylw o rywbeth ar y *tu allan* ond, yn hytrach, â gallu canolbwyntio ar y *tu mewn*, gallu camu'n ôl a gwylio'ch meddyliau heb y sylwebaeth arferol arnyn nhw. Fel gydag unrhyw sgìl sy'n rhaid ei ddatblygu, rhaid i chi ymarfer; dydy e ddim yn rhan o'r pecyn dynol. Fy niffiniad i o ymwybyddiaeth ofalgar yw sylwi ar eich meddyliau a'ch teimladau heb ladd arnoch eich hun wrth i chi ei wneud.

Dwi'n ystyried y berthynas sydd gennym ni â'n meddwl ein hunain yn debyg i'r un sydd gan farchog â'i geffyl. Weithiau mae'r ceffyl (y meddwl) eisiau rhyddid i garlamu neu fwyta rhedyn ac felly mae'n rhwygo'r awenau o'ch dwylo, gan dynnu'ch breichiau allan o'u socedi wrth iddo wneud hynny. O ran ymwybyddiaeth ofalgar: os tynnwch chi'n siarp ar yr awenau, rydych chi'n teimlo y bydd eich meddwl yn eich gwrthsefyll hyd yn oed yn fwy, ond os tynnwch chi'n ôl yn ofalus arnyn nhw, gan wneud sŵn clician gyda'ch tafod, a dweud, 'Wo bach', yn raddol bydd eich meddwl yn arafu, yn ufuddhau i chi ac yna gallwch sibrwd, 'Diolch.' Os yw eich meddwl am redeg yn rhydd a'ch bod yn ceisio ei dynnu'n ôl yn galed, bydd yn eich taflu oddi ar ei gefn ac yn ei gwadnu hi. Os ydych chi'n trin eich hun yn drugarog ac yn gwrthod ufuddhau i'ch meddyliau heriol, maen nhw'n tawelu.

Pan fyddwch chi'n gwylio, yn gwneud dim ond tystio i'ch meddyliau, maen nhw'n colli eu grym a'u colyn wrth i chi ddechrau sylweddoli nad eich meddyliau ydych chi. Pe bai hynny'n wir, sut byddech chi'n gallu eu gwylio?

Pan na fyddwch yn gwneud unrhyw beth ond gwylio, rydych chi'n pasio heibio i eiriau, meddyliau, cysyniadau a barn. Os ydych chi'n ffrwyno eich mympwy i weithredu ar eich meddyliau, fe sylwch yn y pen draw eu bod yn parhau i symud, gan fynd a dod o'u gwirfodd; rhai'n drwm, rhai'n ysgafn, rhai'n annwyl, rhai'n bornograffig. Y cyfan sy'n rhaid i chi ei wneud yw eistedd yn ôl, diosg eich esgidiau a gwylio'r sioe deledu o'r enw *Chi* heb gael eich llusgo i mewn i'r stori.

Mae ymwybyddiaeth ofalgar yn cryfhau eich gwyliwr mewnol, gan roi ymwybyddiaeth i chi o'ch prosesau meddwl eich hun, fel pe baech chi'n eistedd uwchlaw'ch meddyliau, yn gwylio. Dydy e ddim yn annhebyg i pan fyddwch chi'n gwylio'ch hun mewn breuddwyd a'ch bod yn gwybod eich bod chi'n breuddwydio.

Mae'n swnio'n hawdd, ond dydy hynny ddim yn wir; mae eich meddwl yn awyddus iawn i'ch cipio'n ôl. Mae wedi eich cael chi i wneud fel y myn ers ugain, tri deg, naw deg mlynedd (neu faint bynnag yw eich oed); dydy e ddim yn mynd i roi'r gorau i hynny'n hawdd.

Meddyliwch am eich meddwl fel labordy, a'ch bod yn archwilio'r hyn sydd ar y bwrdd heb unrhyw ragdybiaethau a heb ffurfio unrhyw farn yn ei gylch. A oes gan wyddonydd agwedd neilltuol pan fydd yn edrych ar belen llygad pryf o dan y microsgop? Nac oes.

Derbyniad

Pan fyddwch chi'n defnyddio ymwybyddiaeth ofalgar, rydych chi'n dysgu derbyn pethau fel y maen nhw heb geisio eu newid. Dyma'r porth i'r ddamcaniaeth 'Be wnei di? Fel 'na mae hi', fel y dywedir. Mae pawb eisiau i bethau fod yn well, ond fel arfer fyddan nhw ddim, felly beth wnewch chi am hynny? Cael pwl o dymer? Mae hyn yn anodd ei lyncu, ond mae'n rhaid i chi ei lyncu os ydych am fynd i gysgu yn y nos. Fel gwyliwr, rydych chi'n tystio i'r da, y drwg a'r hyll heb roi sylwebaeth barhaus yn dynodi a ydych chi'n hoffi'r hyn a welwch ai peidio. Pan ddechreuwch wneud hynny, rydych chi wedi colli eich sedd ar yr ystlys a chewch eich sugno yn ôl i mewn i'r danchwa o eiriau.

Dyma drosiad bach i'ch helpu i ddeall eich meddyliau. Dychmygwch eich meddwl fel potel o ddŵr clir gyda thywod ar y gwaelod. Pan fydd meddyliau neu deimladau wedi ei gynhyrfu, mae'n edrych fel pe baech chi wedi ysgwyd y botel: mae'r tywod yn gwasgaru ac mae'r dŵr bellach yn llwyd. Pan fyddwch chi'n dal y botel yn llonydd, mae'r tywod yn setlo, yn union fel mae eich meddwl yn setlo pan fyddwch chi'n gwylio meddyliau yn hytrach nag ymateb iddyn nhw. Fel y dywedais, allwch chi ddim *meddwl* eich ffordd allan o broblem emosiynol; mae'r ymdrech y mae'n ei chymryd i ddarganfod pam eich bod chi'n teimlo sut rydych chi'n teimlo bob amser yn gwneud pethau'n waeth. Mae'n debyg i gael eich dal mewn traeth byw: po fwyaf y byddwch yn ymdrechu i ddod allan, dyfnaf y byddwch chi'n suddo. Mae'n rhaid i chi dderbyn na allwch roi taw ar y meddyliau, ond gallwch roi'r gorau i'r hyn sy'n digwydd nesaf.

Os byddwn yn ffoi rhag ein cysgodion, byddan nhw'n ein dilyn, ond os rhedwn tuag atyn nhw, fe fyddan nhw'n ffoi. (Dwi'n siŵr bod rhywun wedi dweud hynny unwaith.)

I'r rheini ohonoch sydd wedi ceisio astudio ymwybyddiaeth ofalgar ond sydd wedi teimlo bod edrych i mewn ar eich meddwl eich hun – yn enwedig os yw'n dwlc mochyn o beth – yn rhy boenus neu ddiflas i'w wneud bob dydd, dwi'n deall yn iawn. Y broblem yw, hyd yn oed os nad ydych chi'n ymwybodol o'r meddyliau gwenwynig yn eich pen, maen nhw'n dal i fod yno. Gallwch redeg, gallwch guddio, gallwch ddymuno iddyn nhw ddiflannu, ond yno maen nhw o hyd. Efallai eich bod yn credu eich bod yn cael amser gwych, gyda'ch plant / gwraig / dannedd perffaith, ond os nad edrychwch chi i mewn i'r tywyllwch yn seler eich ymennydd, rhyw ddydd bydd yn poeri lafa dros bob man. Os na wnewch chi ddelio ag e, fe fyddwch chi'n parhau i chwydu eich baw dros bawb arall ac yn eu beio nhw am greu eich baw chi.

Mae gen i fantra gydol oes: 'Pwy ga i ei feio?' Os oes rhywbeth nad ydw i'n ei hoffi amdanaf fi fy hun, fe wna i ddod o hyd i berson diymhongar, ei feio e (neu hi) am fy holl lanast a chwarae'r diawl ag e a'i chwipio fel hen asyn diddim. Dwi'n hynod o dda am bwyntio bys at rywun am fy ngwneud i'n gynddeiriog yn hytrach na throi'r telesgop y ffordd arall arna i fy hun i weld pwy yw'r tramgwyddwr mewn gwirionedd. Dwi ddim yn credu fy mod ar fy mhen fy hun pan ddywedaf fy mod yn trin pawb o 'nghwmpas i yr un fath ag y byddaf yn fy nhrin fy hun. Rydyn ni'n taflunio'r pethau sydd yn ein meddyliau nid yn unig ar ein teuluoedd a'n ffrindiau ond ar y blaned gyfan. Dwi'n tybio bod pawb yn fy meirniadu am fy mod i'n eu beirniadu nhw. Ni ein hunain yw ein gelynion go iawn; addurniadau yw pawb arall.

Allwch chi ddim dysgu ymwybyddiaeth ofalgar trwy lyncu tabled (fe fyddwn i'n falch iawn pe bai hynny'n wir, fel rhywun sydd wrth fy modd â thabledi); ac allwch chi ddim gwthio'ch hun ar feistr *reiki* / sibrydwyr cŵn / peiriant gwneud sudd bob tro y teimlwch fod eich meddwl yn datgan rhyfel. Does neb yn gallu eich helpu heblaw chi, a dim ond chi. Yr hyn sy'n ddiflas ynglŷn â hyn, fel gydag unrhyw sgìl arall, yw bod rhaid i chi ei ymarfer er mwyn torri hen arferion. Dyma'r unig ffordd y gallwch roi'r gorau i'r awtobeilot a dechrau sylwi ar y golygfeydd, arogli'r rhosod, blasu'r siocled a chlywed udo bleiddiaid.

Mae angen galwyni o rym ewyllys arnoch i wneud i chi eistedd ac ymarfer ond i fod yn onest, dwi ddim yn gwirioni ar lusgo fy hun i'r gawod bob dydd chwaith. (Weithiau dwi ddim yn cael un yn y bore; peidiwch â dweud wrth neb.) Hyd yn oed pan fyddaf yn brwsio fy nannedd, dwi ddim yn cael amser gwych. Ystyriwch y ddisgyblaeth o eistedd ac ymarfer bob dydd fel cyflawniad personol, fel dwi'n ei wneud… ar ôl rhoi pob esgus sy'n hysbys i ddyn i mi fy hun dros beidio â'i wneud: mae fy nhŷ ar dân, mae'n rhaid i mi ddod o hyd i fy hosan goll ar unwaith… yn enwedig os yw'r tŷ ar dân.

Bob bore, dwi'n fy ngorfodi fy hun i ymarfer ymwybyddiaeth ofalgar, ac mae'n artaith gorfod gwrando ar y storm o wallgofrwydd yn fy mhen. Mae'n teimlo fel pe bai rhywun wedi cynnau chwythwr dail anferthol ac mae'n chwalu fy meddyliau sydd wedi'u gwasgaru'n wallgof yn barod. Fel arfer dwi'n ceryddu fy hun am beidio â chodi a gwneud rhywbeth pwysig yn hytrach nag eistedd yno fel stop drws. Mae pob bore'n dechrau gyda rhestr ddiddiwedd o bethau sy'n rhaid i mi eu

gwneud, nid yn unig y diwrnod hwnnw, ond am weddill fy oes. Does iddi fawr o alaw, ond dyma'r geiriau...

Gludo'r toriad yn y ddysgl sebon, dadrewi twrci, meddwl am Ebola, dod o hyd i ffôn, e-bostio pawb am rywbeth, ailosod shelac ar ewinedd shelac, ysgrifennu'r llyfr hwn, archwilio'r lwmp ar y gath... Gallwn ddeall pe bai gen i rywbeth pwysig iawn i feddwl amdano, fel y byddai pe bai angen llawdriniaeth ar fy nghalon, ond mae meddwl am ailosod shelac ar fy ewinedd yn anfaddeuol. Dyna'r pethau sy'n rhaid i mi eu gwneud... ond mae rhai pethau'n amhosib, fel ffonio'r bachan Kim Jong-un yna yng Ngogledd Corea a dweud wrtho am gallio. Dwi wedi colli mwy na hanner fy mywyd wedi fy nghlymu wrth y rhestrau hyn. Maen nhw'n parhau waeth beth dwi'n ei wneud, pan fyddaf ar y llwyfan, wrth gael rhyw... dydyn nhw byth yn stopio: **Pam na wnaeth fy mam adael i mi gael coeden Nadolig go iawn? Dylwn gael un ffug. Roedd gen i gwpanau sbwng i'w gosod yn fy mra: ble gadewais i nhw? Wna i byth faddau i Dagmar Stewart am ddwyn ffrog orau fy Barbie pan oeddwn i'n wyth oed. Dwi eisiau *bratwurst* gyda mwstard. Pryd es i i eirafyrddio ddiwethaf? A oeddwn i'n breuddwydio neu a oeddwn i mewn damwain awyren go iawn yn Bafaria, neu Fort Lauderdale, pan laniodd mewn hufen chwip? Mae'n rhaid i mi brynu siampŵ, dwi'n casáu fy nhraed, ydy hi'n rhy hwyr i mi ymuno â'r Bale Brenhinol, a oeddwn i'n blentyn amddifad?**

Felly pam dwi'n dal i eistedd ar y gadair os oes rhaid i mi wrando ar yr holl erchyllterau hyn?

Weithiau fydda i ond yn sylwi ar un anadl neu ychydig o anadliadau allan yn ystod yr ugain munud cyfan o eistedd cyn i'r trac sain arferol – Cwyd, y ffŵl, archeba fat bath – ddechrau swnian. Ond bob tro dwi'n llwyddo i dynnu fy sylw oddi wrth yr holl bethau sy'n tynnu sylw ac yn ôl ar yr anadl, mae'n teimlo fel pe bawn i'n dal gafael ar bolyn baner er mwyn peidio â chwythu i ffwrdd yn rhyferthwy'r storm. Weithiau, gallaf eistedd a gwylio'r storm i fyny'r grisiau, fel pe bawn i'n gwylio rhaglen deledu, a hyd yn oed os yw'r rhaglen yn erchyll, a'r cymeriadau (dim ond fi fel arfer) yn ofnadwy, mae yna bellter. Mae gymaint yn llai poenus pan fyddaf yn teimlo mai *gwylio* sefyllfa ofnadwy ydw i yn hytrach na bod yn rhan ohoni. A dyma sy'n fy nghael i eistedd ar y gadair bob dydd, gan wybod bod y cyhyr sy'n fy nhynnu'n ôl o'r cythrwfl yn mynd yn gryfach bob tro dwi'n symud o'r meddyliau gorbryderus at anadl arall. Ymwybyddiaeth ofalgar yw'r unig beth y gwn i sut i'w wneud sy'n gallu fy nghloddio o bwll anobaith a rhoi egwyl o ychydig funudau i mi rhag fy ymennydd.

Hyfforddi'r ymennydd

Os ydych chi'n meddwl, 'Dwi'n dal i fethu ei wneud e' yn yr ystyr 'Allwch chi ddim dysgu triciau newydd i hen gi' (a chi yw'r ci), gofynnaf i chi ateb y cwestiynau hyn: A ddaethoch chi allan o'r groth yn gwybod sut i daflu pêl-fasged? A oeddech chi'n gwybod yn awtomatig sut i siarad Swahili? Coginio barbeciw? Dawnsio polyn?

Na. Mae popeth a wnewch ar wahân i fwyta, anadlu ac ysgarthu yn bethau sy'n rhaid i chi eu dysgu drwy ymarfer. Mae angen i ni ymarfer beth sydd yn ein pennau yn union fel y gwnawn ni gydag unrhyw gyhyr arall. Pam mae cymaint o wrthwynebiad pan ddaw'n fater o ymarfer y meddwl?

Ychydig iawn ohonon ni sy'n mwynhau mynd i'r gampfa a gwneud ymarferion corfforol di-ben-draw. Sôn am wastraffu eich bywyd! Ydych chi eisiau iechyd? Ewch am dro. Pan ddes i'r Deyrnas Unedig ddeng mlynedd ar hugain yn ôl, doedd pobl ddim yn brwsio'u dannedd hyd yn oed; nawr maen nhw yn y gampfa bob dydd o'r wythnos, yn pwmpio.

Anaml y byddaf yn mynd i'r gampfa y dyddiau hyn, oherwydd os gwelaf bobl eraill yn gwneud hanner cant o eisteddiadau, mae'n rhaid i mi wneud cant gyda het 5kg ar fy mhen. Dwi'n meddwl bod gen i enyn Rottweiler sy'n dod yn weithredol pan ydw i ynghanol pobl eraill; hyd yn oed os ydyn nhw'n athletwyr o'r radd flaenaf, mae rhan ohonof eisiau cipio'r polyn a llamu'n uwch. Dwi ddim yn gallu gwylio'r Gemau Olympaidd – byddwn yn lladd fy hun yn ceisio neidio dros y bwrdd coffi.

Dyma un nodwedd y gallwn yn hawdd gasáu fy hun o'i herwydd, ond ers ymarfer ymwybyddiaeth ofalgar dwi'n cydnabod ei bod yn rhan o bwy ydw i, a dwi wedi dechrau rhoi'r gorau i fflangellu fy hun. Nawr pan fyddaf yn ymarfer mewn dosbarth dwi'n cadw fy llygaid ar gau a chanolbwyntio'n llwyr ar fy nghorff.

Tosturi: ffrwyno'r gosb

I mi, un o'r rhannau anoddaf o ymarfer ymwybyddiaeth ofalgar yw mynd i'r afael â thosturi, sef sylfaen ymwybyddiaeth ofalgar.

Dwi ddim hyd yn oed yn hoffi trafod y gair 'T', gan mai dyna'r peth olaf rydych am ei roi i chi'ch hun pan fyddwch chi'n meddwl yn negyddol. Rydych chi'n gynddeiriog â chi'ch hun am fod yn drist neu'n orbryderus pan mae popeth gennych a chithau'n gallu archebu tecawê pelenni cig Swedaidd am bedwar o'r gloch y bore tra bo pobl eraill yn ymladd am eu bywydau mewn rhyfeloedd. Y peth olaf y credwch eich bod yn ei haeddu yw caredigrwydd. Hefyd, pan fyddaf yn clywed am bobl yn bod yn garedig wrthyn nhw'u hunain, dwi'n dychmygu'r math o bobl sy'n goleuo canhwyllau persawrus yn eu hystafelloedd ymolchi ac yn suddo i dwb o laeth ych Himalaya.

Pan es i i astudio ymwybyddiaeth ofalgar yn Rhydychen, fe ofynnais i fy athro, Mark Williams, ynglŷn â fy atgasedd o garedigrwydd, a dywedodd 'mod i'n garedig â mi fy hun hyd yn oed pan dwi'n eistedd ac yn ymarfer ymwybyddiaeth ofalgar, a hynny am funud yn unig. Ac os ydych chi'n garedig â chi'ch hun, fe fyddwch chi â'r agwedd meddwl gywir i drosglwyddo'r caredigrwydd hwnnw i eraill. Mae rhoi seibiant i mi fy hun rhag gwneud rhestrau diddiwedd a hunanfwlio yn dosturi, meddai.

Dwi'n gwybod fy mod i'n swnio'n nihilistaidd, ond dwi'n ceisio dod i delerau gyda fy mhesimistiaeth. Hyd yn oed yn ystod fy mhlentyndod, doedd fy meddyliau i byth yn rhai cynnes a chysurus. At ei gilydd, roedden nhw'n rhai heb ddim maddeuant; dwi ddim yn adnabod neb sydd mor greulon tuag ata i â fi fy hun. Dwi bob amser wedi lluchio grenadau ata i fy hun. Os dwi'n ceisio rhoi'r gorau iddi, mae'r meddyliau'n mynd yn fwy cyson. Yr unig ffordd sydd gen i o wella'r sefyllfa yw trwy ymarfer ymwybyddiaeth ofalgar, ac erbyn hyn dwi wedi bod yn gwneud hynny ers blynyddoedd lawer. Pan fyddaf yn gwneud hyn, dwi'n teimlo fel pe bawn i'n gwneud ymarferion eisteddiadau ar gyfer y meddwl, gan fynd o anadl i feddwl, y meddwl i anadl, nes daw'n haws bod yn wyliwr. Weithiau dwi ddim ond yn sylwi ar un anadl i mewn neu un anadl allan yn ystod yr ugain munud ac wrth i mi ddechrau ei fwynhau, mae fy meddwl yn gorchfygu fy sylw a dwi'n ôl i'r trac sain arferol: *Ti 'di anghofio archebu'r mat bath, y dwpsen.*

Mae gan bob un ohonon ni wyliwr: mae'n digwydd pan ydyn ni'n dod yn ymwybodol yn sydyn o'n meddyliau neu ein gweithredoedd. 'O, edrychwch, dwi'n cnoi fy ewinedd', neu 'Dwi'n blasu bwyd yn hytrach na'i lowcio.' Ymwybyddiaeth ofalgar yw'r unig beth y gwn i sut i'w wneud a all fy nghloddio o bydew anobaith a rhoi ychydig eiliadau i mi oddi wrtha i fy hun.

Sut i'w wneud

Daliwch eich gafael. Ym Mhennod 5, byddaf yn rhoi fy nghwrs hyfforddi chwe wythnos i chi ac yn plannu cyfarwyddiadau ymwybyddiaeth ofalgar yn eich meddyliau gwyryfol. Byddwch yn dysgu sut i sylwi pan fydd eich meddwl ar ddisberod a sut i ddod ag ef yn ôl i gyflwr digyffro ac eglur er mwyn gallu gwneud penderfyniadau gwell, ac fel bonws, sut i fynd ar daith i'r presennol. I mi, gallu symud o gyflwr ymennydd prysur i gydbwysedd yw'r peth mwyaf boddhaus y gallaf ei wneud i mi fy hun. A dwi'n credu y bydd hynny'n wir i chi hefyd.

Fel gyda dysgu unrhyw sgìl arall sy'n galw am ymarfer, ddaw e ddim trwy groesi'ch bysedd yn unig. Dydy ymarferion

ymwybyddiaeth ofalgar ddim yn anodd ynddyn nhw'u hunain
– maen nhw'n aml yn bleserus – y peth anodd yw'r angen i'w
gwneud bob dydd, hyd yn oed os mai am ychydig funudau yn
unig y gwnewch chi hynny, er mwyn cael budd ohono. Cyn i chi
rolio'ch llygaid, gadewch i mi eich atgoffa mai drwy ailadrodd y
dysgoch chi bopeth a ddysgoch yn ystod eich bywyd, gan
gynnwys y gallu i ddarllen y *gair* hwn. Yn y pen draw, byddwch
yn gallu defnyddio ymwybyddiaeth ofalgar pryd bynnag y bydd
ei hangen arnoch yn eich bywyd bob dydd, ond yn gyntaf bydd
angen i chi adeiladu cyhyrau i gryfhau eich gallu i ganolbwyntio.

Felly rydych chi'n dechrau drwy ganolbwyntio ar yr hyn sy'n
digwydd yn eich meddwl. (Rydych chi'n cadw llygad ar y tywydd
tu allan, nawr rydych chi'n cadw llygad arno tu mewn.) Os yw'n
braf, fe gewch ddiwrnod gwych a gallwch fwrw ati â'r hyn rydych
chi'n ei wneud. Os byddwch yn sylwi ar hyrddiadau cryf o feddwl
beirniadol neu stormydd o straen yn symud i mewn, newidiwch
eich ffocws yn fwriadol i un o'ch synhwyrau (golwg, blas, arogl,
clyw a chyffyrddiad).

Pwynt hyn yw y daw'r meddwl byrlymus yn awtomatig i fod
yn ddim byd ond sŵn yn y cefndir cyn gynted ag y byddwch chi'n
canolbwyntio ar synnwyr, oherwydd allwch chi ddim
canolbwyntio ar synnwyr a meddyliau ar yr un pryd. Dydy'r
ymennydd dynol ddim yn gallu ei wneud e; mae'n un neu'r llall.
Mae canolbwyntio ar y synhwyrau yn eich cadw yn eich lle tra
bydd eich meddyliau'n neidio o'ch cwmpas. Gydag ymarfer,
byddwch yn meithrin eich gallu i symud eich meddwl yn
fwriadol pan fydd pethau'n tynnu eich sylw.

Credaf fod dod yn ymwybyddol ofalgar yn rhywbeth bwriadol.
Pan fyddwch wedi ymdrechu i symud eich ffocws yn fwriadol,
rydych chi yn y presennol ar unwaith. Allwch chi ddim gwrando
ar sŵn yfory neu ddoe, nawr yw hi bob amser, a phan fyddwch
yn 'y nawr', does dim meddyliau beirniadol, dim ond teimladau.
Mae'r gallu hwn i ganolbwyntio ar synnwyr yn gweithio fel angor
i chi ac i'ch ymarfer ymwybyddiaeth ofalgar.

Sylw

Yr hyn sy'n fy nghadw i ymarfer ymwybyddiaeth ofalgar, hyd yn oed os nad ydw i mewn hwyliau i'w wneud e (a chredwch fi, mae hynny'n digwydd yn aml), yw'r ffaith fy mod yn deall yr effaith y mae'n ei chael ar yr ymennydd ac felly ar les. Gydag ymarferion eisteddiadau, fe welwch chi'r canlyniadau: bydd gennych gyhyrau ar eich bol, ac mae hynny'n gwneud i chi ddal ati. Gydag ymwybyddiaeth ofalgar, bob tro y byddwch chi'n ymarfer, rydych yn adeiladu lle yn eich ymennydd sy'n cyfateb i'ch gallu i gymryd sylw. Bydd eich meddwl yn erfyn arnoch, yn sgrechian arnoch ac yn eich temtio, gan geisio eich llusgo i ble bynnag y myn, ond os gallwch barhau i ganolbwyntio mae'r manteision yn fiolegol, yn seicolegol ac yn niwrolegol. Waw! Dwi'n siŵr na wnaethoch chi erioed gysylltu pob un o'r rheini â chymryd sylw. Os ydych chi eisiau bod yn hapus, dysgwch sut i gymryd sylw.

Does neb yn disgrifio sylw cystal â Dr Daniel Siegel, sy'n cyfuno gwyddoniaeth yr ymennydd â seicotherapi ac yn dangos i ni sut i ddofi'r meddwl a chreu bywyd hapusach ac iachach i ni ein hunain.

'Mae sylw â ffocws,' meddai 'yn ein helpu i weld gweithrediadau mewnol ein meddyliau; i fod yn ymwybodol o'n prosesau meddyliol heb gael ein hysgubo ymaith; i ailgyfeirio ein meddyliau a'n teimladau yn hytrach na chael ein gyrru ganddyn nhw. Mae cymryd sylw yn ein galluogi i ddod oddi ar awtobeilot ac yn ein symud y tu hwnt i'r dolenni emosiynol adweithiol sy'n gallu ein maglu. Drwy ddatblygu'r gallu i ganolbwyntio ein sylw ar ein byd mewnol, rydyn ni'n codi sgalpel ac yn ailgerfio ein llwybrau nerfol. Mae sut rydyn ni'n cymryd sylw yn siapio strwythur ein hymennydd.'

Dwi wrth fy modd â'r dyn Siegel yma. Siaradais ag ef unwaith yn Los Angeles. Fe drefnon ni i gyfarfod mewn bwyty llysieuol. Fe gyrhaeddais yno'n gynnar ac roeddwn i mor nerfus nes i mi roi cynnig ar eistedd wrth amryw o fyrddau ac ar nifer o gadeiriau er mwyn dod o hyd i'r lle gorau ar gyfer ei gyfarfod.

Ceisiais ymdawelu a phan ddaeth i mewn, codais ar fy nhraed mor sydyn nes i mi droi gwydraid o ddŵr. Yna fe estynnais ei lyfr iddo ei lofnodi, yn wlyb domen a'r print wedi rhedeg, a cheisio esgus nad oedd dim o'i le.

Cnu Aur ymarfer ymwybyddiaeth ofalgar yw sgìl cymryd sylw. Dwi'n gwybod ei fod yn swnio'n hawdd, ond credwch chi fi, dydyn ni ddim yn gwybod yn awtomatig sut i'w wneud. Dim ond am tua 1.2 eiliad ar gyfartaledd y gallwn ni roi sylw i rywbeth ac wedyn mae ein llygaid, wedi eu gyrru gan ein meddwl, yn gwibio at rywbeth arall. Dydy ein meddyliau ni ddim wedi cael eu hadeiladu i aros yn llonydd; rydyn ni'n parhau i hedfan o un peth i'r llall: datganiad cenhadaeth pob cell yn ein cyrff yw cadw golwg ar ein hamgylchedd am beryglon posib, neu fel arall, fydden ni ddim yma, bydden ni wedi bod ar gebáb rhywun filiynau o flynyddoedd yn ôl. Cofiwch: does gan ein hymennydd ni ddim syniad fod dyddiau'r ogofâu wedi dod i ben, felly chwarae teg iddo, mae'n dal i fod yn effro i ysglyfaethwyr.

Sawl machlud haul ydw i wedi'u colli wrth syllu'n syth atyn nhw? Os ydw i'n gweld eryr moel Americanaidd neu fy mhlant yn gwneud drama ysgol, dwi eisiau gallu tynnu fy meddwl oddi ar drac sain cyffredinedd diflas a chanolbwyntio ar yr unig beth sy'n werth ei wylio ar y ddaear ar y foment honno. Gall hyd yn oed fy nghath Sox ganolbwyntio. Gall aros i rythu ar ddarn o linyn am ddyddiau bwygilydd. Felly dwi'n eistedd yno'n ymarfer ymwybyddiaeth ofalgar bob dydd er mwyn gwneud rhywbeth mae fy nghath yn ei wneud yn naturiol.

Fy ateb i i sut y gallwn fyw'n well, bod yn hapusach ac aros yn iachach yw drwy newid ein sylw fel y mynnwn, gan ei fod yn golygu ein bod bellach yn rheoli'r pentwr gwych a chymhleth o driliwn o gelloedd, yn hytrach na chael ein llosgi'n dwll ganddo.

Roeddwn i'n adnabod dyn y credwn ei fod ar anterth ei lwyddiant, rhywun yn y Fortune 500 a oedd yn aelod o hanner cant o fyrddau rheoli o fri o leiaf. Yn y pen draw, cafodd drawiad ar y galon, a phan aeth ei wraig i ymweld ag ef yn yr ysbyty, daeth wyneb yn wyneb â dynes yn gofalu amdano gyda sbwng... ac mae'n debyg mai hi oedd ei wraig arall, a oedd wedi cael tri o blant gydag ef. Mae'r mathau hyn o bobl yn credu eu bod yn bodoli ar lefel lawer uwch na ni, feidrolion truenus, ac uwchlaw'r gyfraith. Maen nhw'n gwbl anymwybodol o'u hymddygiad; yn byw eu bywydau heb fod yn atebol i neb. Fel arfer, caiff y bobl hyn eu darostwng gan eu rhyfyg eu hunain. Pe bai'r dyn hwn wedi dysgu cymryd sylw, byddai wedi dod yn ymwybodol y byddai'r ddwy wraig yn cyfarfod ryw ddydd ac yn ei siwio i ebargofiant.

Mae sylw yn gweithio fel cyhyr – os nad ydych chi'n ei ddefnyddio, rydych chi'n ei golli – felly mae angen i chi ymarfer, ymarfer ac ymarfer eto. Mae cyhyr sylw wedi'i ymarfer yn dda yn ein helpu i gadw llygad ar y bêl, i wneud y penderfyniadau cywir hyd yn oed yng nghanol holl ysgogiadau a chythrwfl emosiynol ein bywydau.

Yn 2006 daeth y gair 'pizzled' i fodolaeth. Mae'n gyfuniad o 'puzzled' a 'pissed' ac yn cael ei ddefnyddio i ddisgrifio'r teimlad y mae pobl yn ei gael pan fydd rhywun yn tynnu ei ffôn o'i boced ar ganol sgwrs ac yn dechrau siarad â rhywun arall. Bryd hynny, roedd pobl yn gweld yn chwith oherwydd ymddygiad o'r fath; bellach, mae'n hollol normal. Mae'r holl wybodaeth ddigidol sy'n llifo'n rhydd yn mynnu ein sylw ac yn eironig, mae'n achosi ei ddirywiad.

Os na all y meddwl dynnu ei hun yn rhydd o'r dolenni diddiwedd hyn, fe allen ni wynebu anhwylderau gorbryder, ymddygiadau obsesiynol, iselder neu ddiymadferthedd cyffredinol. Bydd y sgìl o ddatgysylltu ein sylw o un peth a'i symud i rywbeth arall yn ein helpu i ddod o hyd i'r ffordd tuag at hapusrwydd.

Yn aml, dydy ein sylw ni ddim ar unrhyw beth penodol; mae'n loetran o gwmpas. Nid y meddwl crwydrol ynddo'i hun yw'r gelyn; y cwestiwn yw: oddi wrth beth mae'n crwydro? Os ydych chi'n cael eich dal yn cnoi cil, dydy hynny ddim yn ddefnyddiol; rydych chi'n cnoi cil ynglŷn â rhywbeth na fydd byth yn cael ei lyncu. Fodd bynnag, os yw eich meddwl yn crwydro ac yn symud tuag at fwlb golau o fewnwelediad, mae honno'n ddawn.

Gyda meddwl cliriach, tawelach, gallwch feddwl yn fwy creadigol a chynhyrchiol. Pan fydd eich meddyliau'n peri ofn neu orbryder, mae eich meddwl yn gorlenwi ac felly rydych chi'n crafangu am ddiogelwch ac yn byw ar awtobeilot, wedi'ch cloi yn eich golwg gul ar y byd.

Dyma rywbeth a ddarllenais yn rhywle (ni allaf gofio popeth): os ydych chi'n ailadrodd eich meddyliau, fe ddôn nhw'n weithred. Os ydych chi'n ailadrodd gweithred, mae'n dod yn arferiad. Mae arfer rhywbeth dro ar ôl tro yn creu persona sefydlog. Y persona sefydlog hwnnw fydd eich tynged.

Pan gaiff eich meddwl ei ryddhau gallwch gyrraedd yr agweddau niferus arnoch chi eich hun; rydyn ni'n llawer mwy amlochrog nag y sylweddolwn ni, sy'n gwneud bywyd yn gyfoethocach, ond yn anrhagweladwy; fyddwn ni byth yn gwybod pa ochr i'n personoliaethau fydd yn dod i'r amlwg. Mewn rhai sefyllfaoedd, dwi'n mynd yn swil ac yn gwrido; mewn sefyllfaoedd eraill dwi'n darw dur, dro arall yn berson ifanc yn ei harddegau gyda chwlwm yn ei thafod. Gydag ymwybyddiaeth ofalgar byddwch yn dod yn fwy ymwybodol o ba rôl rydych chi'n ei chwarae yn y foment ac yna'n penderfynu a ydych chi eisiau parhau i chwarae neu ailystyried a newid trywydd. Yn y pen draw, ni yw'r cerflunydd a'r cerflun o ran ein hymennydd, a'n hunaniaeth hefyd felly.

Mae actorion yn gwybod sut i ddefnyddio hyn er eu budd. Maen nhw'n llenwi eu hunain â meddyliau a theimladau'r cymeriad maen nhw'n ei actio a hyd yn oed os ydyn nhw, fel unigolion, yn nerfus, fe fyddan nhw'n goresgyn y nerfusrwydd trwy ymgolli'n llwyr yn y cymeriad. Dwi'n adnabod actor sydd ag atal dweud ofnadwy pan fyddwch chi'n siarad ag e ond ar y llwyfan, daw'n Harri V: dim atal dweud, ac yn rheoli Lloegr.

Pwy ydyn ni

Pan fyddwn yn rhoi sylw i rywbeth, caiff llu o gemegion eu tanio, tra bo'r niwronau'n cysylltu â phartneriaid newydd yn y ddawns niwronaidd ddi-ben-draw. (Byddaf yn trafod hyn ym Mhennod 3.) Bob milfed o eiliad, rydyn ni'n symud ein sylw, ac yn yr un filfed o eiliad honno mae ein meddwl yn cael ei ailwampio'n llwyr ac yn newid ei siâp; mae'r meddwl mewn cyflwr parhaus o newid siâp wrth i ni newid o un cyflwr i'r llall.

Yn ffodus, mae gennym ni gof hunangofiannol (y ffeil rydyn ni'n ei chario gyda ni o'r holl brofiadau a gawson ni erioed), fel y gall roi adborth eithaf cyflym i ni ar bwy oedden ni ddoe a gwybodaeth bwysig arall fel ein hoff liw, enw ein cath gyntaf, ac ati. Heb hynny, byddech fel y dyn yn y ffilm *Memento*, yn gorfod edrych ar y tatŵs ar eich breichiau i weld gyda phwy wnaethoch chi gysgu y noson o'r blaen ac a ydych chi'n ddyn neu'n fenyw. Y cof hunangofiannol yw eich stori chi hyd yn hyn. (Dydy'r cof ddim yn fanwl gywir ond hyd yn oed os yw'r manylion yn amheus, dyma'r unig stori bywyd sydd gennym ni.)

Cyn i ni feddwl am ddim byd, mae ein corff eisoes wedi ymateb, naill ai drwy'r system nerfol sympathetig neu barasympathetig. Mae'n cymryd milfedau o eiliadau i'n meddyliau drosi beth allai unrhyw emosiwn neu deimlad ei olygu. Mae'r trosi'n digwydd ar ôl i'r teimladau gael eu gwthio i'r ffeiliau cof i weld a ydych wedi cael teimlad tebyg yn y gorffennol, oedd e'n beryglus, a beth wnaethoch chi. Dydy'r ymennydd ddim bob amser yn gywir, gan nad oes unrhyw ddwy sefyllfa yn union yr un fath, a dydy eich cof ddim yn ddibynadwy: mae'n creu pethau. Ydych chi wedi gweld damwain erioed? Nid yn unig mae'n ymddangos bod yr holl dystion ar blanedau gwahanol, ond bydd eich adroddiad chi ar yr hyn a ddigwyddodd yn newid ychydig bob tro y byddwch yn agor eich ceg. Weithiau fe gewch feddwl yn eich pen sydd wedi'i ysgogi gan deimlad ac allwch chi ddim gwneud cysylltiad ymwybodol i ganfod pam. Ydych chi erioed wedi cael eich taro gan deimlad cyfoglyd yn eich stumog, a'r cyfan rydych chi'n ei wneud yw eistedd yn eich car, yn tynnu allan o le parcio? Rydych chi'n crafu'ch pen, yn ceisio darganfod pam rydych chi'n teimlo ofn pan nad oes fawr ddim yn digwydd. Yr hyn allai fod wedi digwydd yw bod eich cof wedi gwyro oherwydd cysylltiadau presennol â phethau o'r gorffennol (all eich cof ddim dweud yr amser mewn gwirionedd). Rydych chi wedi colli'ch pen oherwydd bod eich cof yn cofio i chi fod mewn maes parcio pan oeddech chi'n chwech oed ac fe wnaeth Dadi eich gadael yn y car ar ddamwain, a mynd ar wyliau. Felly nawr rydych chi'n eistedd yno mewn maes parcio cwbl wahanol yn hanner cant a saith oed ac mae eich dannedd yn clecian gan ofn. Mewn gwirionedd, pan fyddwn yn meddwl ein bod yn gwybod sut rydyn ni'n teimlo, er enghraifft wedi ein bradychu neu'n euog, efallai mai dim ond diffyg traul neu wynt yw e. Mae ein meddyliau'n gwneud eu gorau glas i gael eglurhad er gwaethaf ein ffeil atgofion amheus. Mae fel chwarae Cynffon ar yr Asyn: mae mwgwd am eich llygaid ac ni allwch wneud mwy na dyfalu ble i roi'r pìn. Bydd menywod yn deall hyn, gan eu bod yn gwybod o brofiad pan fyddan nhw eisiau rhoi saeth ym mhen pawb yn y gwaith, efallai nad oes ganddo ddim oll i'w wneud â'r hyn y mae'r bobl hynny wedi'i wneud ond yn hytrach, fod hormonau misol cas yn codi eu pennau eto. Pan fydd cantores y felan yn canu'r felan am ei dyn yn ei heglu hi gyda'i harian a'i mam yn butain a'i thad yn fochyn, efallai mai dim ond dŵr poeth sydd arni.

Fyddwch chi byth yn gwybod beth sy'n digwydd tu mewn i chi. Hyd yn oed pe baech chi'n cael awtopsi byw arnoch eich hun, fyddai neb byth yn gallu cyrraedd hanfod pwy ydych 'chi'.

Mae gennych chi wahanol fathau o gof, sy'n cael eu storio ym mhob rhan o'ch ymennydd i chi allu cofio sut i ddefnyddio sgiliau penodol a gwybod sut i ymateb i sefyllfaoedd penodol. Bob tro y byddwch yn dysgu neu'n profi rhywbeth newydd, mae'r niwronau'n ffurfio cysylltiadau sy'n adlewyrchu'r profiad hwnnw ac yn rhyddhau cemegion sy'n ysgogi teimladau penodol. Y teimladau hyn sy'n eich helpu i gofio'r profiad. Dyna sut caiff y cof ei osod. Os ydych chi'n arogli twrci ac yn sydyn yn teimlo'n fodlon braf, gallwch fynd i'r cabinet ffeilio ac arno'r geiriau 'arogl twrci', chwarae'r fideo yn ôl o Mam-gu yn crymu dros y ffwrn ar ddiwrnod Nadolig ac ail-fyw'r holl brofiad; bydd yr holl ffilm fach hon yn y cof wedi'i chymell gan arogl syml. Ewch ar feic a bydd eich cof echddygol (*motor memory*) yn cymryd drosodd, gan roi gwybod i bob rhan o'ch corff beth i'w wneud. Fydd byth angen i chi feddwl yn ymwybodol amdano.

Felly, mae lle rydyn ni'n cyfeirio sbotolau ein sylw yn diffinio pwy ydyn 'ni' yn yr eiliad honno, ac mae beth bynnag a ddychmygwn neu a brofwn yn dod yn realiti ffisiolegol ar ein map niwronol, a dyna ydyn 'ni'. Mae pob teimlad, boed ofn, cariad, chwant neu gasineb, wedi'i fynegi yn ein gwifrau niwral, ac felly yn y cemegion sy'n deillio o'r cysylltiadau hyn. Os ydych chi yn Hawaii ond bod eich meddwl yn dal i weithio'n hwyr yn y swyddfa, dyna ble mae eich meddwl yn byw: yn y swyddfa – felly waeth i chi fod yno o hyd. Neu os ydych chi mewn sinema, yn gwylio golygfa lle mae ceir yn rasio am y gorau, mae gwifrau eich ymennydd yn amlygu patrwm o arswyd a gwefr sy'n cynhyrchu afonydd o adrenalin. Ar ôl munud neu ddwy, byddwch yn gwthio popcorn i'ch ceg a bydd eich sylw'n ailffocysu, gan ddweud wrth y chwarennau poer am ddechrau pwmpio, ac yn yr eiliad hon, halen a chrensiogrwydd yw eich holl hanfod.

Felly, pan fyddwch chi'n cydnabod bod eich meddwl bob amser yn gwyro tuag at y negyddol, mae hyn oll yn profi y gallwch ddysgu ei newid yn fwriadol yn rhywbeth mwy cadarnhaol neu galonogol. Byddwch wedi symud i Aberhapus. Felly dyna chi. Y tro nesaf y credwch mai dim ond cysyniad haniaethol yw sylw, meddyliwch eto: mae mor real ag yr ydych chi.

Ar y donfedd

Fe glywn ni mai bod 'ar y donfedd' neu 'in the zone' yw un o'r teimladau hyfrytaf a brofwn. Dyma pryd rydyn ni mewn un ffocws pendant, manwl; mae'r holl bethau eraill sy'n mynnu ein sylw yn diflannu i'r cefndir ac rydyn ni'n gweithio ar ein gorau, yn y presennol. Ac yn bennaf oll, caiff yr holl leisiau beirniadol eu tawelu. Dewch â'r conffeti a'r hetiau parti allan, da chi.

Ar y donfedd, rydych chi'n teimlo fel pe baech wedi eich cau mewn cocŵn o ganolbwyntio llwyr (nad yw ond yn para am ychydig cyn i chi ddechrau meddwl pa mor bwysig yw hi i chi ddyfrio rhyw blanhigyn neu'i gilydd). Mae holl flinderau nychlyd arferol y rhestr o 'bethau i'w gwneud' yn pylu'n ddim. Dwi'n byw er mwyn y teimlad fod y cyfrifiadur a minnau'n un, yn gweithio gyda'n gilydd tuag at nod cyffredin, yn hytrach na theimlo fel hen sach yn hongian dros gyfrifiadur yn chwydu geiriau digyswllt.

Mae pobl yn dweud bod bod ar y donfedd yn teimlo'n ddiymdrech, yn rhydd, yn oruwchddynol; rydych yn parhau i ganolbwyntio oherwydd bob tro y byddwch yn cael ychydig mwy o lwyddiant yn beth bynnag rydych chi'n ei wneud, mae eich ymennydd yn rhyddhau dopamin. Dyna yw'r naid o lawenydd yn eich calon pan fyddwch yn plymio i mewn i'r pwll ar ôl gwneud deif din-dros-ben driphlyg wysg eich cefn oddi ar y bwrdd plymio uchel gyda'r ddwy droed wedi'u pwyntio'n berffaith. Nid y plymiad gwennol ei hun sy'n rhoi'r ias i chi, ond y dopamin. Mae'r plymiad gwennol yn brifo fel y diawl mewn gwirionedd.

Weithiau, wrth ysgrifennu'r llyfr hwn, dwi'n cyrraedd y donfedd ogoneddus honno lle mae popeth yn llifo'n rhydd a does dim rhaid i mi barhau i ddefnyddio'r thesawrws i ddod o hyd i'r union air cywir. Dwi wrth fy modd â'r cyflwr hwnnw i'r fath raddau fel 'mod i ddim am adael iddo fynd, er fy mod i mor flinedig nes bod fy llygaid i'n cau a fy meddwl i'n slwtsh. Dwi'n ymdrechu mor galed i fod yn ymwybodol o ba bryd y gallwn daro'r pwynt tyngedfennol hwnnw pan fyddaf yn mynd o gael fy ysbrydoli i fod mewn cyflwr hanner-pan yn ysgrifennu nonsens. Mae bob amser yn anodd i mi stopio a bod yn garedig wrtha i fy hun, am fod llais bach yn dal i ddweud, 'Rwyt ti mor ddiog! Dwyt ti ond wedi gweithio un awr ar bymtheg! Beth sy'n bod arnat ti?' Dwi'n anghofio o hyd y gallwn weithio'n well ac yn hwy, a chyrraedd y donfedd unwaith eto hyd yn oed, pe bawn i'n gorffwys am gyn lleied ag ychydig funudau.

Felly, gydag ymwybyddiaeth ofalgar, byddwch yn dod yn ymwybodol o ymwybyddiaeth. Peidiwch â drysu rhwng y cyflwr hwn a bod ar y donfedd, lle rydych yn canolbwyntio cymaint ar un gweithgaredd fel nad oes gennych chi unrhyw ymwybyddiaeth o gwbl o'r byd tu allan; rydych wedi ymgolli'n llwyr yn y dasg sydd ar waith. Pan fyddwch chi'n mynd gyda'r llif, allwch chi ddim bod yn fyfyriol a rhoi amser i sylwi ar ble mae eich meddwl, neu benderfynu cymryd seibiant.

Felly os ydych chi'n wirioneddol awyddus i gael y profiad o fod 'ar y donfedd', y cwestiwn yw: sut ydych chi'n cadw'r ffocws unplyg hwnnw a pharhau'n ymwybodol o'ch cyflwr mewnol? Dwi ddim yn meddwl y gallwch chi fod ar y ddwy donfedd ar yr un pryd, oni bai eich bod wedi gwneud miloedd o oriau o fyfyrdod, fel y mynachod sy'n gallu canu dau nodyn ar yr un pryd (y tonau sy'n swnio fel pe baen nhw'n torri gwynt). Y cyflwr delfrydol fyddai gallu bod ar y donfedd a sylwi, am led blewyn o eiliad, pan mae'n bryd esgusodi eich hun, er mwyn rhoi saib i chi ailegnïo eich ymennydd, drwy fynd am dro, cael bath, gwylio'r teledu, cicio pêl-droed, mynd allan i siopa, neu os ydych chi'n wirioneddol frwdfrydig, gwneud ymarfer ymwybyddiaeth ofalgar tair munud (gweler y cwrs ymwybyddiaeth ofalgar chwe wythnos ym Mhennod 5).

Y peth pwysicaf yw peidio â chosbi'ch hun pan fyddwch yn sylwi bod eich gwaith yn simsanu: holl bwynt ymwybyddiaeth ofalgar yw'r sylwi, yn hytrach na'i gael yn iawn.

Dychwelyd at fanteision ymwybyddiaeth ofalgar

Ysgrifennais ym Mhennod 1 sut gall rhai o'n galluoedd dynol, megis y gallu i berfformio ar awtobeilot, fod yn felltith hefyd. Mae ymarfer ymwybyddiaeth ofalgar yn ffordd o dorri'n rhydd o fod ar awtobeilot a hyfforddi ein hunain i wneud rhywbeth nad yw'n allu naturiol; dydyn ni ddim yn cael ein geni gyda'r gallu i ganolbwyntio, i ymdawelu a dod yn bresennol fel y mynnwn. Os gallwch chi wneud hyn yn naturiol eisoes, rhowch y llyfr hwn o'r neilltu, ffoniwch bobl y Dalai Lama a dywedwch wrthyn nhw mai chi yw'r un nesaf.

Dwi'n eich clywed yn dweud, 'Beth am bobl sydd â meddyliau sydd ddim yn eu hysgogi o gwbl? Y rhai sy'n gorwedd o gwmpas drwy'r dydd ar y soffa fel gwlithod môr, yn gwylio *Geordie Shore*. Ai'r bobl hyn yw'r Dalai Lama nesaf hefyd?' Na. Er eu bod ar y soffa, dydy hi ddim yn debygol eu bod nhw'n bresennol ar y soffa ac mae eu meddyliau'n cnoi cil lawn cymaint â'r addurnwr cartref obsesiynol neu'r sawl sy'n gaeth i eBay. Fe welech chi fod gan y rhai sy'n gorwedd ar y soffa hefyd lais nychlyd y tu mewn iddyn nhw'n dweud wrthyn nhw am godi oddi ar eu penolau cynyddol eu maint. Mae'n fwy na thebyg eu bod yn yfed ac yn llowcio creision er mwyn tawelu neu leddfu eu lleisiau beirniadol.

Ymchwil

Gall profion labordy fesur yn union faint yn gryfach mae'r meddwl yn tyfu gydag ymarfer, ac mae'n dangos gwelliannau sylweddol dros gyfnod cymharol fyr. Mae Dr Amish Jha wedi cymhwyso profion cyfrifiadurol i fesur perfformiad sylw grŵp o fyfyrwyr meddygaeth a nyrsio ym Mhrifysgol Pennsylvania, Philadelphia, cyn ac ar ôl cwrs wyth wythnos o hyfforddiant yn seiliedig ar ymwybyddiaeth ofalgar. Dysgodd y myfyrwyr sut i ddefnyddio ymwybyddiaeth ofalgar i reoli straen, gwella eu sgiliau cyfathrebu a meithrin empathi.

Ar ôl yr hyfforddiant, datgelodd y profion y gallai'r myfyrwyr a ddysgodd ymwybyddiaeth ofalgar gyfeirio a chanolbwyntio eu sylw'n fwriadol yn gyflymach na grŵp cyfatebol o rai na chawsant eu dysgu.

Mae arbrofion eraill a wnaed yn labordy Dr Jha wedi dangos bod ymarfer ymwybyddiaeth ofalgar am gyn lleied â deuddeng munud y dydd yn gwella'r gallu i wrthsefyll elfennau sy'n tynnu sylw.

Bod yn bresennol

Un o fanteision enfawr ymwybyddiaeth ofalgar yw eich bod yn cael tocyn am ddim i'r cyrchfan anghysbell hwnnw: y presennol. Iawn, dwi'n eich clywed chi'n dweud, 'Beth sydd mor wych am fod yn y foment bresennol? Beth os nad ydw i eisiau syllu ar adain glöyn byw neu glywed *ting* clychau gwynt? Mae gen i leoedd i fynd iddyn nhw, pobl i'w cyfarfod.'

Does dim modd deall bod yn bresennol trwy wybyddiaeth, mae'n brofiad a deimlir; rydych chi'n teimlo drwy eich synhwyrau, nid drwy eich meddyliau. Mae'n debyg y bydd dim ond eistedd gyda'ch llygaid ar gau ac anadlu yn ymddangos fel y peth olaf ar y ddaear y byddai ei angen arnoch, neu y byddai gennych amser i'w wneud. Erbyn i chi fflosio'ch dannedd, gwneud ychydig o eisteddiadau, cael cawod, rhoi hufen lleithio ar eich wyneb, crasu tost, cael rhyw gyda'ch cariad (sylwch na ddywedais 'gŵr'; yn ddiweddarach mewn bywyd, gallwch osgoi'r elfen hon), efallai y byddwch yn teimlo eich bod wedi defnyddio hanner eich diwrnod a dydy e ddim wedi dechrau eto.

Felly, pan fydd pobl yn sôn am ymwybyddiaeth ofalgar neu fod yn bresennol, fel arfer caiff y rhain eu hystyried yn eithaf isel yn yr hierarchaeth o anghenion.

Ar yr olwg gyntaf mae'n ymddangos nad oes unrhyw beth yn ddefnyddiol iawn am fod yn y presennol, felly dydyn ni ddim yn mynd yno'n aml. Dydyn ni ddim yn gwybod yn iawn sut i fod yn bresennol heblaw pan fydd rhywbeth tu hwnt i'r cyffredin yn digwydd; er enghraifft, os yw eich tŷ ar dân neu os oes gwylan yn glanio ar eich pen. Weithiau rydyn ni'n cael moment 'aha' pan fyddwn yn deffro o'n synfyfyrion ac yn cael mewnwelediad sydyn, datguddiad, pan fydd drysau canfyddiad yn cael eu taflu ar agor am un amrantiad annisgwyl. Does neb yn gwybod yn iawn sut i greu moment 'aha', ond rydych chi'n adnabod moment 'aha' pan gewch chi un.

Mae ThGYO yn eich dysgu sut i allu dod i'r presennol pan fyddwch chi'n dewis gwneud hynny, a dydy e ddim yn hawdd. Rhowch gynnig arni nawr. Chi'n gweld? Rydych chi dros y lle i gyd, ac mae'n ddigon posib nad ydych chi'n darllen fy llyfr hyd yn oed; weithiau dwi ddim yn canolbwyntio wrth ei ysgrifennu: dwi'n edrych allan drwy'r ffenest nawr, yn meddwl am bethau fel ffonio fy ffrind Dagmar Stewart nad ydw i wedi siarad â hi ers yr ysgol feithrin… ac yn sydyn does gen i ddim syniad beth dwi'n ei deipio.

Ac eto'r presennol yw lle mae pawb eisiau bod. Os nad ydych chi'n fy nghredu i, gadewch i mi nodi mai'r rheswm y byddwch yn cynllunio gwyliau neu ddigwyddiad fisoedd ymlaen llaw yw er mwyn ei brofi 'yn y foment'. Ond pan fyddwch chi'n cyrraedd eich gwesty neu babell breuddwydion, mae'n debyg y bydd eich meddwl ar rywbeth arall: 'Pam wnes i wario'r holl arian? Pam na wnes i fynd ar ddeiet? Dwi'n edrych fel Moby Dick. Dwi wedi anghofio bwydo'r bochdew. Dydy hyn ddim cystal ag o'n i'n meddwl fydde fe. Dwi'n siŵr ei bod hi'n well yn rhywle arall.' Rydych chi'n gwario ffortiwn ar win sy'n costio mwy na chynnyrch domestig gros blynyddol Bolifia i fwynhau ei isleisiau coediog ond mae eich meddwl yn rhywle arall, felly rydych chi'n colli'r holl brofiad, a nawr rydych chi'n ei biso allan heb ei flasu. Mae cymaint o'r hyn a wnawn yn ein bywydau bob dydd yn digwydd er mwyn cael profiad, blas, arogl, golwg neu sain yn y foment. Felly pan fydd pobl yn dweud, 'Dwi ddim wir yn poeni am fod yn y presennol', cofiwch eu hatgoffa faint o arian maen nhw'n ei wario a faint o amser maen nhw'n ei dreulio yn cyrraedd yno.

Os gallwch chi ateb 'nawr' pan ofynnir i chi pryd oedd amser gorau eich bywyd, rydych chi wedi cyrraedd.

Dwi'n mynd i orffen y bennod hon â dyfyniad gan Stephen Sutton, dioddefwr canser yn ei arddegau a ddywedodd, 'Mae gennych 86,400 eiliad heddiw. Peidiwch â gwastraffu'r un ohonyn nhw.'

3

Sut mae ein hymennydd yn gweithio a'r wyddoniaeth sy'n sail i ymwybyddiaeth ofalgar

Efallai eich bod chi'n meddwl (er, sut byddwn i'n gwybod?) nad oes pwynt i mi rygnu ymlaen ynglŷn â byw yn y presennol. Gallaf eich clywed nawr: 'Does gen i ddim amser, mae gen i e-byst i'w hateb, cegau i'w bwydo... Fe wna i ddod at y stwff hapusrwydd rywbryd eto.' Dwi'n gweld eich pwynt yn llwyr. Mi ydw innau hefyd ar ruthr, yn ceisio gorffen y llyfr hwn o fewn amser penodol a heb fod ag amser i feddwl am hapusrwydd mewn gwirionedd, dim ond pa mor wael fydd hi arna i os na wna i lwyddo i orffen y llyfr mewn pryd. (Mae'n amlwg fy mod i wedi llwyddo, neu fyddech chi ddim yn darllen hwn.)

Ond mae yna lawer o fanteision eraill i ymwybyddiaeth ofalgar ar wahân i ymweld â'r presennol. Mae ymchwil gyfredol yn dangos y gallwn newid tirwedd fewnol ein hymennydd drwy ymarfer ymwybyddiaeth ofalgar er mwyn gwella, ymhlith pethau eraill, y system imiwnedd a'r gallu i wrthsefyll iselder, a lleihau'r risg o glefyd y galon a gwella ein lles. Mae'r ymchwil yn dangos ei fod hefyd yn arwain at ganlyniadau cadarnhaol drwy ein helpu i reoli ein teimladau a gallu cymryd rheolaeth.

Mae pawb yn cymryd yn ganiataol ein bod wedi cael ein pecynnu ymlaen llaw, wedi ein trefnu'n derfynol wrth gael ein geni. Dydy hynny ddim yn wir... os ydych chi'n gwrando ar niwrowyddonwyr (a pham na fyddech chi?), maen nhw'n dweud bod yr ymennydd yn blastig, yn newid gyda phob cysylltiad, profiad a meddwl. Dyma beth nad ydw i'n ei ddeall: os yw rhywbeth o'r enw niwroplastigedd yn ffaith galed, oer, pam nad ydyn ni, y werin gyffredin, wedi clywed llawer amdano? Pam ein bod ni'n cael ein gadael i eistedd yma gyda dim ond pedwar math ar ddeg o lwyd pan mae yna driliwn o wahanol arlliwiau ar gael os ydyn ni'n siarad am yr ymennydd?

GELLIR HYFFORDDI EIN HYMENNYDD I NEWID ER GWELL! Pam nad yw'n bennawd pob papur newydd yn y wlad ac ar deledu amser brecwast? Allwn ni ddim dweud bellach ein bod ni'n gaeth i'r genynnau a gafodd eu rhoi i ni, oherwydd yn ddiweddar mae rhywun wedi llunio rhywbeth o'r enw epigeneteg, gwyddor sy'n dweud wrthyn ni y gall profiadau bywyd a ffactorau amgylcheddol ailwampio ein genynnau. Felly os ydych chi'n etifeddu ambell enyn tila, fyddan nhw ddim o reidrwydd yn dod yn weithredol; mae fel cario grenâd drwy gydol eich oes heb i'r pìn gael ei dynnu.

Tyfodd fy obsesiwn â niwrowyddoniaeth am ei fod wedi gwneud i mi deimlo'n llai unig pan sylweddolais fod gan bob un ohonon ni yr un cyfarpar fwy neu lai y tu mewn i'n penglogau. Rydyn ni i gyd yn rhannu'r un problemau – dwi'n sylweddoli nawr nad arna i mae'r bai amdanyn nhw, mater o esblygiad ydyn nhw. Nawr, pan fydd rhywun yn fy mhechu, dwi'n ymwybodol nad oes ganddo ddim i'w wneud â fi o bosib, ond yn hytrach fod rhan o'i ymennydd wedi agor ei chaead a fi sy'n digwydd bod yn ffordd y fwled. Mae'r ffaith fod yr ymennydd yn hydrin drwy gydol ei oes yn golygu nad yw'n rhy hwyr i mi gael gwared ar rai o fy hen ffyrdd hyllach na'i gilydd o feddwl. Gydag ymarfer, byddaf yn gallu hunanreoleiddio, ailwampio fy weirio nerfol a mireinio ffocws fy sylw – yn union fel mae'n ei ddweud ar y tun.

Dwi'n cael fy nhemtio i ailenwi ThGYO yn 'Ffitrwydd Meddwl'; mae'n swnio'n llai tebyg i rywbeth y byddai llysieuwyr yn ei wneud. Hefyd, mae'n rhatach nag unrhyw gampfa y byddwch chi byth yn ymuno â hi, oherwydd mae'r cyfarpar i gyd yn eich pen. Mwya'n y byd rydych chi'n deall sut mae'r ymennydd yn gweithio, ac yn gweld faint y gall newid drwy ddefnyddio tystiolaeth astudiaethau delweddu'r ymennydd ac MRI, hawsa'n y byd fydd hi i chi weld pwynt eistedd ac ymarfer. Felly dyma ganllaw bach i'r hyn sydd y tu mewn i'ch pen. Cyn imi ddechrau, mae angen i mi ddweud mai niwrowyddoniaeth yw'r pwnc mwyaf cymhleth ar y blaned hon a'r holl fydysawdau gyda'i gilydd. Gwrandewais ar Brian Cox a niwrowyddonydd enwog yn siarad ar y radio, ac ar ôl i Brian wneud un o'i fonologau persain am y cosmos, dywedodd y niwrowyddonydd, 'Wel, dydy e ddim yn wyddoniaeth roced. Mae niwrowyddoniaeth yn llawer mwy cymhleth.'

Gofynnais am gyngor ar y bennod hon gan niwrowyddonydd adnabyddus iawn, yr Athro Oliver Turnbull: niwroseicolegydd yn yr Ysgol Seicoleg ym Mhrifysgol Bangor, Dirprwy Is-ganghellor (Dysgu ac Addysgu) ac awdur dros 150 o gyhoeddiadau ym maes niwrowyddoniaeth. I fy helpu, rhoddodd ychydig o bapurau ymchwil i mi eu darllen. Gallaf ddweud yn onest, Oliver, nad oeddwn i'n deall yr un gair.

Felly, pe bawn i'n dweud fy mod yn symleiddio'r niwrowyddoniaeth yma, byddai hynny'n camliwio pethau a dweud y lleiaf; byddai fel cael Peppa'r mochyn yn esbonio ffiseg gwantwm. Dwi'n mynd i drafod rhannau, cylchedau a gweithrediadau'r ymennydd sy'n gysylltiedig â hunanreoleiddio a ffocws y sylw yn unig. Rheswm arall dros fy niddordeb yw fy mod yn credu mai niwrowyddonwyr (yn benodol, eu meddyliau) yw'r pethau mwyaf rhywiol ar y ddaear ac mae hyn yn rhoi esgus i mi gyfarfod â nhw.

Damcaniaeth y tri ymennydd

Hoffwn ddechrau gyda'r ffaith nad oes yr un ohonon ni byth yn teimlo fel pe baen ni yn ein hiawn bwyll (gair sy'n gallu golygu 'meddwl'). Efallai mai'r rheswm am hynny yw bod gennym ni dri ymennydd ac ar unrhyw adeg benodol, dydyn ni ddim yn gwybod ym mha un rydyn ni. Mae pob ymennydd wedi'i ffurfio gan esblygiad i wella ein gallu i gyflawni nifer o dasgau, o hongian oddi ar goed i lunio cytundeb cynbriodasol. Weithiau, does yr un o'r tri ymennydd yn ymwybodol o'r hyn y mae'r ddau arall yn ei wneud.

Mae'r tair haen yn adlewyrchu ein datblygiad esblygol o'r model cynharaf (bacteria ungell) i'r diweddaraf (George Clooney). Gwrthododd pob ymennydd gael ei ddisodli gan y llall, mae pob un wedi dal ei dir, felly mae'r tri wedi'u gwasgu at ei gilydd mewn un gybolfa ymenyddol.

(Mae llawer o wyddonwyr yn dadlau ynghylch y ddamcaniaeth hon am y tri ymennydd ac wedi bod yn gwneud hynny ers degawdau. Dydy'r tri ymennydd ddim yn annibynnol mewn gwirionedd, maen nhw'n gysylltiedig, mewn ffyrdd cymhleth nad oes neb yn eu deall yn dda iawn, ond dwi'n dweud eu bod ar wahân er mwyn ei gwneud yn haws i chi – a fi – ddilyn.)

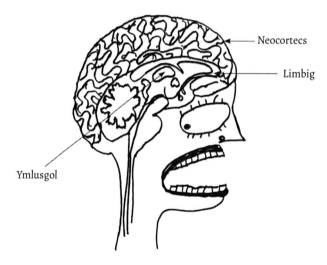

Dyma fy llun. (Fi wnaeth hwn.)

Yr ymennydd ymlusgol

Bum can miliwn o flynyddoedd yn ôl fe ddechreuon ni gyda'r rhan hynaf o'n hymennydd, sef yr ymennydd ymlusgol (*reptilian*), neu'r arcipaliwm (enw ffansi: fydd dim angen i chi ei gofio). Y rhan hynafol iawn hon (coesyn yr ymennydd a'r haenau o'i gwmpas ac uwch ei ben) sy'n gyfrifol am y pethau sylfaenol: anadlu, cyfradd curiad y galon, cwsg, rhyw ac emosiwn cryf (fy nheip i o berson).

Y system limbig

Yna, ddau gan miliwn o flynyddoedd yn ôl, fe ddatblygodd y paleopaliwm, neu'r ymennydd limbig, a symudodd i mewn ar ben ac o amgylch y model ymlusgol ac ymsefydlu yno. Mae'r limbig yn trosi'n emosiynol yr ysgogiadau a'r signalau dwfn o'r ymennydd hŷn, sy'n ein helpu i gofio ein teimladau, pwy a'u hachosodd a ble roedden ni pan gawson ni'r teimladau hynny. Gydag ymddangosiad yr ymennydd diweddarach hwn hefyd, fe ddechreuon ni ofalu am ein pobl ifanc. Cyn hynny, bydden ni'n eu gwasgu allan a'i gwadnu hi.

Y neocortecs

Tua thair miliwn a hanner o flynyddoedd yn ôl, cawson ni (*Homo sapiens*) bwl o dyfu cyflym, yn bennaf yn hemisfferau'r ymennydd. Yr enw ar yr ymennydd anferth hwn oedd yr ymennydd neo-famalaidd, neu'r neocortecs; dyma'r ymennydd 'bachgen mawr', sy'n gyfrifol am ddatrys problemau, hunanreoleiddio, mewnwelediad, rheoli mympwy, sylw, empathi... ac yn rhyfeddol, mae'n ein galluogi i feddwl am feddwl.

Yn y bôn, mae'r emosiwn crai yn saethu i fyny o goesyn yr ymennydd, mae'r limbig yn nodi'r emosiynau, yn eu dadansoddi a'u cofio, yna mae'r neocortecs yn eu gwerthuso ac yn penderfynu beth i'w wneud nesaf.

Y tri ymennydd gyda'i gilydd

Dychmygwch y tri ymennydd hyn yn gymdogion. Meddyliwch am y sgyrsiau:

YMENNYDD YMLUSGOL (yn ddig): Eisiau ff*c, rhochiad, bwyta, cysgu. Dyy.

NEOCORTECS: Rydych chi'n erchyllbeth, yn hulpyn dichwaeth. Ceisiwch gadw eich meddyliau anweddus i chi'ch hun, da chi, neu byddaf yn galw'r awdurdodau.

LIMBIG: Dwi wedi cael llond bol arnoch chi'ch dau. Dwi'n ceisio gofalu am y plant, tra bod un ohonoch chi allan yn mynd yn honco bost a'r llall yn beirniadu drwy'r amser.

Er bod y tri ymennydd wedi'u gwasgu at ei gilydd, mae natur, fel arfer, yn gwneud iawn am y camau gweigion; felly, er gwaethaf y tri chydymaith annhebygol hyn, rydyn ni wedi bod yn gweithredu'n eithaf esmwyth hyd yn hyn. Yn amlwg, mae coesyn yr ymennydd wedi bod yn gwneud yr hyn y mae i fod i'w wneud, gan ein bod i gyd yn dal i anadlu a magu. Mae'r system limbig yn gweithio'n iawn gan fod gennym ni emosiynau poeth ac oer ac rydyn ni'n cadw ein plant, er eu bod yn ein sugno'n sych. Mae'r neocortecs yn weithredol gan ein bod yn wâr ac yn gwybod sut i ddefnyddio hances.

Allwch chi ddim categoreiddio'r tri ymennydd fel rhai da neu ddrwg; maen nhw i gyd yn ddefnyddiol, yn dibynnu ar yr amgylchiadau. Hyd yn oed pe baech chi am gael gwared ar y ddau gyntefig, allwch chi ddim gwneud hynny, gan eu bod yno am reswm. Bydd angen yr un limbig arnoch pan fydd bwystfil â bwyell yn neidio o wrych (ond os yw'n eich rhybuddio i osgoi pob gwrych yn y dyfodol, mae gennych broblem). Mae gan yr ymennydd 'rhochiad' ymlusgol ei nodweddion da hefyd (*gweler* pornograffi).

Gyda hyfforddiant, gallwch ddechrau chwarae'r tri ymennydd ar wahân fel tri nodyn gwahanol, yn hytrach na tharo i lawr ar y tri mewn anghytgord. Po fwyaf y byddwch chi'n ymarfer, hawsaf oll yw hi i chwarae'r nodau ar wahân.

Y systemau nerfol sympathetig a pharasympathetig

Yn y rhan limbig o'r ymennydd, ceir clwstwr bach o niwronau siâp almon o'r enw amygdala. Dyma'r botwm argyfwng ar gyfer ein hymateb ymladd, ffoi neu rewi, ymhlith emosiynau cryfion eraill. Dengys ymchwil fwy diweddar nad yw'r emosiynau wedi'u cyfyngu i'r amygdala ond eu bod yn hytrach wedi'u gwasgaru ar draws rhannau eraill o'r ymennydd. Fodd bynnag, gadewch i ni gadw pethau'n syml am y tro a dweud bod botwm argyfwng yr amygdala wedi gweithio'n wych filiynau o flynyddoedd yn ôl; pan oedd perygl, byddai'n ein helpu i ymwroli i wynebu ein gelyn trwy symbylu cyfres o negeswyr cemegol i ysgogi'r hyn a elwir yn system endocrin (ein system gemegol fewnol). Dydy canlyniad yr hyn sy'n digwydd ddim yn annhebyg i'r hyn a wnaeth Heisenberg yn *Breaking Bad* pan greodd y crystal meth a chael Jesse i'w ddosbarthu... ond yr hormonau cortisol ac adrenalin (gall y rhain fod yn wenwynig ar lefelau gormodol) ydyn nhw yn yr achos hwn yn hytrach na chrystal meth. Mae Jesse (y chwarren bitẅidol) wedyn yn dosbarthu'r hormonau dosbarth A hyn i'w bartner hanner-pan (y chwarren adrenal), sydd wedyn yn eu gwerthu i'r rhai sy'n delio cyffuriau ar y stryd (pob organ yn eich corff), sydd wedyn yn eu gwthio hyd yn oed i'r pibellau gwaed bach lleiaf (plant y stryd). Dwi newydd ddisgrifio gweithrediad eich system nerfol sympathetig... a stori *Breaking Bad*.

Byddech chi'n meddwl bod 'sympathetig' yn golygu eich bod yn teimlo'n flin iawn drosoch eich hun; yn anfon cardiau cydymdeimlad gyda llun cŵn bach yn crio yn dweud, 'Mae hi mooooooor flin gen i' at eich holl organau. Yn rhyfedd iawn, dydy hyn ddim yn wir; mae'r system nerfol sympathetig, dan ysgogiad yr amygdala, yn gwneud i'ch tu mewn ffrwydro. Mae cemegion fel adrenalin yn codi curiad eich calon a'ch pwysedd gwaed. Mae cortisol yn cadw eich system imiwnedd dan reolaeth (i leihau llid o glwyfau posib) ac yn rhoi gwybod i'r amygdala fod yna argyfwng... sy'n dechrau'r cylch cyfan eto ac yn cynhyrchu mwy o'r hormonau gwenwynig hyn... ac felly mae'n parhau. Dyma pam ein bod yn dechrau teimlo straen ynglŷn â straen, neu'n orbryderus ynglŷn â gorbryder, ac wrth gwrs mae teimladau'n cyflwyno meddyliau ac yna mae'r cnoi cil yn dechrau.

Pan fyddwn yn y system nerfol sympathetig mae'r corff yn dechrau cau er mwyn arbed ynni a defnyddio'r hyn sydd ar ôl i ffoi, aros o gwmpas i ymladd... neu, os ydych chi'n anlwcus, rhewi fel cwningen yng ngoleuadau'r car cyn i chi droi'n slwtsh ar y ffordd. Yn y cyflyrau hynny, mae eich systemau atgenhedlu a threulio hefyd yn rhoi'r gorau iddi am y tro, gan nad oes gwir angen rhyw a lluniaeth ysgafn mewn sefyllfa o argyfwng. Does neb eisiau cael ei ladd yn ei ddillad isaf, nac ar ganol brechdan.

Does 'run o'r prosesau hyn yn digwydd er mwyn eich sbeitio; maen nhw'n digwydd i'ch cyffroi chi, i'ch cadw chi'n fyw doed a ddêl. Fodd bynnag, yn emosiynol, rydych chi'n mynd yn fwyfwy ofnus am fod popeth sydd ynoch chi yn y modd ymladd llawn, felly mae'r straen yn parhau i bwmpio, mae'r ymennydd yn cael ei lenwi â chortisol ac rydych chi nawr fel eliffant wedi dychryn, yn rhedeg yn wyllt ac allan o reolaeth.

Os bydd y cyflwr sympathetig yn parhau, bydd y niwronau'n crebachu ac yn marw, yn enwedig y rhai yn y rhannau sy'n gyfrifol am y cof. Dyma pam na allwch chi gofio unrhyw beth pan fyddwch o dan straen. Mae eich meddwl yn gwagio ac ar ddiwrnod gwael, allwch chi ddim cofio pam eich bod dan straen hyd yn oed.

Mae cortisol yn gwanhau gallu'r niwronau i gysylltu â'i gilydd yn yr hipocampws, gan eu hatal rhag tyfu. Gyda'r holl farwolaeth niwronaidd hon, does dim syndod eich bod wedi'ch dal yn yr arfer o feddwl yn negyddol, sy'n tyfu'n belen eira o gnoi cil: 'Mae pawb yn fy nghasáu i. Dwi'n fethiant. Pam, pam, pam oedd rhaid i fi fod yn fi? Pam na alla i fod yn rhywun arall? Alla i ddim bod yn rhywun arall am fy mod i'n fethiant. Pwy fyddai'n dymuno i mi fod fel nhw? Fe fydden nhw'n fethiant hefyd wedyn...' Gall y litani hon o ddiflastod bara am ddyddiau.

Mae pob meddwl yn cynhyrchu adweithiau biocemegol yn yr ymennydd, sy'n cyfateb i deimlad yn y corff. Pan fyddwch chi'n meddwl meddyliau hapus, mae'r corff yn teimlo'n dda, diolch i bŵer dopamin; os ydych chi'n meddwl yn drist, rydych chi'n teimlo'n drist. Mae'r ymennydd yn synhwyro emosiynau corfforol ac yn eu trosi'n feddyliau. Mae fel cath yn ceisio dal ei chynffon: teimladau i feddwl, meddwl i deimladau, teimladau i... mae'n ddiddiwedd. (Ym Mhennod 5, byddaf yn trafod sut allwch chi roi diwedd ar y gadwyn ddiderfyn hon pan fyddwch chi'n anfon eich ffocws i mewn i'r corff ac yn ei gadw yno trwy hyfforddi eich sylw. Pan fyddwch yn gallu canolbwyntio eich sylw ar deimlad corfforol, mae'r meddyliau'n colli eu pŵer.)

Yr unig ffordd o dorri allan o'r bwrlwm hwn o hunangasineb yw gostwng y lefelau straen rywsut er mwyn i'r corff allu dychwelyd i'w gyflwr sylfaenol, gyda phopeth yn gytbwys.

Pan fyddwch chi'n llwyddo i ostwng lefel y straen, byddwch yn symud i'r system gyferbyniol, y system nerfol barasympathetig, sy'n gostwng eich tymheredd, curiad eich calon a'ch pwysedd gwaed ac yn ailgyfeirio egni yn ôl i'r ymennydd a'r organau. Mae'n arwydd i'ch corff nad oes dim i'w ofni: gallwch gael rhyw, bwyta bwyd a dod i'ch iawn bwyll. Popeth yn iawn eto.

Y bonws o ddysgu hunanreoleiddio yw eich bod yn datblygu'r sgìl i ddewis pa system nerfol rydych chi eisiau bod ynddi. Os oes angen eich cyflwr tanllyd arnoch i roi pryd o dafod i warden traffig wrth iddo osod tocyn parcio ar ffenest eich car a chithau prin funud yn hwyr, yna ewch amdani a gadewch i'r system nerfol sympathetig danio. Ond pan fydd y sefyllfa wedi'i datrys a'ch bod am atal eich hun rhag ailadrodd stori'r tocyn parcio drwy'r dydd, gan orfodi eich dicter ar eich ffrindiau a chymell eich llid yn fwy byth, yna gallwch newid i'ch system nerfol barasympathetig.

Y broblem yw mai ein cyflwr rhagosodedig (hyd yn oed pan fyddwn yn cicio'n sodlau neu'n synfyfyrio) yw'r system nerfol sympathetig. Ein natur gynhenid yw meddwl yn negyddol, oherwydd yn anymwybodol rydyn ni bob amser yn chwilio am drafferth, yn corddi dros broblemau'n barhaus, yn poeni, yn hel meddyliau... Weithiau bydd atgof yn codi ei ben, ond fel arfer byddwn yn drist eto oherwydd ei fod drosodd. Rydych chi'n llawn cyffro am eich priodas sydd ar y gorwel, ac ychydig eiliadau'n ddiweddarach rydych chi'n poeni a yw'r ffyrc pysgod cywir gennych… neu'r dyn cywir. Caiff y synfyfyrio cnoi cil hwn ei ysgogi yn y rhwydwaith hunangyfeirio, lle mae'r cyfan yn ymwneud â 'fi'. Ceir gwahanol rannau yn y rhwydwaith hwn sy'n gyfrifol am yr holl 'fiau' gwahanol: yr hunan sy'n naratif, yr hunan sy'n gysyniad, yr hunan sy'n gorff, y rhan sy'n ymwneud ag iaith (ffynhonnell siarad â'r hunan). Felly dyma'r cyflwr dynol pan gaiff ei adael i wneud yr hyn mae arno eisiau ei wneud: mae'r cyfan yn ymwneud â fi, fi, fi.

Un o rannau ffisegol yr ymennydd sy'n atal hunanymwneud yw'r cortecs cyndalcennol cefnystlysol (DLPFC: *dorsolateral prefrontal cortex*): mam neu dad y meddwl, sy'n cymryd yr awenau pan fyddwch chi'n mynd yn rhy wirion neu'n rhy wallgof. Hefyd, pan fyddwch yn wynebu cyfyng-gyngor moesol, mae'n rhan o'r broses o benderfynu pa ffordd i fynd. Mae'n rhan o'ch ymennydd dwi'n ei dychmygu fel dwy ffrwyn yn tynnu ceffyl gwyllt yn ôl, ceffyl gwyllt sydd bob amser ar fin ei gwadnu hi. Mae ymwybyddiaeth ofalgar yn cryfhau'r cortecs cyndalcennol cefnystlysol, felly mae'n dod yn haws tynnu eich ffocws yn ôl, ei gadw ar y gorchwyl dan sylw a pheidio â chael eich bachu gan feddyliau amherthnasol.

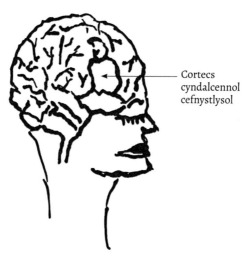

Cortecs cyndalcennol cefnystlysol

Fy llun i.

Mae arnon ni angen ymdeimlad o'r hunan ar gyfer tri pheth: hunanfyfyrio, cysondeb a hunaniaeth. (Byddai'n ofnadwy pe baech chi'n meddwl mai chi yw Napoleon, fel mae rhai; ond eu bod nhw dan glo.) Ond mae'r ymdeimlad hwn o hunan yn mynd o chwith pan fyddwn yn dechrau cymharu ein hunain â phobl eraill, gan ei fod bryd hynny yn creu ymdeimlad o israddoldeb a chywilydd a diffyg hunan-barch.

Gan ddefnyddio fMRI (*functional magnetic resonance imaging* – delweddu cyseiniant magnetig gweithredol, sy'n dangos delwedd o'r ymennydd byw ac yn cofnodi pa rannau sy'n weithredol yn ystod gweithgaredd meddyliol), gallwch weld hyn yn digwydd pan fyddwch yn symud yn fwriadol o feddwl gwasgarog yn ôl i'r gorchwyl dan sylw. Meddyliwch am hyn fel y gallu i symud ffocws o'r meddwl unbenaethol i ffordd fwy democrataidd o feddwl lle mae gennych ddewis pa wybodaeth rydych chi am dalu sylw iddi a pha wybodaeth y dylech ei hanwybyddu.

Os nad ydych chi'n hoffi'r ddelwedd o ffrwyno, dyma un arall dwi'n ei defnyddio. Dwi'n dychmygu rhywun yn rhoi ei ddwylo ar fy mhen yn rhan y cortecs cyndalcennol cefnystlysol ac yn ei ddal nes bod y cythrwfl y tu mewn yn llonyddu. (Does dim angen i chi fod yn Freud i ddyfalu y gallai'r dwylo hynny symboleiddio'r fam dyner na chefais mohoni erioed.) Pan fydd rhai rhannau o'r ymennydd yn cael eu cysuro a'r hunansgwrsio'n tawelu, mae'n dangos bod y cortecs cyndalcennol cefnystlysol yn llenwi â chysylltiadau niwral ac felly'n cael ei gryfhau. Hyd yn oed ar ôl cwrs ymwybyddiaeth ofalgar o wyth wythnos yn unig, ceir tystiolaeth ddiweddar sy'n dangos bod cynnydd sylweddol i'w weld yn y cysylltiadau niwral a welir mewn sganiwr MRI.

Dydy hyn ddim yn golygu eich bod, trwy ddefnyddio'r awenau neu'r dwylo hynny, wedi atal yr hunansgwrsio (sydd ei hangen arnoch i fodoli), ond mae'n golygu ei bod yn sgwrs lai ymwthiol a bod gennych reolaeth dros gryfder y lleisiau. Nid y meddyliau yw sêr y sioe mwyach; actorion yn unig ydyn nhw a gallwch chi, y cyfarwyddwr, ddweud wrthyn nhw pryd i ddod ar y llwyfan neu i adael.

Mwy am yr ymennydd

Pam dwi'n defnyddio'r holl ieithwedd niwrowyddonol hon? Wel, dwi'n bragmatydd. Os yw fy moeler i wedi torri, dwi am wybod pam. Dwi ddim yn dod ag iachäwr neu feistr *reiki* i mewn; dwi eisiau plymwr i ddweud wrtha i pa falfiau sy'n gwneud beth a pham. Yr un fath gyda'r holl rannau a chylchedau ymenyddol: mae gwybod bod ganddyn nhw enw yn fy nghalonogi ac yn cynhesu fy aorta. (Ac mae'r enwau ffansi yn fy nghyffroi... maddeuwch i mi.)

Dyma rai o rannau'r ymennydd mae ymwybyddiaeth ofalgar yn effeithio arnyn nhw.

Breithell Sylwedd o'r enw 'llysnafedd' sy'n dal y rhan fwyaf o'r celloedd ymennydd eu hunain, ac os yw'n cynyddu o ran ei ddwysedd, mae'n golygu bod mwy o gysylltedd rhwng y niwronau. Meddyliwch amdano fel cyhyr. Po fwyaf y byddwch yn defnyddio rhan benodol, mwyaf trwchus y daw'r freithell. Os yw'r freithell yn fwy trwchus, mae'n golygu mwy o niwronau, ac mae eu dwysedd yn pennu bywiogrwydd a chryfder eich meddwl.

Mae ymwybyddiaeth ofalgar yn hyrwyddo twf y freithell mewn sawl rhan o'r ymennydd. Dyma rai ohonyn nhw:

Cortecs cyndalcennol (*prefrontal cortex*) Po fwyaf y byddwch yn ymarfer ymwybyddiaeth ofalgar, mwyaf o'r freithell sy'n tyfu yma – a mwyaf y byddwch yn eich iawn bwyll.

Amygdala Wrth i faint y cortecs cyndalcennol gynyddu, mae'r amygdala yn crebachu wrth ymarfer ymwybyddiaeth ofalgar. Nid yn unig mae'n crebachu; mae'r cysylltiadau gweithredol rhwng yr amygdala a'r cortecs cyndalcennol yn cael eu gwanhau hefyd. Bydd hyn yn caniatáu llai o adweithedd a mwy o allu i gymryd sylw a chanolbwyntio.

Inswla Mae'r rhan hon yn rhoi ymwybyddiaeth reddfol i chi o'ch synhwyrau, mewn cyferbyniad â meddwl amdanyn nhw. Po fwyaf y byddwch yn ymarfer ymwybyddiaeth ofalgar, mwyaf y bydd blaen yr inswla'n tyfu, a'r rheswm pam ein bod eisiau un mawr, iach yw ei fod yn creu metawybyddiaeth (y gallu i gamu'n ôl a gwylio'ch meddyliau a'ch teimladau). Bob tro y byddwch yn canolbwyntio ar synnwyr (cyffyrddiad, clyw, blas, arogl, golwg), daw'r inswla'n weithredol. Po gryfaf y daw'r inswla, hawsaf oll fydd angori'r meddwl a'i dawelu.

Hipocampws Gydag ymwybyddiaeth ofalgar, mae MRI yn dangos crynodiad cynyddol o'r freithell, yn ogystal â newidiadau strwythurol, yn yr hipocampws. Mae genedigaeth y niwronau newydd hyn yn gwella deheurwydd meddwl, hyblygrwydd meddwl a'r gallu i atgofio.

Cortecs cenglaidd blaen (*ACC: anterior cingulate cortex*) Seren y sioe o ran hunanreoleiddio a chymryd sylw. Mae'n canfod pryd y bydd eich ffocws wedi symud o ble rydych chi eisiau iddo fod. Pan fyddwch yn sylwi bod hyn wedi digwydd, mae'r rhan hon yn tyfu'n gryfach, gan ei gwneud yn haws i chi newid ffocws o'r meddwl sy'n meddwl i'r meddwl sy'n teimlo. Dyma'r meistr sy'n eich galluogi i gynnal eich ffocws a pheidio â chael eich denu gan bethau sy'n tynnu eich sylw. Mae'n amgylchynu'r amygdala, felly gall reoli ein gofid a thynnu sylw at rywle arall sy'n fwy diogel. Gallai cryfhau'r ACC er mwyn rheoleiddio sylw drwy ymarfer ymwybyddiaeth ofalgar fod yn addawol i rai sy'n dioddef o anhwylder diffyg canolbwyntio a gorfywiogrwydd (*ADHD: Attention Deficit Hyperactivity Disorder*), ac o bosib, anhwylder deubegwn, er na cheir tystiolaeth benodol eto. Fodd bynnag, ceir tystiolaeth fod y gallu i ganolbwyntio'n gwella.

Cysylltle arleisiol-barwydol (*temporo-parietal junction*) Fel y crybwyllwyd yn gynharach, mae ymwybyddiaeth ofalgar yn cynhyrchu mwy o ymdeimlad o ymwybyddiaeth gorfforol wrth i chi symud eich ffocws i'r corff. Gellir gweld hyn mewn delweddau o'r ymennydd wrth ymarfer ymwybyddiaeth ofalgar pan welir bod sylwedd llwyd wedi cynyddu mewn rhan a elwir yn gysylltle arleisiol-barwydol, sef lle rydych chi'n cael eich synnwyr o'r hunan corfforol. Mae hyn yn allweddol i helpu unigolion sydd ag anhwylderau personoliaeth ffiniol ac mae hefyd yn berthnasol i bobl ag anhwylderau bwyta a'r rhai sy'n dioddef yn sgil dibyniaeth ar rywbeth.

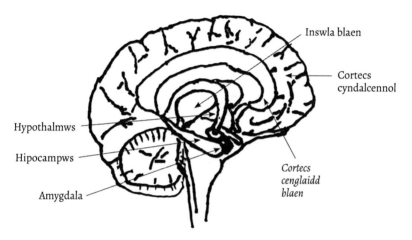

Fy llun i o'r rhannau a grybwyllwyd uchod – ymennydd wedi'i dorri yn ei hanner (peidiwch â gwneud hyn gyda'ch un chi).

System nerfol barasympathetig Mae cysylltiad rhwng ymwybyddiaeth ofalgar a gweithgaredd parasympathetig cynyddol a llai o weithgaredd sympathetig, sy'n arwain at ostwng curiad y galon, pwysedd gwaed a chyfradd anadlu a llai o densiwn yn y cyhyrau.

Felly, mewn gwirionedd, yr hyn dwi wedi bod yn rwdlan amdano yw ein bod, drwy ddysgu sut i reoleiddio ein hunain yn emosiynol trwy ymarfer ymwybyddiaeth ofalgar, yn ailgyfeirio ein hymatebion mwy cyntefig i'r ymennydd uwch. Gallwn weld tystiolaeth fod gweithgaredd y cortecs cyndalcennol yn cynyddu ac ar yr un pryd, mae'r gweithgaredd yn yr amygdala yn lleihau. Mae'r gwrthwyneb i hyn (llai o weithgaredd cyndalcennol a mwy yn yr amygdala) yn arwain at fwy o ffobiâu cymdeithasol, ac at orbryder.

Am dystiolaeth o'r uchod i gyd, ymhlith nifer o erthyglau ymchwil eraill y gallwch eu darllen gallwch ddod o hyd i'r casgliadau hyn yn 'How Does Mindfulness Meditation Work from a Conceptual and Neural Perspective?' (Britta K. Hölzel et al., yn *Perspectives on Psychological Sciences* 2011 6: 537, yn: http://pps.sagepub.com/content/6/6/537).

I'r rheini ohonoch sydd, fel fi, yn dwlu ar dipyn o dystiolaeth, dyma ychydig rhagor.

Yr ymchwilydd cyntaf i adrodd ar effaith myfyrdod ar strwythur yr ymennydd oedd y niwrowyddonydd o Harvard, Sara Lazar, ymchwilydd yn yr adran seiciatreg yn Ysbyty Cyffredinol Massachusetts. Gan ddefnyddio fMRI, canfu fod swm y freithell yn yr inswla wedi cynyddu mewn pobl a oedd yn ymarfer ymwybyddiaeth ofalgar.

Gwnaeth Lazar arbrawf hefyd lle cymharodd luniau manwl iawn o ymennydd ugain o bobl a oedd yn ymarfer myfyrdod â delweddau gan grŵp rheolydd o ugain o bobl nad oedden nhw'n ymarfer myfyrdod. Roedd y rhai a oedd yn ymarfer myfyrdod wedi bod yn ymarfer ers tua naw mlynedd ac yn treulio, ar gyfartaledd, ychydig llai nag awr y dydd yn myfyrio. Roedden nhw i gyd yn bobl orllewinol yn byw yn yr Unol Daleithiau ac yn gweithio mewn swyddi arferol. Gwirfoddolwyr lleol oedd y rhai nad oedden nhw'n ymarfer myfyrdod, ac roedden nhw'n debyg i'r bobl a oedd yn ymarfer myfyrdod o ran nodweddion fel oedran a rhywedd ond heb unrhyw brofiad o ioga na myfyrdod.

Pan gymharwyd delweddau ymennydd y ddau grŵp, canfu Lazar fod rhannau penodol o ymennydd y rhai a oedd yn ymarfer myfyrdod yn llawer mwy trwchus na'r un rhannau mewn pobl nad oedden nhw'n ymarfer myfyrdod.

Yn ddiweddar, adroddodd Lazar a'i chymheiriaid hefyd fod y rhan o'r ymennydd a gysylltir fwyaf ag adweithedd emosiynol ac ofn – yr amygdala – yn cynnwys llai o ddwysedd breithell mewn pobl sy'n ymarfer myfyrdod, sy'n profi llai o straen. Gall profion labordy fesur y ffyrdd y mae'r meddwl yn dod yn gryfach gydag ymarfer, ac mae'r meddwl yn dangos gwelliannau sylweddol dros gyfnod cymharol fyr.

Efallai eich bod wedi sylwi bod y canfyddiadau hyn yn cyfeirio at fyfyrdod yn hytrach nag ymwybyddiaeth ofalgar. Er y gellid eu hystyried yn debyg, mae myfyrdod yn fwy o ymarfer tra bod ymwybyddiaeth ofalgar yn defnyddio'r ymarfer hwnnw i ddatblygu'r sgìl o allu cymryd sylw yn y foment, heb farnu, mewn bywyd bob dydd.

A dyma'r darn sy'n fy nghyffroi go iawn: edrychodd Cliff Saron o Brifysgol California ar effaith myfyrdod ar foleciwl sy'n gysylltiedig â hirhoedledd celloedd:

Y moleciwl dan sylw oedd ensym o'r enw *telomerase*, sy'n ymestyn hyd segmentau DNA ar ben cromosomau. Mae'r segmentau'n sicrhau sefydlogrwydd deunydd genetig pan fydd celloedd yn rhannu. Maen nhw'n byrhau bob tro y bydd cell yn rhannu, a phan fydd eu hyd yn gostwng islaw trothwy critigol, mae'r gell yn rhoi'r gorau i rannu ac yn raddol yn cychwyn ar gyflwr o heneiddedd. O'u cymharu â grŵp rheolydd, roedd lefel uwch o weithgaredd *telomerase* hefyd gan y bobl a oedd yn ymarfer myfyrdod a ddangosai'r lleihad mwyaf amlwg yn y lefel o straen ffisiolegol. Mae'r canfyddiadau hyn yn awgrymu y gallai hyfforddiant ymwybyddiaeth ofalgar arafu prosesau heneiddio celloedd mewn rhai o'r bobl sy'n ei hymarfer.

I mi, os mai dim ond ychydig o amser sbâr sydd gen i yn fy niwrnod, mae'r dewis rhwng tynhau cyhyrau fy mhen-ôl neu wneud rhywfaint o ThGYO i ymestyn a gwella fy mywyd yn un amlwg. (Peidiwch â digalonni: yn fy nghwrs chwe wythnos ym Mhennod 5, byddaf yn dangos i chi sut i gael y pen-ôl tyn ar yr un pryd ag ymarfer ymwybyddiaeth ofalgar. Byddwch ar eich ennill ym mhob ffordd.

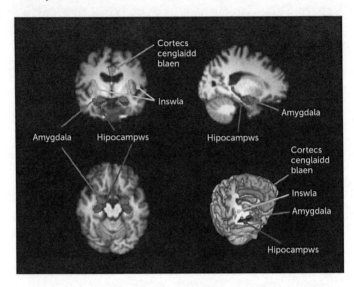

Roeddwn i'n meddwl y byddwn yn sganio fy ymennydd fy hun i ddangos ein bod ni i gyd yr un fath o dan ein gwahanol wynebau. Mae fy rhannau ymenyddol i yn digwydd bod yn fwy deniadol na rhai'r rhan fwyaf o bobl eraill, dyna i gyd. Dyma fy ymennydd...

Pam mae angen i ni wneud rhywbeth yn gyflym: clefydau corfforol a meddyliol

- Mae 90 y cant o'r bobl sy'n gofyn am ofal meddygol yn gwneud hynny oherwydd anhwylderau cysylltiedig â straen sy'n gysylltiedig ag emosiynau eithafol, yn hytrach nag afiechydon go iawn
- Mae straen sy'n gysylltiedig â gwaith yn effeithio ar 40 miliwn o weithwyr yn yr Undeb Ewropeaidd
- Amcangyfrifir bod cost diwrnodau gwaith sy'n cael eu colli yn Ewrop o ganlyniad i straen yn fwy nag 20 biliwn ewro

Er y gall straen byr dymor fod o fudd i'r system imiwnedd a chyflymu ei hymatebion (er enghraifft, gwella clwyfau), mae straen cronig yn gwaethygu effaith clefydau heintus ac yn eich gwneud yn fwy tueddol o gael amryw o glefydau cronig a chyflyrau eraill.

- Libido llai
- Dementia
- Diabetes
- Anhwylderau treulio
- Caledu'r rhydwelïau
- Clefyd y galon
- Anffrwythlondeb
- Colli cof
- Anhwylderau'r meddwl
- Gordewdra
- Heneiddio cynamserol
- Canserau penodol
- Heintiau firol

O'i gymharu â'r niwed a achosir gan straen, gallai smygu fod yn llai niweidiol mewn gwirionedd... peidiwch â dweud fy mod wedi dweud hynny, ond fe wnes i.

Methiant y system imiwnedd sy'n sail i lawer o'r clefydau uchod, ac mae straen yn cyfrannu at hyn drwy amharu ar y rhyngweithio rhwng y system nerfol a'r system imiwnedd. Pwrpas ymwybyddiaeth ofalgar yw gostwng lefelau straen trwy newid ein perthynas â straen er gwell. Ceir corff mawr o ymchwil sy'n disgrifio effeithiolrwydd ThGYO wrth drin camddefnyddio sylweddau, anhwylderau bwyta a phoen gronig, gwella gweithrediad y system imiwnedd a lleihau lefelau pwysedd gwaed a chortisol. Nid yn unig mae ThGYO yn dangos llwyddiant wrth drin anhwylderau, mae'n effeithio'n gadarnhaol ar les seicolegol hefyd.

Gadewch i mi fynd drwy rai o ganlyniadau straen yn fanylach.

Dibyniaeth

Gadewch i ni wneud un peth yn glir: mae pobl yn gaeth i bethau ar wahân i gyffuriau, rhyw neu alcohol. Gallwn fod yn gaeth i'n meddyliau a'n teimladau o banig, gorbryder ac anobaith hefyd. Er mwyn cael ergyd arall, efallai y byddwn yn chwilio am bobl sy'n creu'r teimladau rydyn ni'n gaeth iddyn nhw; rydyn ni bob amser yn dod o hyd i'r person perffaith. Dydy rhai pobl ddim yn gallu dweud pam maen nhw mewn perthynas â rhywun: ai oherwydd eu bod yn eu hoffi neu am fod y person dan sylw'n cadw'r cemegion maen nhw'n gaeth iddyn nhw i ferwi yn eu gwythiennau? Gall hyd yn oed cywilydd fod yn gaethiwus.

P'un a yw'n gyffur hamdden neu'n gyffur emosiynol, fe fyddwch yn gaeth pan fydd cemegion penodol yn croesi'r synapsau rhwng niwronau trwy dderbynyddion penodol. Mae'r derbynyddion hyn yn aros i'r cemegyn cywir ddod heibio ac yna'n gweithio fel tyllau clo, yn aros i'r allweddi cywir (y cemegion) glicio i mewn iddyn nhw. Dydy pob twll ddim yn gweddu i bob allwedd; dim ond rhai cemegion sy'n gallu mynd trwy dderbynyddion penodol, neu dyllau clo. Ni fydd serotonin ond yn gallu cael ei gymryd gan dderbynnydd serotonin. Mae'r derbynyddion yn fonogamaidd iawn.

Os ydych chi'n dechrau cynhyrchu gormod o ddopamin, sy'n gwneud i chi deimlo'n anorchfygol a phwerus, fe fyddwch chi eisiau mwy. Yn y pen draw, bydd y derbynyddion hynny'n dadsensiteiddio trwy orddefnydd a fyddwch chi ddim yn cael yr effaith roeddech yn arfer ei chael. Dyna ble daw cocên i mewn i bethau, cyffur sydd, drwy gyd-ddigwyddiad, ag allwedd debyg i ddopamin, a gall ffitio i dwll clo derbynnydd dopamin sy'n cydweddu'n berffaith. Os na allwch gael eich stash eich hun o ddopamin, byddwch yn troi at y peth gorau sydd wrth law: cyffuriau hamdden. Ac wrth gwrs, bydd angen mwy arnoch bob amser, wrth i'r derbynyddion golli eu grym... dyna'r drwg gyda dibyniaeth: dydy e ddim yn diweddu nes i chi roi diwedd arno, neu nes i ddibyniaeth roi diwedd arnoch chi.

Yn bersonol, roedd gen i hoffter o gynddaredd. (Mae'n dal i fod, ond dwi'n fwy ymwybodol, pan fydda i'n gadael iddo ddod allan i chwarae, fy mod i'n cael adwaith gwenwynig a dyna pam, hyd heddiw, fy mod yn dioddef o ddŵr poeth.) Felly breuddwydio amdano dwi'n ei wneud bellach, yr hen gyflymu yn y galon, teimlo fy nghorff yn troi'n 'Alien' fel yn y ffilm, fy nannedd yn y golwg ac yn ysgyrnygu. Roeddwn i'n arfer creu sefyllfaoedd er mwyn teimlo effaith y gynddaredd honno, ac mae hyn i gyd yn dal wedi'i wreiddio yn fy ymennydd. Dwi'n dal i godi bron bob bore a sganio i weld pwy dwi'n teimlo cynddaredd tuag atyn nhw. Pwy alla i ei ffonio a'i sarhau? Hyd yn oed os yw'n weithiwr diniwed yn y cwmni a anfonodd y dwfe maint anghywir ataf. (Maint brenhines oeddwn i eisiau, nid un sengl, er mwyn Duw!)

Dwi'n arbennig o hoff o'r galwadau ffôn hynny oherwydd gallaf deimlo'r gwerthwr yn crynu ac yn ceisio parhau i fod yn garedig, sy'n fy nghynhyrfu hyd yn oed yn fwy. Dicter yw'r hyn sy'n fy nodweddu, ond po leiaf y byddaf yn gweithredu arno, lleiaf cynhyrfus o gaethiwus y bydd, fel cof sy'n pylu. Dydy e ddim yn golygu fy mod i wedi troi'n *beige*, mae gen i weddillion dicter i fyny fy llawes o hyd, ond dim ond ar achlysuron pan fydd fy nicter yn briodol y byddaf yn ei ddefnyddio bellach, fel pan fydd rhywun yn mynd i fy lle parcio yn fwriadol.

Yn union fel dwi wedi ceisio rhoi'r gorau i fy arfer o ymosod ar wardeniaid traffig, gallwch chi newid effaith hir dymor ymateb eich corff i straen trwy ddysgu sut i reoleiddio eich adweithiau ymladd, ffoi a rhewi sylfaenol. Nid ymateb i argyfwng neu drychineb yw straen bob amser; mae'n adeiladu o densiynau bach o ddydd i ddydd a allai fod yn eich gweithle, yn eich bywyd cartref neu yn eich cymuned, a gall arwain at ganlyniadau corfforol a meddyliol hir dymor. Gall deiet gwael, smygu ac yfed alcohol waethygu lefelau straen hefyd... unrhyw beth sy'n gwneud i'ch lefelau cortisol godi. Dydy'r ffordd y mae unigolyn yn dehongli digwyddiad, ynghyd â chyflwr cyffredinol ei iechyd corfforol, ddim wedi'i phennu'n llwyr gan ffactorau genetig ond gan ddewisiadau ymddygiadol a ffordd o fyw. Mewn geiriau eraill, peidiwch â beio'ch mam am roi i chi'r genynnau a arweiniodd at eich gwneud yn gaeth i grac cocên.

Diabetes math 2

Ar gyfer argyfyngau (ymladd neu ffoi), mae angen i ni gynyddu lefel y glwcos yn llif y gwaed i roi egni i ni, ond os yw'r straen yn para'n rhy hir, fydd y corff ddim yn gallu cymryd y glwcos i mewn mwyach a'r canlyniad yw diabetes. (Mae inswlin yn rheoleiddio glwcos a phan fydd yn lleihau, mae'r celloedd yn llwgu.)

Felly mae'r peth sy'n ein helpu yn y tymor byr yn dod yn niweidiol dros amser. Mae un darn o siocled yn dda, ond dydy cael ffynnon siocled gyda gwelltyn wrth ymyl eich gwely ddim yn dda.

Gordewdra

Yn ystod cyfnod o straen, fel dwi'n sôn uchod, mae'r system dreulio'n dod i stop, oherwydd mae angen eich holl egni ar gyfer ffoi neu ymladd a does dim amser i feddwl am ginio. Pan fydd lefelau siwgr yn codi dros amser, bydd inswlin, fel gyda diabetes, yn ymwrthol i glwcos a fydd y corff ddim yn gallu ei amsugno. Mae hyn yn golygu y byddwch chi yn y pen draw yn dod yn destun un o'r rhaglenni teledu hynny lle mae angen iddyn nhw godi'r to oddi ar eich tŷ a chael hofrenydd i'ch symud o'ch gwely llawn sbageti.

Anffrwythlondeb

Os ydych chi'n dioddef gormod o straen, mae eich system atgenhedlu yn dod i stop. Bryd hynny, i ddynion, dydy gwneud testosteron a sberm ddim ar frig eu rhestr; wrth redeg am eu bywydau, y peth olaf sydd ei angen arnyn nhw yw codiad. A does dim angen gwyddoniaeth i ddweud wrthych chi nad yw menyw sydd dan straen yn teimlo fel cael rhyw. Y rheswm am hyn yw mai dim ond ei harafu y bydd anghyfleusterau bach fel ofwleiddio, mislif, tyfu ffetws a bwydo ar y fron yn ei wneud. (Fodd bynnag, mae eithriadau i'r rheol hon: fydd pob menyw sy'n cael ei herlid gan ysglyfaethwr ddim yn rhedeg... yn hytrach, bydd yn arafu ac yn treulio amser yn cwyro'i choesau a gwisgo dillad isaf deniadol; dydy hi ddim yn mynd i ffoi nac ymladd yn erbyn yr ysglyfaethwr, mae'n mynd i fynd allan ar ddêt gydag e.)

Canser

Un cysylltiad posib rhwng straen a datblygiad canser yw bod straen yn llethu'r system imiwnedd, sydd fel arfer yn gallu canfod tiwmorau cynnar a'u gwrthsefyll.

Clefyd y galon

Yn y tymor byr, pan fyddwn dan straen, mae ein pwysedd gwaed a'n cyfradd curiad y galon yn codi a byddwn yn cynhyrchu mwy o glwcos i gael rhywfaint o egni. Yn y tymor hir, os yw pwysedd y gwaed a chyfradd y galon yn codi'n sydyn dro ar ôl tro, gall hynny greu rhagdueddiad i glefyd y galon, a strôc hefyd.

Colli cof a chlefydau sy'n gysylltiedig ag oedran

Un arwydd o heneiddio yw teneuo'r cortecs cyndalcennol. Caiff hyn ei arafu gan dwf y freithell, sy'n hwb i hirhoedledd ac yn creu ffordd o feddwl sy'n fwy hyblyg, yn fwy craff ac yn fwy egnïol o gymharu â rhywun sydd â dim ond llond llwy bwdin o freithell.

Iselder ac anhwylderau meddyliol eraill

Does neb yn gwybod i sicrwydd faint o salwch seicolegol sy'n deillio o natur a faint sy'n deillio o fagwraeth, ond yn gryno, os oes gennych enynnau ar gyfer iselder a bod gennych chi fywyd gwych, efallai na fyddan nhw byth yn cael eu tanio. Ar y llaw arall, os yw eich rhieni'n fwy gwyllt na chŵn hyena neu fod rhywbeth ofnadwy yn digwydd i chi mewn bywyd, *BANG!*, fe allech chi weld fod gennych chi anhwylder meddyliol. Ceir cemegion a all gyfrannu at iselder, ond does dim o hyn wedi'i brofi gant y cant. Mae adrenalin yn gwneud i chi deimlo'n egnïol, ond mae cortisol ac, yn arbennig, hormonau glwcocortisoid, yn llethu egni ac yn achosi i chi deimlo gafael angheuol iselder. Mae'r glwcocortisoidau hyn hefyd yn lleihau cynhyrchiant dopamin, gan leihau eich ymdeimlad o gymhelliant a phleser.

Mae straen yn lleihau serotonin (y bachan pwysig o ran hybu sioncrwydd) a gall arwain at golli diddordeb mewn bod yn fyw.

Gallwn ddweud felly fod straen yn arwain at anhrefn meddyliol oherwydd bod yr orymdaith ddiddiwedd o gywilydd a hunangasineb yn golygu bod cemegion gwenwynig yn rhedeg yn wyllt. A beth sy'n eu tanio? Ai ysglyfaethwr gyda dannedd miniog? Ai arf niwclear yn anelu'n syth am eich gardd gefn? Na, mae'n digwydd am fod eich meddyliau ar y droell honno o anobaith: cnoi cil. Gall y cyflwr meddwl hwn arwain at orbryder, pyliau o banig ac iselder.

Y straen o fod dan straen

Os ydych chi'n dioddef o glefyd corfforol ac yn ychwanegu straen, gall waethygu'r broblem, neu hyd yn oed greu salwch cwbl newydd; efallai y cewch drawiad ar y galon oherwydd eich bod mor bryderus am y ffaith eich bod yn dioddef o'r eryr. Gall yr ail ergyd o straen am eich bod yn cnoi cil ynghylch salwch neu anaf achosi niwed diderfyn. Gall ymwybyddiaeth ofalgar eich helpu i dawelu eich meddyliau er mwyn osgoi'r ail ergyd. Pentyrru straen ar ben straen, ar ben y salwch, yw'r hyn sy'n eich llethu yn y pen draw yn hytrach na'r problemau corfforol neu feddyliol eu hunain.

Achubiaeth: niwroplastigedd

Ar y pwynt hwn efallai eich bod yn codi eich breichiau, gan feddwl, 'Beth ydw i i fod i'w wneud gyda'r wybodaeth hon am straen? Fi yw fi. Beth os ydw i'n gaeth i fy arferion – ydy hynny'n fy ngwneud yn berson drwg?' Mae hyn yr un fath â dweud, 'Alla i ddim gwneud unrhyw beth, hen slebog ydw i, dyna fy nhynged, dyna sydd wedi'i ysgrifennu yn y sêr.' Fel pe bai tylwyth teg y slebogiaid wedi dod atoch yn y nos pan oeddech chi'n cysgu a chwalu eich tŷ. Dydy e ddim yn fater o dynged. Heb freichiau na choesau hyd yn oed, gallwch ddal i lanhau eich ystafell – roedd fy mam yn arfer codi llwch gyda'i dannedd: gadewch i ni ddysgu ganddi.

Y dyddiau hyn, rydyn ni'n gwybod mai eich genynnau sy'n rhoi'r pethau sylfaenol i chi (meddyliwch amdanyn nhw fel pot o gemegion posib ac fel glasbrint annelwig o gysylltiadau niwral) ond bod modd eu newid. Hyd yn oed pan fyddwch yn y groth, mae popeth – a dwi'n golygu popeth – rydych chi'n ei brofi yn ad-drefnu'r patrymau niwral sy'n adlewyrchu sut rydych chi'n meddwl, yn teimlo ac yn ymddwyn. Dydy'r ymennydd byth yn llonydd; mae'r patrymau a'r cysylltiadau yn newid drwy'r amser, mewn mwy o gyfluniadau posib nag sydd o sêr yn y bydysawd. Does dim model gorffenedig o'r enw 'chi'; rydyn ni i gyd yn newid drwy'r amser. Dyma'r newid siâp cyson a elwir yn niwroplastigedd.

Niwroplastigedd yw'r gallu i greu cysylltiadau niwral newydd. Mae ein hymennydd fel sbwng sy'n newid siâp gyda phob meddwl a phrofiad. Hyd yn oed ar ôl darllen y frawddeg hon, bydd system weirio eich ymennydd wedi newid.

Mae ein hymennydd yn cynnwys triliynau o niwronau sydd wedi'u cysylltu'n gywrain ac sy'n cyfathrebu'n barhaus, gan anfon signalau electrogemegol at ei gilydd. Allwn ni ddim clustfeinio ar beth maen nhw'n cyfathrebu yn ei gylch, ond os gosodwch rywun y tu mewn i sganiwr fMRI a gofyn iddyn nhw wneud tasgau penodol neu feddwl meddyliau penodol, mae'r niwronau mewn gwahanol rannau'n cael eu hysgogi, ac mae hyn yn rhoi cliwiau i ni ynglŷn â beth sy'n digwydd i fyny'r grisiau. Gall fod sioe 'Kanye West ar daith' ar waith yn eich ymennydd wrth i chi eistedd yn llonydd yn cael trin eich traed.

Mae fel gêm Pasio'r Parsel. Mae pob niwron yn trosglwyddo gwybodaeth – nid rhyw degan plastig rwtshlyd wedi'i lapio mewn papur newydd, ond gwybodaeth hanfodol – trwy gerrynt trydan, gan ysgogi rhyddhau cemegion penodol, neu niwrodrosglwyddyddion. Maen nhw'n trochi'r ymennydd mewn amrywiol ryseitiau, sy'n gwneud i chi wneud yr hyn a wnewch, meddwl yr hyn a feddyliwch a theimlo'r hyn a deimlwch. Os ailadroddwch rai mathau o ymddygiad, meddyliau neu deimladau, bydd y cysylltiadau niwral sy'n gysylltiedig â nhw yn tyfu'n fwy gwifredig, a pho fwyaf gwifredig ydyn nhw, mwyaf y byddwch yn ailadrodd yr un ymddygiadau, meddyliau neu deimladau. *Et voilà*, mae arfer yn cael ei greu, sy'n cyfyngu ar eich golwg chi ar y byd ac arnoch chi'ch hun.

Gan ein bod yn gwybod bellach fod yr ymennydd mewn cyflwr cyson o newid, drwy newid ein ffordd o feddwl, mae'n amlwg y gallwn newid y dirwedd a thorri'r patrymau annymunol a'r cynhyrchiant cemegion a ddaw gyda hynny.

Dyma ddamcaniaeth ynglŷn â pham y gallai canolbwyntio sylw effeithio ar niwroplastigedd. Mae gan ran o'ch ymennydd a elwir yn *nucleus basalis* (mae'n agos at goesyn yr ymennydd) bigau niwral bach sy'n gollwng cemegyn drwy'r holl gortecs pan gaiff ei ysgogi. (Dwi ddim am ddweud wrthych beth yw ei enw: mae'n llawer rhy hir.) Gall y sudd cemegol hwn gryfhau'r cysylltiadau rhwng niwronau ar ôl iddyn nhw gael eu tanio. Pan fyddwn yn canolbwyntio ein sylw, mae'r stwff maen nhw'n ei chwistrellu allan yn cynhyrchu niwroplastigedd. Gallai hyn fod yn un rheswm pam mae grym meddwl yn newid ein hymennydd yn ffisegol. Ond sut mae ei wneud? Dwi'n dod â'r drafodaeth yn ôl at yr hen gerflunydd ymennydd hwnnw: ThGYO.

Sut mae ymwybyddiaeth ofalgar yn gwella niwroplastigedd

Pan fyddwn yn ymarfer ymwybyddiaeth ofalgar, gallwn fanteisio ar niwroplastigedd i ymryddhau o gaethiwed ein harferion. Er mwyn gwneud hynny, mae angen i ni ddysgu sut i ddefnyddio ein hymennydd yn effeithiol, i gryfhau rhai cysylltiadau niwral a thorri rhai eraill, cynyddu neu leihau'r cemegion i wneud iddyn nhw weithio o'n plaid ac nid yn ein herbyn.

Fydd rhai pobl ddim yn trafferthu dysgu am y galedwedd sy'n rhedeg eu cyfrifiadur nac yn astudio'r injan yn eu car. Dwi'n deall hynny'n iawn: mae'n ddiflas, a phwy sydd ag amser? Yn y bôn, pan fydd yr injan yn torri, gallwch gael car arall, ond pan fyddwn ni'n torri, does dim model mwy newydd i gymryd lle'r hen un.

Gan ein bod bellach yn gwybod am niwroplastigedd, allwn ni ddim dweud na allwn newid mwyach, ein bod ni fel rydyn ni ac nad oes gennym mo'r help am hynny; dim ond fersiwn fwy o faint o'r babi gwreiddiol ydyn ni. Drwy ddysgu am yr ymennydd a pha mor hydrin ydy e, gallwn ddeall bod yr ymennydd yn newid pan fyddwn ni'n newid ein ffordd o feddwl. Rydyn ni'n gwneud hyn trwy gwestiynu ein harferion meddwl a gwneud penderfyniadau ymwybodol ynglŷn â sut rydyn ni am fyw ein bywydau. Gallwn ailaddurno ein tu mewn niwral er mwyn cael gwared ar yr hen batrymau a'u diweddaru a'u gwella.

Mae anifeiliaid yn gwneud yr un hen beth nes bod esblygiad yn eu symud ymlaen drwy roi crwb iddyn nhw i ymdopi â sychder, neu wddf hir i gyrraedd y dail ar frig y goeden. Does dim rhaid i anifeiliaid feddwl am y pethau hyn; mae esblygiad yn ei wneud ar eu rhan. Fodd bynnag, mae gennym ni botensial i ddefnyddio ein meddyliau'n ymwybodol i esblygu oherwydd ein bod yn gallu datblygu a gwella ein hunain drwy ein meddyliau ein hunain yn unig; does dim rhaid i ni aros nes ei fod yn digwydd i ni. Dydy'r ymennydd ddim wedi'i gynllunio i roi'r gorau i ddysgu, ac felly pan fyddwn yn rhoi'r gorau i'w uwchraddio mae'r gwifrau'n cloi ac fe awn ar awtobeilot a throi at ein hen arferion. Er mwyn esblygu, mae'n rhaid i ni dorri'n rhydd o arferion genetig a defnyddio'r hyn rydyn ni wedi'i ddysgu fel rhywogaeth yn sylfaen i weithio ohoni.

> Os mai esblygiad yw ein cyfraniad i'r dyfodol, byddwn yn cychwyn y broses drwy ein hewyllys rydd.
>
> Dyma ddyfyniad gan un o'r arbenigwyr mwyaf ar niwrowyddoniaeth ymwybyddiaeth ofalgar, Richard Davidson.
>
> Mae yna wyddoniaeth addawol yn dod i'r amlwg yn ymwneud â sut mae ymwybyddiaeth ofalgar yn 'gweithio' ar lefel ffisioleg a gweithrediad yr ymennydd / y corff: mae ei chanfyddiadau'n dechrau

adlewyrchu'r adroddiadau o brofiad goddrychol (h.y. beth mae pobl yn 'teimlo' sy'n digwydd).

Mae datblygiadau diweddar mewn niwro-wyddoniaeth wedi dangos nad yw strwythur a gweithrediad yr ymennydd yn dod yn sefydlog yn ystod plentyndod, a bod yr ymennydd yn parhau i fod yn 'niwroplastig', h.y. yn newidiol, drwy gydol ein bywydau. Mae nifer gynyddol o astudiaethau delweddu'r ymennydd / MRI o effaith ymwybyddiaeth ofalgar yn awgrymu ei bod yn newid strwythur a gweithrediad yr ymennydd mewn ffordd ddofn a dibynadwy er mwyn gwella ansawdd meddwl a theimlad. Mae'n ymddangos bod myfyrdod ymwybyddiaeth ofalgar yn ail-lunio'r llwybrau niwral, gan gynyddu dwysedd a chymhlethdod cysylltiadau mewn rhannau sy'n gysylltiedig â galluoedd gwybyddol megis sylw, hunanymwybyddiaeth a mewnwelediad, a rhannau emosiynol sy'n gysylltiedig â charedigrwydd, tosturi a rhesymoledd, gan leihau gweithgaredd a thwf yn y rhannau sy'n ymwneud â gorbryder, gelyniaeth, pryder a mympwy.

Heb fynd i orbwysleisio'r pwynt, dyma ychydig mwy o resymau dros ystyried ymarfer ymwybyddiaeth ofalgar.

Cyhoeddodd Sefydliad Iechyd Cenedlaethol yr Unol Daleithiau ganlyniadau gwaith ymchwil ar bobl sy'n ymarfer myfyrdod ochr yn ochr â rhai nad oedden nhw'n gwneud hynny. 'Dangosai'r canlyniadau ostyngiad enfawr yn y cyfraddau marwolaeth o gymharu â'r rhai nad oedden nhw'n ymarfer myfyrdod. Dangosai'r grŵp a oedd yn ymarfer myfyrdod ostyngiad o 23 y cant yn y cyfraddau marwolaeth dros gyfnod o bedair blynedd ar bymtheg. Gwelwyd gostyngiad o 30 y cant hefyd yng nghyfraddau marwolaethau oherwydd achosion cardiofasgwlar.'

Ffyrdd eraill o fyw'n hwy (os nad yw ymwybyddiaeth ofalgar yn apelio atoch) yw cael llawer o ffrindiau o'ch cwmpas, priodi rhywun sy'n gwneud i chi chwerthin, parhau i ddysgu, ymarfer corff, bwyta brocoli a pheidio â smygu.

4

Egwyl iselder

Ysgrifennais yr ychydig eiriau diwethaf hyd at tua'r fan hon yn fy llyfr ar 9 Tachwedd 2014. Fe ailafaelais ynddi eto ar 25 Ionawr 2015. Yn y bwlch hwnnw o amser, ar ôl seibiant o saith mlynedd, cefais gyfnod arall o iselder. Doeddwn i erioed wedi bod yn ddigon hyderus i ddychmygu na fyddai byth yn dychwelyd; roeddwn i'n gwybod y byddai. Ond gydag ymwybyddiaeth ofalgar, teimlwn y byddwn yn gallu ei deimlo'n dod. Dyna un o'r llu o bethau diflas sy'n wir am iselder: oherwydd mai eich ymennydd sy'n sâl, allwch chi ddim camu'n ôl ac edrych ar y peth yn wrthrychol ac yn glir fel y gallech pe bai eich troed yn hongian yn rhydd wrth y ffêr. Roeddwn i'n gwybod nad oedd tabled hud yn bodoli; y cyfan roeddwn i eisiau oedd bod yn barod amdano pan oedd yn llamu o'r cysgodion eto. Ond wrth gwrs, mae'n symud i mewn i chi mor araf a llechwraidd nes eich bod yn meddwl mai felly rydych chi bellach; fel rhych ar eich wyneb rydych chi wedi arfer â hi ac yn meddwl ei bod wedi bod yno erioed.

Roeddwn i yn America er mwyn hyrwyddo fy llyfr a pherfformio fy sioe. Dydy gweithio yno erioed wedi bod yn dda i fy iechyd. Mae yna sbardunau ym mhob man; maglau meddyliol. Dwi'n cysylltu bod yn America â'r ffaith mai hi yw gwlad fy methiant. Oherwydd bod fy rhieni'n rhai gwael am fagu plant, dim ond un peth llwyddiannus a wnes i erioed, sef dod oddi yno. Dwi ddim yn dweud na ddylai fy rhieni fod wedi mudo i America, oherwydd pe na baen nhw wedi gwneud hynny, fyddwn i ddim yma, yn tapio ar y bysellfwrdd hwn, ond pan fyddaf yn cyrraedd ei glannau heulog, caf fy llenwi â'r teimlad fy mod i'n siom fawr i bawb, gan ddechrau gyda'r dynion yn y dollfa. Dwi ddim am ymhelaethu ar yr hyn a

ddigwyddodd yn ystod y daith lyfrau – byddaf yn cael ôl-fflachiadau ac yn achosi trawma i mi fy hun o'r newydd... o, o'r gorau, fe ddyweda i wrthych.

Dechreuais fy nhaith gyhoeddusrwydd ar gyfer fy llyfr *Sane New World* yn Efrog Newydd ar 5 Tachwedd 2014. Mae pawb yn dweud wrtha i eu bod yn dwlu ar Efrog Newydd; i mi, mae'n treisio'r synhwyrau. Dwi'n teimlo fel cyfaddef 'mod i'n euog o droseddau rhyfel ar ôl cael fy nghadw'n effro drwy'r nos yn gwrando ar lorïau sbwriel yn diasbedain a chanu eu cyrn yn ddiddiwedd. Es ar y trên tanddaearol yn hwyr un noson ar ôl sioe, ac aros dwy awr am y trên cywir ynghanol bedlam llwyr; roedd pobl wyllt yn udo fel bleiddiaid a rhyw ddyn hollol noeth yn chwarae banjo dychmygol. Pan ddaeth y trên o'r diwedd am 1.30 y bore, cefais fy ngwasgu i mewn iddo yn yr un ffordd ag maen nhw'n gwasgu ieir batri i mewn i flychau er mwyn eu cludo i'w lladd. Es i Broadway, lle mae twristiaid o uffern yn eich penelinio oddi ar y pafin er mwyn cael bod ar y tu blaen. (Ar y tu blaen i beth, dwi ddim yn gwybod.) Dychmygwch bob hil yn y byd yn penelinio'i gilydd. Mae fel y Gemau Olympaidd, lle mae pob cenedl yn cyflwyno'u pencampwyr penelinio gorau a garwaf. Dydy e ddim yn bert: mae rhai gwledydd yn glanio yn y gwter; caiff eraill eu gwasgu'n ddim gan y rhai cryfach. Fe glywn Saeson yn dweud 'Sori, sori' o hyd; roedden nhw mor wael am wthio nes eu bod bron yn mynd tuag yn ôl. I dawelu fy hun, es i far ewinedd. Mae America gyfan wedi cael ei tharo gan bla o fariau ewinedd lle maen nhw'n ceisio rhwygo'ch cwtiglau i ffwrdd a defnyddio papur tywod ar waelod eich traed (dull cyffredin o arteithio a ddefnyddir ym Mae Guantanamo). Gofynnais iddyn nhw dylino fy nghefn a chefais fy mlingo gan ddyn mewn dwy funud.

O Efrog Newydd, hedfanais i Los Angeles, lle cefais fy nghyfweld am fy llyfr gan Carrie Fisher ac oherwydd fy mod i'n ei hadnabod ers pum mlynedd ar hugain ac yn ei charu, roedd fel cael rhyw yn gyhoeddus. Dyna oedd yr olaf o'r profiadau da.

Y bore canlynol cefais fy nghodi er mwyn mynd i fy nghyfweliad cyntaf yn LA. Cymerodd awr i mi gyrraedd canolfan siopa yn llawn o ragor o fariau ewinedd. Yno, yn eu canol, roedd yna siop fitaminau anniben yr olwg. Cerddais trwyddi, ac yn y cefn y tu ôl i len gleiniau, roedd fy nghyfwelydd: hen ddyn yn ei gwman gyda thri blewyn a dandryff, yn dal meicroffon. Cychwynnodd gyda'i ddamcaniaeth y gallwch wella canser y prostad â the gwyrdd. Yna gwaeddodd, 'Make up!' fel pe bai'n hen jôc, oherwydd wrth gwrs doedd yno ddim cadeiriau heb sôn am ystafell goluro. Roedd y dyn a ddaliai'r camera fideo cartref i'n ffilmio yn agos at farw, roedd ei ddwylo'n ysgwyd cymaint. Dwi'n siŵr ein bod yn edrych fel cwmwl aneglur. Y cwestiwn cyntaf oedd: pa atchwanegion neu drwythau oeddwn i'n credu eu bod yn gwella salwch meddwl? Soniais rywbeth am yr ymennydd, a doedd ganddo ddim syniad at beth roeddwn i'n cyfeirio. Roedd yna wallgofddyn o'r enw Mr Chuckles, yn gwisgo het gyda phropelor ar ei phen, yn aros i fynd ymlaen ar fy ôl i. Dywedodd wrtha i ei fod yn ysgrifennu comedi, fel fi. Roedd ganddo wên Looney Tunes a llais fel pe bai'n sugno ar heliwm. Ar y ffordd allan cefais fitaminau gwella canser am ddim a llyfr o'r enw *I Eat Green Food*. Roedd y person a oedd i fod i fy ngyrru'n ôl wedi rhedeg allan o drydan ar gyfer ei char trydan ac angen dod o hyd i blwg. Doedd dim byd arall amdani – erfyniais ar Mr Chuckles i roi pàs yn ôl i mi i LA.

Roedd fy nghyfweliad nesaf gyda chelain: gyda menyw a oedd wedi marw ddeng mlynedd ynghynt ac wedi ei gludo yn ei chadair. Roedd ei geiriau cyntaf yn sôn am olwyth. Does gen i ddim syniad beth arall gafodd ei ddweud. Wedyn, cefais fy ngyrru i'r derfynfa anghywir, felly collais awyren a bu'n rhaid i mi gael un ddiweddarach a laniodd yn Philadelphia am un o'r gloch y bore. Pan gyrhaeddais westy'r maes awyr, fe ddywedon nhw wrtha i fod camgymeriad wedi bod a'u bod yn llawn, felly fe drefnon nhw i rywun fy ngyrru i westy arall mewn galaeth arall yng nghanol unman. Roedd yn werth y drafferth er mwyn clywed un o linellau mawr fy mywyd, gan fy ngyrrwr: 'Wel, y peth da amdano yw ei fod yn agos at Denny's.' (I'r rheini ohonoch sydd ddim yn gwybod, Denny's yw'r lle i gael wyau drwy'r nos ar ôl i chi fod yn snwffian tawelyddion ceffylau.) Roedd olion traed ar wal a nenfwd fy ystafell a staeniau tywyll, dwfn ar bopeth.

Ar ôl gorffen taith lyfrau orfoleddus (gwerthais bedwar llyfr), es i Harvard, lle'r oeddwn i fod i berfformio fy sioe *Sane New World*. Yn ffodus, roedd y theatr roeddwn i'n perfformio ynddi tua chwe throedfedd o'r fflat a gefais, felly fe allwn i, hyd yn oed, lwyddo i groesi'r bwlch hwnnw er mwyn cyrraedd cefn y llwyfan. Dwi'n gwybod nad oedd yn help fod y cynulleidfaoedd yn teneuo bob nos. Bathais ymadrodd newydd ar ei gyfer: 'y lleoliad sy'n moeli'. Byddwn yn gweld wynebau bach llawn dryswch y gynulleidfa y foment y dechreuai'r sioe. Doedden nhw ddim yn gwybod pryd i chwerthin neu grio, gan nad oes llawer o fy mhobl yn America (dwi'n gwybod hyn ers fy mhlentyndod) yn gwybod y gallwch wneud y ddau ar yr un pryd. Roeddwn i'n gwybod sut, gan mai dyna sut roeddwn i'n byw: trwy grio a chwerthin ar yr un pryd. Mae'r gallu hwnnw wedi bod gen i erioed ac yn ffodus, pan gyrhaeddais y Deyrnas Unedig sylweddolais fod iddo enw: eironi. Wrth edrych yn ôl, dylwn fod wedi codi arwyddion yn ystod fy mherfformiad yn dweud: 'Mae hyn yn ddoniol' a 'Dydy hyn ddim yn ddoniol'. Efallai y dylwn fod wedi defnyddio trac sain o bobl yn chwerthin. Roedd un peth yn sicr: doedd y sioe ddim yn mynd yn dda. Ar ddiwedd fy set, fe glywn ambell glap a cheisio peidio â byrstio o dor calon. Yna byddwn yn rhedeg adref a chuddio o dan y dwfe.

Tybiais fod y teimlad o fod yn wag ac yn anweledig yn deillio o'r ffaith fy mod ar fy mhen fy hun a'i bod yn bwrw eira'n drwm. (Sylwch sut byddwch yn twyllo'ch hun pan fyddwch chi'n sâl yn feddyliol.) Bob dydd, byddai'n gwaethygu, ond doeddwn i ddim yn ymwybodol o'r hyn oedd yn digwydd, roeddwn i'n dal i feddwl fy mod i felly oherwydd ei bod yn bwrw eira'n waeth. Aeth fy lefelau ofn i fyny i'r entrychion (does gen i ddim syniad pam y byddwn yn cysylltu hyn ag eira), gymaint felly nes fy mod yn crynu pan fu'n rhaid i mi fynd i lawr y stryd i brynu llaeth.

Wnes i ddim sylweddoli fy mod i'n dioddef o iselder pan orffennodd hi fwrw eira hyd yn oed. Er mwyn defnyddio oriau golau dydd, byddwn i'n cael tacsi (roeddwn yn rhy ofnus i gerdded) i ystafelloedd triniaeth lysieuol y des o hyd iddyn nhw a oedd â thybiau poeth o bren pyglyd swigodlyd, a llysnafedd ar y llawr. Roedd pawb yn garedig iawn a doedden nhw ddim yn holi pam fy mod yn treulio fy niwrnodau'n eistedd yn y dderbynfa. Roedd menyw wrth y ddesg y byddwn fel arfer wedi'i defnyddio fel deunydd ar gyfer pennod o *Absolutely Fabulous*; roedd hi'n edrych fel pe bai'n gwisgo daliwr breuddwydion ac roedd ganddi lais a swniai fel clychau gwynt. Yn y cyflwr roeddwn i ynddo roeddwn yn ei charu oherwydd ei bod yn garedig wrtha i, yn gofyn i mi bob ychydig funudau a oeddwn i eisiau te rhisgl Yrikikimototo o Papua Guinea Newydd. Ofynnodd hi ddim i mi pam roeddwn i'n eistedd yn y dderbynfa am saith diwrnod, heb apwyntiad. Dyna pa mor ysbrydol – a gwael am wneud ei gwaith – oedd hi.

Soniais i fod fy nghyfrifiadur wedi torri? Es i'r bar Genius ac fe ddywedon nhw ei fod yn ddirgelwch. Yn union fel pe bai poltergeist cyfrifiadurol wedi mynd i mewn i fy nghaledwedd ac wedi sychu popeth a ysgrifennais erioed. Efallai fy mod wedi penderfynu'n anymwybodol fy mod am gadw cwmni iddo, felly fe sychodd fy ymennydd hefyd. Prynais gyfrifiadur newydd mewn canolfan siopa a phenderfynu prynu bwyd o'r siopau sydd ag aliau bowlio'n llawn o fariau salad. Yn y diwedd, cerddais drwy strydoedd Cambridge, Massachusetts gyda fy nau fag; un yn dal y cyfrifiadur a'r holl ategolion, a'r llall yn dal 500 pwys o iogwrt wedi'i rewi ac Oreos. O'r diwedd cefais fy nghodi gan dacsi, a threuliais weddill y noson yn curo ar ddrysau, yn gofyn a oeddwn i'n byw yno.

Yn y pen draw, fe ddaeth i ben. Dwi ddim yn gwybod sut dois i'n ôl i'r Deyrnas Unedig, ond wythnos yn ddiweddarach roeddwn i ar awyren i Norwy. Roeddwn i wedi derbyn gwahoddiad chwe mis yn gynharach, pan oedd hi'n gynnes ac yn heulog.

Nawr mae'n ddechrau mis Rhagfyr a dwi ar awyren, allan ohoni'n feddyliol ond yn dal tocyn a dillad isaf glân. Ar ôl nifer o oriau a sawl taith awyr o fewn y wlad, dwi'n sylweddoli ein bod yn mynd i mewn i Gylch yr Arctig i le nad oeddwn i hyd yn oed yn gwybod y gallech deithio iddo heb hysgi. Pan ddof oddi ar yr awyren, mae'n dywyll fel y fagddu (fel y mae hi bob amser, cefais wybod wedyn). Yna, wrth imi adael y maes awyr, caiff fy magiau eu cipio o fy nwylo gan ffactor oerfel gwynt o 78,965,463, ac mae'r croen ar fy wyneb yn cael ei rwygo i ffwrdd. Mae fel cael sgrwb croen â llif gadwyn.

Dydy'r dref maen nhw'n mynd â mi iddi ddim yn llawn o dai estyll gwyn del; yn hytrach, mae'n edrych yn debyg i fan prosesu pysgod / olew diwydiannol iawn sy'n fy atgoffa o Chernobyl. Caf fy rhoi mewn gwesty minimalaidd, a phan ddywedaf hynny, yr hyn dwi'n ei olygu yw dim dodrefn ac ystafelloedd hir fel rhai'r ffilm *The Shining*. Roedden nhw wedi rhoi ystafell wen i gyd i mi gyda rhedfa wen a ddôi i ben gyda phlanhigyn marw. A wnes i sôn nad oedd y gwres yn gweithio a bod y bwyty wedi cau, ac na fyddai'n ailagor byth eto?

Yn y bore doedd dim brecwast, felly es i'r gegin a dwyn bwyd fel gwiwer. Doedd yr haul ddim yn codi, ddim am ddeg y bore nac am un y prynhawn: byth. Roedd y gwynt yn udo drwy'r nos a'r glaw yn taro fy ffenestri. Roedd fel sefyll o dan Niagara Falls gyda darn o ffoil alwminiwm dros eich pen. Ar y pwynt hwnnw, hyd yn oed gyda'r iselder, fe ddechreuais i chwerthin. Roedd yn teimlo fel pe bai hollt bach yn fy ymennydd wedi agor a gadael rhywfaint o olau i mewn. Gallwn weld beth oedd yn ddoniol am hyn i gyd. Cefais fy nhywys i adeilad concrid teilwng o'r Bloc Sofietaidd i wneud fy sioe. Dyna lle'r oeddwn yn yr awyrgylch digalon hwn, yn siarad â thua chwe chant o bobl (a oedd yn dioddef o iselder mwy na thebyg) am iselder.

Pan ddychwelais i Lundain roedd fy magiau wedi mynd ar goll eto. Heb reswm amlwg, roedden nhw wedi'u hanfon i Copenhagen.

Dwi'n eistedd yma nawr yn fy ystafell wely, yn teimlo'r tywyllwch yn disgyn, gan rwystro pob meddwl. O leiaf pan fyddaf yn ymarfer ymwybyddiaeth ofalgar, gallaf wahanu fy hun ychydig oddi wrth yr holl feddyliau difrïol sy'n ceisio fy mheledu'n gyrbibion. Gyda'r ymarfer ymwybyddiaeth ofalgar, gallaf ddweud, 'Mae yna iselder' yn hytrach na 'Dwi'n isel'. Y pethau bach sy'n cyfrif. Dwi'n ceisio mynd gyda'r don yn hytrach na llithro oddi tani. Dymunwch bob lwc i fi.

Rywbryd yn ddiweddarach

Dydw i ddim yn cofio llawer o hynny ymlaen, heblaw bod rhywun wedi awgrymu fy mod i'n mynd i'r Priory. Roeddwn i'n tybio y cawn ostyngiad arbennig yn y pris am wneud cymaint o waith cyhoeddusrwydd ar eu rhan a'u crybwyll yn fy llyfr diwethaf. (Waeth pa mor sâl yw fy meddwl, gallaf bob amser feddwl am ostyngiadau.)

Dyma lle'r oedd yr ymwybyddiaeth ofalgar yn ddefnyddiol. Y tro hwn, roeddwn i'n gwybod fy mod i'n sâl. Roeddwn i'n gwybod nad oeddwn i'n bod yn dwmffat ac yn ei ddychmygu. Cymerodd ychydig o amser i mi, ond roeddwn i'n gwybod na ddylwn gosbi fy hun. Dim ond ychydig wythnosau gymerodd hi i adnabod fy iselder, yn hytrach na misoedd, felly roeddwn wedi gwneud yn dda. Fe wnes i ymollwng i syrthni meddyliol trwm; ildio a gadael iddo fy llyncu. Ymostyngais, a maddau i mi fy hun heb sgrechian arna i fy hun, 'ffycin sionca, wnei di', dim ond ei dderbyn. Roedd y ffaith y gallwn faddau i mi fy hun am gael clefyd heb orfod ymdopi â'r sylwebaeth a'm llabyddiai am fod â'r wyneb i fod â rhywbeth o'i le arna i pan mae gen i ddigon o fwyd i'w fwyta a bag Prada yn fan cychwyn. Yng nghanol fy ymennydd marw roeddwn yn gwybod bod hyn yn real a'i fod wedi fy nal. Am nawr.

Aeth yn llawer cyflymach nag unrhyw un o fy mhyliau eraill o iselder am fy mod i'n gwybod na ddylwn fod yn orbryderus am orbryder, ofni'n ormodol am fy mod yn teimlo'n ofnus, na bod yn isel am fod yn isel. Drwy wneud hynny'n unig gallwn osgoi'r ail haen o boen, am fy mod yn gwybod, er bod y clefyd ei hun yn real, fod yr ail haen yn un roeddwn i fy hun yn ei hachosi. Y tro hwn, am wythnos yn unig y bues i mewn, yna es adref i'r gwely ac aros iddo ddod i ben. Wedi hynny, edrychodd fy merch ar fy ôl, gan ddeall bod nôl paned o de yn orchwyl rhy frawychus i mi ei wneud. Dois i wybod hefyd, am y tro cyntaf, y gallwn ysgrifennu tra oeddwn i fel hyn. Felly, wrth i mi aros iddo ddod i ben, heb wybod a fyddwn i byth yn gallu bod yn 'fi' eto, ysgrifennais hyn.

10 Rhagfyr 2014

Teimlo'n isel… dim pen draw i'w weld. Mae'n debyg mai fy ymennydd yn dweud 'Fe est ti'n rhy bell' yw hyn, 'fe wthiaist ti fi'n rhy bell, a dwi'n cau am y tymor nawr. Dwi'n mynd i dy gau di i lawr, gwneud yn siŵr na alli di wneud unrhyw beth hyd yn oed os wyt ti'n trio.' Mewn ffordd, goroesi yw hyn: pan fydd eich meddyliau wedi mynd i ryfel yn eich erbyn a'ch bod yn teimlo'n ddigyfaill, wedi'ch casáu a'ch anghofio, mae'r ymennydd yn cau, gan adael tarth aneglur, niwl. Dwi wedi bod yn y niwl ers tua wythnos. Mae'n teimlo fel pe bawn wedi cael fy aduno â pherthynas aflan, coll, rhywun o fy ngorffennol dwi'n ei ledgofio – ac yna daw'n ôl i mi: o ie, iselder yw hwn. Dwi'n cofio nawr. Pan fyddwch chi'n iach, allwch chi ddim cofio eich bod chi erioed wedi ei gael. Mae'n debyg fod eich meddwl yn ei dynnu'n gelfydd o'ch cof oherwydd ei fod yn rhy frawychus i chi ystyried y daw byth yn ei ôl. A chan ei fod yn ei ôl dwi'n cael y foment 'aha' honno mai dyna yw hyn. Iselder yw'r teimlad hwn o fod wedi ymddieithrio oddi wrth fy nghorff a fy meddwl. Wrth gwrs.

Y tro hwn, mae'n wahanol i unrhyw un o fy mhyliau yn y gorffennol. Ar y pwynt hwn pan oeddwn wedi cael pwl o iselder yn y gorffennol, byddwn yn mynd i banig bod fy hen hunan wedi mynd – bod fy hen bersonoliaeth wedi'i cholli a bod yr un newydd, fwy marw hon wedi dod yn ei lle. Ond hyd yn oed yn yr anhrefn hwn yn awr dwi'n rhyw led-wybod mai dros dro y mae hyn, fy mod i'n digwydd bod â'r clefyd hwn a bod colli hunaniaeth yn rhan ohono; mae fy meddwl allan o'r swyddfa am funud, dyna i gyd.

Roeddwn i bob amser yn gwybod y byddai yn ei ôl ryw ddydd. Dwi'n gwybod nad oes gwellhad gwyrthiol, felly ceisiais baratoi ar ei gyfer drwy ymarfer ymwybyddiaeth ofalgar, ac efallai mai dyna pam mae gen i drosolwg yn hytrach na bod yn sownd mewn tywyllwch heb unrhyw fath o olygfa.

O Dduw mawr, mae gen i drueni dros bobl ag iselder sy'n gorfod mynd i'r gwaith a theimlo'r hyn dwi'n ei deimlo! Gorfod llusgo'r pwysau trwm a cheisio'i guddio rhag ofn fod pobl yn meddwl eich bod chi'n ymdryboli mewn rhyw salwch ffug. Yr arswyd, pe bai rhywun yn gofyn i chi ddweud wrthyn nhw beth sy'n bod, na allech chi wneud hynny. Does neb mor greulon wrth y rheini ohonon ni sy'n dioddef o iselder â ni ein hunain. Rydyn ni'n dal i fynd hyd yn oed pan fyddwn wedi torri. Mae fel curo anifail sy'n marw i'w gadw i symud. Dwi'n synnu bod cynifer o bobl yn dal i fynd i'r gwaith a cheisio gweithredu fel pe bai pob dim yn iawn. Dylen nhw gael eu hanrhydeddu neu gael rhywbeth fel Calon Borfforol am eu dewrder, oherwydd dyna'r peth anoddaf ar y ddaear pan fyddwch chi'n isel: rhaid i chi barhau i ymddwyn fel bod dynol pan nad ydych yn teimlo fel un mwyach.

Dwi'n ffodus fy mod yn gallu aros i hyn fynd heibio am nad oes gen i swydd naw tan bump. Gallaf orwedd yma heb wneud dim arall. Dwi'n gwarchod fy hun: yn aros, aros i'r peth enfawr sydd wedi cuddio'r haul oddi wrtha i symud.

Dwi ddim yn gallu darllen, dwi ddim yn ddoniol, dwi ddim yn gallu siarad yn iawn, codi na mynd am dro. Ond y tro hwn dwi ddim yn ofni'r ffaith fy mod i'n isel; ar ôl ei astudio, dwi'n gwybod mai dyna ydy e. Does arna i ddim cywilydd chwaith, y teimlad fy mod yn dychmygu hyn ac y gallwn ymysgwyd ohono. Mae ofn yn symptom o'r clefyd; dwi'n teimlo fy mod i yn y modd argyfwng am fod cemegion wedi dechrau gorlifo yn fy ymennydd ac achosi hafoc. Allwch chi ddim meddwl eich ffordd allan o'r clefyd hwn: mae'n eich rheoli chi; nid chi sy'n ei reoli ef. Mae'n rhaid i mi barhau i ddweud wrthyf fy hun nad fy mai i yw hyn, nad oes gwahaniaeth rhwng y meddyliol a'r corfforol; y realiti yw bod ein hymennydd a'n corff wedi'u cydgysylltu'n symbiotig. Dyma pam mae cymaint o stigma ynghylch salwch meddwl: dydy pobl ddim o ddifrif yn ei gylch. Ond dychmygwch pe bawn i'n ymateb i rywun yn dweud wrtha i fod ganddo lwpws (yr afiechyd sydd gan bawb, bob wythnos, ar *House*) trwy ddweud, 'O, wel, dim ond rhywbeth corfforol yw hwnnw – cwyd dy galon!'

Fe wnes i orfodi fy hun i fynd am dro ddoe, ac roedd yn teimlo, gyda phob cam, fel pe bawn ar fin syrthio drwy'r ddaear. Ceisiais fod fel mam dda; fe wnes i ddweud wrtha i fy hun pa mor dda roeddwn i'n gwneud, fod hyd yn oed bod allan yn yr awyr iach yn fuddugoliaeth. Felly dwi'n dal yn ofnus, ond dwi ddim yn ofni fy mod yn colli fy meddwl, gan fy mod yn gwybod mai iselder yw hwn ac mai dyma'r nodweddion sy'n dod gydag ef. Dwi'n adnabod yr anghenfil hwn, dwi wedi ei astudio a dwi'n gwybod pa mor ddwfn yw ei wreiddiau ynof fi, yn tynnu fy egni allan ohonof. Dwi'n gwybod hyn i gyd, ac eto mae anthem yr holl bobl sydd ag iselder yn chwarae yn fy meddwl, gan ailadrodd, 'Pa mor hir fydd hyn yn para? Pa mor hir fydd hyn yn para?' Mae'n anodd i mi ysgrifennu hyn a meddwl am eiriau a brawddegau, gan ei fod yn teimlo fel pe na bai neb wrth y llyw. Dwi'n gwthio fy hun i ddal ati er mwyn i mi allu cofio sut deimlad ydy e, ac er mwyn i bawb arall sy'n dioddef ohono wybod y gall ddweud, 'Nid fy nychymyg i yw hyn. Dwi ddim yn bod yn hunandosturiol.'

19 Rhagfyr 2014

Wythnos yn ôl, gadewais y sefydliad ar gyfer pobl ffwndrus a dryslyd. Mae'r unben sy'n byw yn fy mhen yn dal i gyfarth arna i a fy mwlio i godi oddi ar fy mhen-ôl, ond y tro hwn mae gen i esgus, nodyn gan fy seiciatrydd sy'n cadarnhau fy mod yn sâl. Does dim rhaid i mi fynd i'r ysgol, nac i unman arall. Dwi'n dal i gael fy moddi gan y recordiadau hynny yn fy ymennydd: bob tro dwi'n cael chwa o un o'r teimladau 'dylwn i' neu atgof o fethiant, mae'n teimlo fel pe bai rhywun yn gwthio chwistrell i fy nghalon ac yn chwistrellu rhywbeth gwenwynig yn syth i rydweli. Dwi'n ceisio anwybyddu neu dderbyn y teimladau 'dylwn i' poenus. Mae'n union fel pe bawn i'n gwarchod fy hun, yn ceisio cysuro plentyn sâl.

21 Rhagfyr 2014

Pan fydd gennych chi salwch corfforol, yn aml, fe fydd yna esboniad. Efallai y byddwch yn dweud wrthych chi'ch hun, 'Wrth gwrs fy mod yn teimlo'n ofnadwy, mae gen i haint / firws' (dewiswch un o'r rhain). Un peth y gallech ei ddweud am ddementia o leiaf yw mai chi fydd yr olaf i wybod bod rhywbeth o'i le; gydag iselder, rydych chi'n hollol ymwybodol eich bod chi wedi mynd ac mai dyna beth sydd ar ôl ohonoch: sombi nad yw ond yn gallu eich tywys i'r ystafell ymolchi a dod o hyd i fwyd, a dyna ni.

25 Ionawr 2015

Dihunais, ac roedd wedi mynd!! Mor llechwraidd ag y daeth, fe adawodd yr anghenfil a gallwn bron ddychmygu mai hunllef oedd y cyfan – ond wedyn sylweddolais nad oeddwn wedi bod allan ac roedd gen i dystiolaeth ffisegol i brofi hynny: gwallt gwely a phyjamas yn pydru. Fel anifail ar ôl gaeafgwsg hir, cefais gipolwg ar y tu allan a gweld y golygfeydd yn glir, ac roedd yna olau. Yna canodd y ffôn, a chyhoeddwr y llyfr hwn oedd yno, yn dweud, 'Wyt ti wedi gorffen gyda dy iselder?' A chyn i mi allu ateb, meddai, 'Da iawn, dy ddyddiad cyflwyno newydd di yw'r cyntaf o Orffennaf.'

5

Y cwrs ymwybyddiaeth ofalgar chwe wythnos

Pwyntiau i'w cofio

Gydag ymwybyddiaeth ofalgar, yn wahanol i unrhyw beth arall a wnewch yn eich bywyd, nid mater o'i gael yn iawn ydy e. Dilëwch y syniad o blesio'r Athro neu Mami neu'r bòs: allan nhw ddim eich niweidio – mae'r profion drosodd nawr a'r tro hwn, allwch chi ddim methu. Hyd yn oed pan fyddwch chi'n ei wneud yn anghywir, mae bob amser yn iawn am nad ydych yn ceisio gwneud unrhyw beth yn well nac yn ceisio gwagio eich meddwl; mae'n ymwneud â sylwi ar yr hyn sy'n digwydd yn eich meddwl. Mae'r cwrs ymwybyddiaeth ofalgar chwe wythnos hwn wedi'i anelu at bobl sydd am allu syrthio i gysgu yn y nos a gallu canolbwyntio ar y dasg dan sylw pan fyddan nhw'n effro. Does dim rhaid gwneud yr ymarferion mewn lle anghysbell, mewn ystafell dywyll gydag un darn o arogldarth diglwten, neu ar glustog fyfyrdod. Dwi'n eich annog i ymgorffori'r ymarferion hyn yn rhan o'ch bywyd bob dydd, oherwydd dyna ble byddwch chi'n eu defnyddio.

Ac un pwynt olaf: does dim rhaid i chi fyw mewn cyflwr parhaus o ymwybyddiaeth ofalgar; byddai'n cymryd deng mlynedd i chi adael eich tŷ, heb sôn am wisgo'ch sanau. Ymarferion yn unig yw'r rhain, ac rydych chi'n eu hymarfer am gyfnod cyfyngedig o amser. Yn y pen draw, gyda'ch cyhyrau newydd, bydd ymwybyddiaeth ofalgar yn gorlifo i mewn i'ch bywyd a chi fydd arweinydd y gerddorfa, nid rhyw chwaraewr triongl bach pitw wedi'i wthio i'r cefn. Byddaf yn ymhelaethu ar hyn yn nes ymlaen yn y cwrs, ond gallwch ymarfer yn unrhyw le ac ar unrhyw adeg.

Dwi wedi sôn am gymryd sylw; nawr, dwi'n mynd i ddweud wrthych chi sut i wneud hynny. Yr wythnos gyntaf hon, byddaf yn eich tynnu oddi ar awtobeilot drwy eich gwneud yn ymwybodol o faint o amser rydych chi'n ei dreulio arno. Fe ddof â chi at eich synhwyrau.

Mae'r sesiwn gyntaf yn dechrau drwy ddeall yr hyn dwi'n sôn amdano pan ddywedaf fod ymwybyddiaeth ofalgar yn ymwneud yn llwyr â sylwi a derbyn beth bynnag sy'n digwydd, yn y foment. Dwi'n eich clywed yn dweud, 'Dwi bob amser yn sylwi – am beth amlwg i'w ddweud.' Fel yr esboniais ym Mhennod 2, mae awtobeilot yn arf defnyddiol ar gyfer gwneud bywyd yn haws ei fyw, ond wrth ei ddefnyddio efallai y byddwch yn colli golwg ar y daith. Felly mae ymarfer yr wythnos hon yn ymwneud â dim ond sylwi pan fyddwch chi ar awtobeilot, heb fynd i geryddu eich hun am wneud hynny.

Dwi'n gwybod efallai fod meddwl am yr ymarferion hyn yn gwneud i chi rolio'ch llygaid, ond os na fyddwch chi'n eu hymarfer, fydd gennych ddim cyhyrau meddyliol i dynnu'r ffon reoli pan fydd yr awyren yn plymio ar i waered.

Ar ôl pob ymarfer, byddaf yn awgrymu cwestiynau y gallech fod yn awyddus i'w hystyried. Fy awgrym cyntaf yw i chi fynd allan a phrynu dyddiadur. Gallwch ysgrifennu eich myfyrdodau, dwdlo arno, neu os ydych chi'n debyg i mi, gwneud rhestr o 'bethau i'w gwneud' nad yw'n dod i ben... byth. Chi dalodd amdano; gwnewch beth bynnag ddymunwch chi ag e.

Dylech ysgrifennu o leiaf ychydig linellau yn eich dyddiadur bob dydd drwy gydol y cwrs. Byddaf yn awgrymu rhai cwestiynau y gallech fod am eu hystyried.

Ymarfer: blas

Dewch o hyd i rywbeth rydych chi'n mwynhau ei roi yn eich ceg (o fewn terfynau normalrwydd). Torrwch beth bynnag ydy e (siocled, banana, pelen gig... peidiwch â gwneud i mi barhau, dwi'n siŵr y gallwch feddwl am rywbeth eich hun) yn ddarnau digon bach i'w bwyta.

Rhowch ddarn yng nghledr eich llaw. Heb deimlo'n wirion (gwnewch yn siŵr nad oes neb yn edrych), canolbwyntiwch ar sut mae'n edrych fel pe na baech chi erioed wedi gweld unrhyw beth tebyg iddo, fel pe baech chi'n faban newydd-anedig neu'n rhywun o'r gofod (pa un bynnag sydd hawsaf i chi uniaethu ag ef). Gyda synnwyr o chwilfrydedd, *sylwch* ar y lliw, yr ymylon, y siâp, yr amlinellau...

Yn araf, araf, traciwch y teimlad mewnol o godi'ch braich i godi'r gwrthrych, a'ch llaw i'w roi ar eich tafod. *Sylwch* ar y blas, y siâp, y pwysau. (Peidiwch â llyncu.)

Ar ôl munud neu ddwy, cnowch yn araf a *sylwch* sut flas yw melys neu chwerw. *Sylwch* sut deimlad yw'r awydd i lyncu. Yn olaf, cnowch a llyncwch gydag ymwybyddiaeth eiliad wrth eiliad, profwch ef yn llithro i lawr eich gwddf ac i mewn i'ch stumog.

Nid mater o weld pa mor wych ydych chi am lyncu yw hyn, ond o brofi rhywbeth rydych chi'n ei wneud bob dydd drwy roi sylw manwl iddo. Os bydd eich meddyliau'n mynd â chi i rywle arall ar unrhyw bwynt yn ystod yr ymarfer, dewch â'ch ffocws yn ôl at y blas. Dyma gwestiynau i'w cael yn eich meddwl.

- Sut oedd y profiad hwn yn wahanol i pan fyddwch chi'n bwyta fel arfer?
- Beth wnaethoch chi sylwi arno am y synhwyrau yn eich ceg: blas, ansawdd, cnoi, llyncu?
- I ble'r aeth eich meddwl pan wnaethoch chi golli'ch ffocws ar y blas?

Gwaith cartref

Dewiswch weithgaredd rydych chi'n ei wneud bob dydd ac am ychydig funudau wrth i chi ei wneud, ceisiwch roi sylw i bob synnwyr – golwg, clyw, blas, arogl, cyffyrddiad – peidio â meddwl amdano, dim ond ceisio ei synhwyro. Ymysg pethau eraill, efallai y byddwch yn *sylwi* cymaint mae'n eich gwylltio fy mod bob amser yn defnyddio llythrennau italig pan fyddaf yn teipio '*sylwch*'. (Dwi am roi'r gorau iddi nawr.)

Fe fyddwch yn gwneud yr un ymarferiad gan ddefnyddio'r un gweithgaredd bob dydd o'r wythnos. Dyma rai awgrymiadau.

Cael cawod Sut mae'r dŵr yn teimlo? Sut mae 'gwlyb' yn teimlo? Profwch y symudiadau rydych chi'n eu gwneud wrth seboni a golchi'r sebon oddi arnoch fel pe na baech erioed wedi gwneud hynny o'r blaen yn eich bywyd. Sylwch pan fydd eich meddwl yn cymryd drosodd, yna dewch â'ch ffocws yn ôl at y teimlad o gael cawod.

Gwneud te Yn araf, ceisiwch brofi'r teimladau manwl o arllwys, troi, arogli, blasu, a pheidio â llosgi'ch gwefusau, gobeithio. Ond os gwnewch hynny... ceisiwch synhwyro hynny hefyd.

Ar eich cyfrifiadur Synhwyrwch y teimlad o dapio'ch bysedd ar y bysellfwrdd. Dewch oddi ar awtobeilot a sylwi pan mae'ch meddwl yn erfyn arnoch i deipio rhywbeth a phan fyddwch chi'n gwneud, dewch yn ôl at y teimlad ar flaenau'ch bysedd. Sylwch: a yw eich ysgwyddau wedi crymu? (Dwi'n gwneud y rhan fwyaf o fy negeseuon e-bost yn ystum Crwca Notre Dame.)

Dyma un hawdd iawn: Bob dydd pan fyddwch chi'n mynd trwy ddrws penodol neu'n eistedd mewn cadair benodol, defnyddiwch nhw i'ch atgoffa i sylwi ar yr hyn sy'n digwydd o'ch cwmpas; y synau, yr arogleuon, y golygfeydd a'r teimlad yn eich corff. O, dewch, allwch chi ddim dweud eich bod yn rhy brysur i gerdded trwy ddrws.

Mae'r ymarferion a'r gwaith cartref o Wythnos Un yn eich helpu i ddechrau sylwi ar y gwahaniaeth rhwng y meddwl sy'n meddwl a 'gwneud' a'r meddwl sy'n synhwyro a 'bod'. Yn Wythnos Dau byddwch yn dysgu sut i newid ffocws rhwng y ddau. Cofiwch: pan fyddwch chi'n sylwi bod eich meddwl wedi crwydro, newidiwch eich ffocws yn ôl *heb feddwl eich bod wedi gwneud rhywbeth o'i le*. I mi, dyma un o'r pethau anoddaf i'w wneud, sylwi bod fy meddwl wedi cael gafael arna i eto; does neb yn ddisgyblwr mor greulon â'r hyn ydw i i mi fy hun.

Yr wythnos hon, rydych chi'n dechrau eich gweithdrefn ffitrwydd meddwl ac yn dechrau eich rownd gyntaf o eisteddiadau. Rydych chi'n cymryd rheolaeth ar eich meddwl trwy ddweud wrtho ble i ganolbwyntio, yn union fel mae neidiwr â pholyn yn gwybod, trwy ymarfer, ble i blannu'r polyn. (Ewch gyda'r ddelwedd: dwi ddim yn ei deall yn iawn fy hun.)

Mae dau ymarfer ymwybyddiaeth ofalgar y gallwch eu gwneud mewn amrywiaeth o leoedd: ar drên (os ydych chi'n cau eich llygaid a gwisgo clustffonau i wneud i chi edrych fel pe baech yn gwrando ar gerddoriaeth); ar fws (fel uchod); wrth gael torri neu liwio'ch gwallt; tra byddwch chi'n cael eich cadw ar y ffôn ac maen nhw'n chwarae'r gerddoriaeth gefndirol ddidrugaredd honno; wrth aros i gael eich gweld gan y deintydd; mewn golchdy; yn ystod cyfarfod diflas (cadwch eich llygaid ar agor!).

Ymarfer: sganio'r corff

Gwnewch yr ymarfer am o leiaf ddeng munud (ond os oes gennych chi fwy o amser, ewch am ugain munud). Cyn i chi ddechrau, ymrwymwch i amser penodol, a glynwch ato.

Dyma hanfod ymwybyddiaeth ofalgar. Gan ddefnyddio rhannau penodol o'ch corff fel angor, ewch â'ch ffocws at bob un, ac wrth i'ch meddyliau eich maglu (fel y byddan nhw bob amser yn ei wneud), gallwch fynd â'ch ffocws yn ôl i ble'r oedd.

(Cyfrifwch y broses gyfan honno fel un eisteddiad.) Cofiwch: po fwyaf y byddwch yn ailadrodd y weithred o sylwi pan fydd eich meddwl yn crwydro ac yn dod ag ef yn ôl, cryfaf oll fydd eich 'cyhyrau sylwi'.

Dechreuwch drwy bwyso ymlaen oddi wrth gefn y gadair fel bod eich asgwrn cefn yn cynnal ei hun (ond heb fod yn stiff), eich ysgwyddau wedi ymlacio a'ch breichiau'n gorffwys ar eich glin. Gallwch gadw'ch llygaid ar agor neu eu cau. Os ydych chi'n eistedd â'ch coesau wedi'u croesi, eisteddwch yn gefnsyth; unwaith eto, gyda'r ysgwyddau wedi ymlacio.

Dewch â'ch ffocws at eich traed, lle maen nhw'n cyffwrdd â'r llawr – peidiwch â meddwl amdanyn nhw ond teimlwch nhw. Daliwch ati i ganolbwyntio a phan fyddwch chi'n sylwi bod eich meddwl wedi crwydro ar ryw drywydd neu'i gilydd, heb fynd yn flin, dewch â'ch ffocws yn ôl i wadnau eich traed. Cofiwch: arfer bod yn garedig wrthych chi'ch hun pan fyddwch chi'n sylwi bod eich meddwl wedi crwydro yw'r pwynt, nid ei atal rhag crwydro.

Ar ôl ychydig funudau, dewch â'ch sylw i ble mae'ch corff yn cyffwrdd â sedd y gadair, gan deimlo holl bwysau disgyrchiant yn eich tynnu i'r pwynt hwnnw. Pan fyddwch yn sylwi bod eich meddwl wedi crwydro, rydych chi'n gwybod beth i'w wneud: peidiwch â bod yn llym â chi'ch hun – mae meddwl pawb yn ei wneud, mae i fod i grwydro, felly byddwch yn garedig a dewch â'ch sylw yn ôl i ble rydych chi'n cyffwrdd â'r gadair. Nawr gadewch i'r sylw hwnnw fynd...

Ceisiwch gofio anadlu drwy'r ymarfer hwn – mae'n help mawr i allu aros yn fyw. A nawr, gan ddefnyddio'ch ffocws fel sbotolau, tynnwch ef o waelod eich asgwrn cefn, trwy bob un o'ch fertebra, i fyny at eich gwddf. A oes unrhyw rannau'n teimlo fel pe baen nhw'n cael eu dal, wedi crymu neu'n dynn? Beth bynnag y byddwch yn sylwi arno, peidiwch â gwneud dim i'w gywiro neu ei newid; dim ond sylwi arno, yna dewch â'ch ffocws yn ôl at y teimlad crai.

Nawr anfonwch ffocws at flaen ac ochrau'ch corff, gan fod yn ymwybodol o'ch torso cyfan. Gadewch i'r anadl i mewn ei lenwi a'r anadl allan ei wacáu. Ar ôl munud, gadewch i'r ffocws hwnnw fynd...

Gan ddod â'ch ffocws i'r ddwy law – bysedd, cledrau, cefn y dwylo – sylwch a ydyn nhw'n gynnes, yn oer, ar ffurf crafanc neu wedi ymlacio. Gadewch iddo fynd...

Symudwch eich sylw at eich gwddf a'ch ysgwyddau, gan chwyddo i mewn i bob rhan a chanolbwyntio ar wahanol deimladau wrth i chi sganio.

Nawr, i fyny at eich wyneb: eich gên, eich gwefusau, eich bochau, eich trwyn, eich llygaid, eich talcen a'ch corun. A ydych chi'n synhwyro pa ystum wyneb a wnewch? Pan fydd eich ffocws yn llithro, fel bob amser, sylwch, byddwch yn garedig wrthych chi'ch hun ac ailffocyswch ar yr union ran o'r wyneb roeddech chi'n canolbwyntio arni cynt.

Wedyn, ceisiwch deimlo'ch corff cyfan o'r tu mewn: eich esgyrn a'ch cyhyrau, lle rydych chi'n cyffwrdd â'r gadair, y croen sydd wedi'i lapio amdanoch a'r aer y tu allan i'ch croen. Ceisiwch deimlo'r anadl yn llenwi'ch corff o fysedd eich traed hyd at eich corun, ac yn mynd allan eto, fel megin. Yn yr ychydig funudau olaf, dewch yn ôl at yr ymdeimlad o eistedd ac anadlu, traed ar y ddaear, corff ar y gadair. Symudwch fysedd eich traed, agorwch eich llygaid os oeddech wedi'u cau, ewch ymlaen â'ch diwrnod, a cheisiwch ddal eich gafael ar y teimlad o fod yn bresennol.

I'r rheini ohonoch sy'n ei chael hi'n rhy anodd canolbwyntio ar un rhan o'ch corff ar y tro, rhowch sgan cyffredinol i'ch corff, gan sylwi ar unrhyw dyndra, anghysur, straen neu ddiffyg teimlad. Mae fel edrych ar eich tywydd mewnol.

Dyma gwestiynau enghreifftiol ar gyfer eich dyddiadur.

- Pa ran o'r corff oedd yr un anoddaf i ganolbwyntio arni, a pha un oedd yr hawsaf?
- I ble'r aeth eich meddwl pan dynnodd eich sylw? A oedd unrhyw themâu?
- Beth oedd eich ymateb cyntaf pan ddalioch chi'ch hun yn crwydro?

Gwnewch yr ymarfer hwn am ddeg neu ugain munud, hefyd.

Mae defnyddio'ch synhwyrau eich hun ar gyfer ymarfer yn hynod o ddefnyddiol, oherwydd ble bynnag y byddwch chi, byddan nhw yno hefyd. Does dim angen i chi ddod o hyd i gampfa, neu encil ysbrydol yn y Maldives; rydych chi'n eistedd ar yr holl gyfarpar fydd ei angen arnoch.

Yn hytrach na defnyddio rhannau penodol o'ch corff fel angor i sadio'ch hun, yn yr ymarfer hwn, byddwch yn canolbwyntio ar sŵn ac anadl.

Gan bwyso ymlaen o gefn eich cadair, gyda'ch asgwrn cefn yn syth ond heb fod yn stiff a chorun eich pen yn pwyntio at yr awyr, gwreiddiwch eich hun trwy symud eich sylw at wadnau'r ddwy droed, lle maen nhw'n cyffwrdd â'r ddaear. Symudwch eich sylw at y pwyntiau lle mae eich corff yn cyffwrdd â'r gadair... Ar ôl eiliad, gollyngwch y teimladau hynny...

Nawr, symudwch eich sylw at sŵn, fel eich bod chi'n gwrando... i'r dde, i'r chwith, o flaen, y tu ôl, gan geisio canolbwyntio ar gywair, tonau a chryfder y gwahanol synau. Ar ôl ychydig, efallai y sylwch eich bod yn dechrau labelu'r seiniau, neu'n barnu a ydych yn eu hoffi ai peidio. Os nad ydych yn eu hoffi, neu os yw eich meddwl wedi crwydro, sylwch / byddwch yn garedig / ailffocyswch. Bydd hyn yn digwydd gannoedd o weithiau, a channoedd o weithiau byddwch yn dod â'ch sylw'n ôl yn ofalus at y synau. Gadewch i'r ffocws fynd...

Nawr symudwch eich ffocws at eich anadlu. Canolbwyntiwch arno yn yr un modd ag y gadawsoch chi i'r synau ddod atoch. Dewiswch ran o'r corff: y trwyn, cefn y gwddf, y frest neu'r abdomen; pa un bynnag sy'n teimlo'n fwyaf cyfforddus. Os ydych yn dewis y trwyn, er enghraifft, ceisiwch weld a allwch deimlo aer oer yn dod i mewn ac aer cynhesach yn mynd allan. Teimlwch eich corff yn ymestyn ac yn crebachu mewn cymaint o fanylder ag y gallwch a gadewch i'r anadl eich anadlu chi yn hytrach na'ch bod chi'n ei reoli. Sylwch ar yr hyn sy'n digwydd yn y bwlch rhwng yr anadl i mewn a'r anadl allan.

Os yw cadw'ch meddwl ar eich anadl yn ormod o her, ceisiwch gyfrif pob anadl hyd at ddeg ac yna dechrau eto. (Mae i mewn / allan yn un; i mewn / allan yn ddau, ac ati.) Os byddwch chi'n mynd ar goll, dyfalwch lle colloch chi eich ffordd a dechreuwch eto. (Cofiwch: nid ei wneud yn gywir sy'n bwysig, ond sylwi pan fydd eich meddwl wedi crwydro.) Pan fyddwch chi'n sylwi eich bod yn meddwl yn y gorffennol neu'r dyfodol, yn cnoi cil neu'n crwydro, ewch yn ôl i'r rhan roeddech chi'n anadlu ohoni, a ble bynnag y byddwch pan sylwch fod eich meddwl wedi cynhyrfu neu ar wasgar, byddwch yn gwybod y gallwch bob amser ailffocysu ar eich anadlu fel angor. Dyma ychydig o gwestiynau ar gyfer eich dyddiadur.

- Sut oedd hyn yn wahanol i'r gwrando a'r anadlu rydych chi'n ei wneud bob dydd?
- Beth oedd fwyaf anodd i chi pan oeddech chi'n canolbwyntio ar y sŵn? Ar yr anadl?
- Pan gawsoch eich maglu gan eich meddwl, a ydych chi'n cofio i ble'r aeth? Ai at feddyliau yn y gorffennol neu yn y dyfodol, poeni, cynllunio, ffantasïo, neu a oedd yn wag?

Gwaith cartref

Gallwch ddewis gwneud y ddau ymarferiad hyn bob nos dros y chwe diwrnod nesaf, neu gallwch eu hymarfer bob yn ail.

Gan eich bod wedi dysgu canolbwyntio ar yr anadl a'ch corff, dyma ffordd gyflym o sadio'ch meddwl pan fydd niwl coch pwysau'n rhoi straen ar eich ymennydd. Fe'i gelwir yn ymarfer anadlu tair munud.

Ymarfer anadlu tair munud

Gall y rhan fwyaf o bobl ymlacio wrth wylio'r teledu, chwarae pêl-droed neu mewn bar gwin gyda ffrindiau. Y broblem yw, pan fyddwch ar fin sefyll arholiad, annerch pum cant o bobl neu gael cyfweliad am swydd, ni allwch dynnu pêl-droed o'ch bag na gwylio'r teledu i dawelu'ch meddwl. Fodd bynnag, os ydych chi wedi ymarfer rhywfaint o ymwybyddiaeth ofalgar cyn yr heriau hyn, fe fyddwch yn barod i ddefnyddio'r egwyl gludadwy, dair munud hon. Mae'n teithio ble bynnag yr ewch chi.

Mae tair rhan i'r ymarfer, a phob rhan yn para tua munud yr un.

1. Ehangwch eich ffocws drwy wrando ar y meddyliau yn eich meddwl, gan wahodd pob un i mewn a gadael iddyn nhw wneud fel y mynnant: y da, y drwg, yr hyll. Ar ôl tua munud, gadewch iddo fynd...
2. Canolbwyntiwch eich ffocws ar y teimlad o anadlu'n unig. Chwyddwch i mewn ar anadl lawn drwy'r trwyn, y gwddf, y frest neu'r abdomen, gan deimlo eich ysgyfaint yn ymestyn wrth anadlu i mewn ac yn crebachu wrth anadlu allan. Ar ôl tua munud, gadewch iddo fynd...
3. Ehangwch eich ffocws unwaith eto ar eich anadl yn llenwi eich corff cyfan, o'ch corun, i lawr drwy eich corff at fysedd eich traed, wrth anadlu i mewn ac wrth anadlu allan, gan deimlo'r anadl yn gwacáu fel megin anferth.

Ceisiwch gymryd egwyl anadlu am dair munud ddwywaith y dydd, yn enwedig pan fyddwch chi'n teimlo bod eich meddwl yn berwi o ganlyniad i ddefnydd obsesiynol o'r ffôn / e-bostio diymwared, neu oherwydd rhyw ddicter sy'n llosgi twll ynoch chi, i roi seibiant i chi'ch hun o'r holl glebran yn eich meddwl. Dwi'n addo: ar ôl i chi ei wneud, fe fyddwch chi'n teimlo'n well.

WYTHNOS TRI:
Symud ymwybyddol ofalgar

Meddyliwch am yr ymarferion eistedd uchod fel ymarfer graddfeydd ar biano i dynhau a chryfhau eich gallu (yn y pen draw) i chwarae Rachmaninov yn rhwydd. Dydy dawnswyr bale ddim yn gwneud *pliés* wrth y bar ddim ond er mwyn gwneud *pliés* gwell, ond oherwydd eu bod yn gobeithio y byddan nhw ryw ddydd yn dawnsio *Swan Lake*. Wrth ymarfer ymwybyddiaeth ofalgar, byddwch yn gallu cymhwyso sgiliau angori i'ch bywyd bob dydd. (Fodd bynnag, fydd neb yn gofyn i chi ymuno â'r Bolshoi.)

Dydy'r ymennydd ddim yn gorffen wrth y gwddf, mae'n parhau i anfon negeseuon ar hyd llinyn y cefn, sy'n canghennu'n filiynau o filltiroedd o bibellau gwaed (digon i amgylchynu'r byd dair gwaith yn ôl yr hyn a glywais) sy'n cario gwaed i bob un o'ch triliynau o gelloedd. Does dim llinell i nodi'r rhaniad rhwng lle daw eich meddwl i ben a lle mae eich corff yn dechrau; mae eich corff a'ch meddwl i gyd yn un darn. Maen nhw'n cyfathrebu â'i gilydd drwy'r amser, gan ddehongli adborth o'r byd tu allan a'r byd tu mewn a chreu'r realiti rydych chi'n byw ynddo.

Mae symud ymwybodol ofalgar yn ymwneud â sut i gydblethu'ch ymennydd a'ch corff – sy'n fwy na'r sach o groen rydych wedi eich tynghedu i'w llusgo o gwmpas fel gwarbac mawr, fel mae llawer yn ei gredu. Credwn ein bod yn rhoi sylw i'n cyrff drwy eu pwmpio a'u tylino yn y gampfa i'w gwneud yn dynnach, drwy wthio mewnblaniadau iddyn nhw neu eu 'liposugno', ond dydy creu perthynas â'n cyrff fel rhan ohonon ni ddim ar yr agenda fel arfer. Yn bennaf, rydyn ni'n defnyddio ein corff fel abwyd i fachu cymar.

Rydyn ni'n ymfalchïo yn y ffaith ein bod yn gwthio ein hunain i'r eithaf a thu hwnt. Dyma pam y byddwch yn clywed pobl yn dweud, 'Fe wnes i siopa fy hun yn dwll'; 'Dwi wedi ysgrifennu fy holl gardiau Nadolig a dim ond mis Gorffennaf yw hi'; 'Collais 100 pwys mewn wythnos. Nawr dwi ar beiriant cynnal bywyd, ond dwi lawr i faint chwech.'

Fe welais hyfforddwr ffitrwydd corfforol unwaith yn dod i'r gampfa yn gwisgo bres cefn, fel pe bai wedi cael rhyw fath o glwyf rhyfel a'r bres wedi'i ddyfarnu iddo'n wobr am weithred o ddewrder. Roedd wedi datgymalu pob disg yn ei asgwrn cefn, neu rywbeth, er mwyn parhau i fod yn gyhyrog, heb unrhyw ymwybyddiaeth fod yr anaf, hefyd, yn rhywbeth a wnaeth iddo'i hunan. Beth oedd e'n feddwl oedd wedi digwydd? Mai meteoryn oedd wedi syrthio o'r awyr ac achosi'r anaf? Fe glywch sgrechiadau o boen yn dod o'r gampfa fel pe bai rhai o'r dynion hyn newydd roi genedigaeth trwy eu ffroenau.

Mae gen i ffrind a oedd, yn enw ioga, yn arfer clymu ei thraed uwch ei phen. Dywedodd wrtha i'n falch ei bod wedi gorfod cael cluniau newydd… am mai dyna pa mor hyblyg yw hi.

Mae symud ymwybyddol ofalgar yn ymwneud â dod yn ymwybodol o'ch synhwyrau corfforol i'r graddau eu bod yn adlewyrchiad o'ch meddyliau. Os yw eich corff yn dynn ac yn anhyblyg, mae eich meddyliau hefyd yn debyg o fod yn anhyblyg. Os yw eich asgwrn cefn yn cael ei ddal mewn ystum cwmanog a'ch ysgwyddau i fyny at eich clustiau, efallai eich bod wedi eich cloi mewn cyflwr o ddicter neu ofn. Yn ogystal â'r teimladau hyn, gallwn droi'n flin â'n cyrff am beidio â gwneud yr hyn rydyn ni eisiau iddyn nhw wneud, a phan fydd y sylweddoliad cic-i'r-wyneb yn gwawrio arnon ni y bydd ein corff yn disgyn yn ddarnau yn y pen draw beth bynnag, waeth faint o ymarfer wnaethon ni ar y StairMaster. Yna, wrth i'n corff ddechrau colli ei dyndra a'i gryfder, rydyn ni'n ei wthio'n galetach ac yn galetach, gan ei gosbi am ein siomi yn hytrach na diolch iddo am ein cario hyd yma. (Gyda llaw, dwi ddim wedi cyflawni hyn: dwi'n dal i geisio cadw'n ffit; wrth i mi deipio, dwi'n tynhau cyhyrau fy mhen-ôl.) Ychydig iawn ohonon ni sy'n gwrando ar yr hyn y mae ein corff yn ceisio'i ddweud wrthyn ni, oherwydd ein bod ar goll yn ein meddyliau. Gall y corff fod yn faromedr gwych a dangos i ni sut rydyn ni go iawn, nid sut rydyn ni'n meddwl ydyn ni.

Mae symud ymwybyddol ofalgar yn eich galluogi i ymdeimlo â phob rhan o'ch corff, er mwyn i chi allu rhoi sylw i unrhyw densiwn neu wrthwynebedd a sylwi pan fydd y meddwl yn ceisio eich cludo ymaith a chreu mwy o densiwn gyda'i adolygiadau sâl diddiwedd. ('Pam dwi'n teimlo hyn? Dwi eisiau iddo ddiflannu.' 'Lwmp mawr o fraster, dyna'r cyfan ydw i. Dwi'n ddiwerth.')

Dwi'n sylwi ar yr achlysuron prin pan fydd fy nghorff yn teimlo'n rhydd (efallai ar ôl tylino egnïol, pan mae rhywun wedi gorfod defnyddio morthwyl i roi rhywfaint o ryddhad i mi oddi wrth fy nghefn solet, cragen crwban) fod fy meddwl yn gliriach, dwi'n llai gorbryderus a dwi'n fwndel o lawenydd i'r sawl sydd yn fy nghwmni. Pan fyddaf yn treulio'r diwrnod yn fy ystum arferol tebyg i Grwca Notre Dame neu ymlusgiad llawn cynddaredd, gyda fy ysgwyddau mor uchel nes y gallaf eu gwisgo fel clustffonau, dwi'n ast. Mae sut rydych chi'n teimlo yn eich corff yn amlygu'ch meddyliau yn gorfforol, a'ch perthynas â'ch meddyliau yw eich perthynas â phobl, a'ch ymateb i bobl yw eich ymateb i'r byd. Mae canolbwyntio ar fynd i mewn i'ch corff fel mynd ar encil mewnol, i ffwrdd oddi wrth unben ffasgaidd eich meddwl. Felly mae sganio'ch corff am dyndra ac yna ei ryddhau yn ffordd o beidio â bod mor llym â chi'ch hun.

Gydag ymarfer, byddwch yn gallu dirnad yn y pen draw pryd fyddwch chi'n gweithio ar eich gorau, gan wthio eich hun yn ddigon caled i gael canlyniadau ond heb fod mor galed nes eich bod mewn poen. Trwy gynyddu eich ymwybyddiaeth o'r cyfyngiad corfforol hwn, gallwch ei gymhwyso i'ch bywyd a gwthio'ch hun ddigon i weithio ar eich gorau posib. Fe fyddwch mewn cytgord â'ch corff, felly pan fydd yn dweud wrthych chi fod gormod o boen, byddwch yn ei glywed ac yn tynnu'n ôl.

Sylwer bod rhai pobl yn mynd yn rhy bell y ffordd arall, yn gwrthod symud neu hyd yn oed roi cynnig ar un eisteddiad (*gweler* y daten soffa), gan roi esgusodion fel 'Dwi'n naturiol dew'. A ydych erioed wedi gweld baban newydd-anedig sy'n ordew? Anodd gen i gredu. Bydd eich corff, os gwrandewch arno, yn rhoi gwybod i chi pan fydd angen iddo weithio'n galetach a phryd fydd angen iddo orffwys.

Cyn ThGYO, sefydlodd Jon Kabat-Zinn, biolegydd moleciwlaidd ac Athro Emeritws mewn Meddygaeth yn Ysgol Feddygol Prifysgol Massachusetts, rywbeth o'r enw MBSR (therapi lleihau straen yn seiliedig ar ymwybyddiaeth ofalgar). Gweithiai gyda phobl a oedd mewn cymaint o boen gronig yn sgil anaf neu glefyd fel na allai eu meddygon gynnig unrhyw help iddyn nhw. Dywedodd wrth ei gleifion, yn hytrach na mygu neu anwybyddu'r boen, y dylen nhw anfon eu ffocws i'r union ran lle'r oedden nhw'n teimlo'r anghysur. Drwy ganolbwyntio ar y teimladau crai (pwyo, curo, trywanu), dechreuodd ei gleifion roi'r gorau i drychinebu eu poen, a dechrau sylwi nad bloc solet oedd eu poen. Roedd y teimladau'n mynd a dod, yn tyfu'n gryfach ac yn wannach... roedden nhw bob amser yn trawsnewid. Cafodd Kabat-Zinn lwyddiant ysgubol gyda'i gleifion: roedden nhw'n dal i deimlo eu poen, ond newidiodd eu perthynas â'r boen honno ac roedd hynny'n eu galluogi i ymdopi â hi. Ystyried y syniad fod poen yn newid o un eiliad i'r llall yw'r hyn a'u rhyddhaodd o'u carchar o artaith barhaus.

Mae ymarferion yr wythnos hon, fel y byddech chi'n ei ddisgwyl, i gyd yn ymwneud â symud ymwybyddol ofalgar. Dwi'n rhoi tri opsiwn i chi.

1. Symud ymwybyddol ofalgar arferol
2. Symud ymwybyddol ofalgar yn y gampfa (ar gyfer pobl nad ydyn nhw'n gallu dioddef symud ymwybyddol ofalgar)
3. Symud ymwybyddol ofalgar wrth wneud rhywbeth arall (i bobl nad ydyn nhw'n gallu dioddef symud ymwybyddol ofalgar yn y gampfa hyd yn oed)

Bydd y symudiadau yn yr holl ymarferion sy'n dilyn yn eich hyfforddi i ddefnyddio'ch corff fel angor, rhywbeth i ddod yn ôl ato pan fydd eich meddwl yn dechrau mynd ar chwâl. Bydd yr ymestyn yn gwneud i'ch corff deimlo lai ar bigau'r drain ac wedi'i gau i mewn gan eich cyhyrau. Wrth i chi ymestyn, mae'r corff a'r meddwl yn ymryddhau, ac nid trosiad yn unig yw hwn: wrth i chi symud, mae mwy o waed yn llifo i'ch organau a mwy o ocsigen yn llifo i'r ymennydd. Fel arfer, os yw eich corff yn anhyblyg, bydd eich meddwl felly hefyd... oni bai mai Stephen Hawking ydych chi wrth gwrs, ac os felly, mae holl ddeddfau rhesymeg yn mynd i lawr y draen.

Wrth ymarfer symud ymwybyddol ofalgar, *peidiwch* â'i wneud: ar drên; mewn tacsi; mewn ciw; yn ystafell aros swyddfa'r deintydd (oni bai eich bod ar eich pen eich hun); mewn ystafell gyfarfod yn y gwaith (os yw'r waliau'n wydr a phobl yn gallu gweld i mewn). (Dwi ddim wir yn poeni beth mae pobl yn ei feddwl, felly dwi'n ei wneud yn yr holl leoedd hyn.)

Ymarferion: symud ymwybyddol ofalgar arferol

Gwnewch yr ymarferion hyn am ddeg i ugain munud bob dydd am chwe diwrnod.

Rholio'r pen

Sefwch gyda'ch traed ychydig ar wahân, eich asgwrn cefn yn syth ond nid yn stiff, eich ysgwyddau wedi ymlacio a chorun eich pen yn pwyntio at yr awyr. Nawr dewch â'ch ffocws at eich corun ac yn araf gadewch i'w bwysau eich tynnu i'r dde, fel bod eich clust dde yn pwyntio tuag at eich ysgwydd dde. Gadewch iddo hongian yno a sylwch ar y teimlad. A ydych chi'n straenio i gael eich pen yn is at eich ysgwydd, neu a ydych chi'n caniatáu iddo hongian dan ei bwysau ei hun? Tra bydd eich pen yn dal yn yr ystum hwnnw, sganiwch eich corff am unrhyw arwydd arall o straen. Nawr ychwanegwch yr anadl... Defnyddiwch yr anadl fel pe bai'n llafn o olau, i'ch helpu i ddarganfod ac archwilio lle mae'r tensiwn. Wrth anadlu i mewn, anfonwch eich ffocws at y rhan sy'n ymestyn ar ochr chwith eich gwddf ac wrth anadlu allan, rhyddhewch ef. Wrth iddo hongian, efallai na fydd eich meddwl ar y teimlad ei hun mwyach ond ar goll mewn stori. Os sylwch ar hyn yn digwydd, anfonwch y ffocws yn ôl i'r rhan rydych chi'n ei theimlo'n ymestyn. Nawr, yn araf, gan ddal i ganolbwyntio ar bob symudiad, dewch â'ch pen yn ôl i'r canol a'i symud tuag at eich ysgwydd chwith. Gan ddefnyddio'r anadl i mewn, dewch â'ch ffocws i'r rhan sy'n ymestyn ar ochr dde eich gwddf, a'i ryddhau wrth anadlu allan. Dewch ag ef i'r canol a sylwch ar yr effaith y mae'r ymarferiad wedi'i chael. Nawr gadewch i'r ffocws fynd... Ailadroddwch hyn ddwywaith ar bob ochr.

Rholio'r ysgwyddau

Dewch â'ch sylw at eich dwy ysgwydd. Codwch y ddwy a throwch nhw ymlaen mewn cylch yn araf bum gwaith. Ceisiwch aros gyda phob teimlad yn y symudiad. Sylwch pan fyddwch chi'n gwneud gormod o ymdrech, neu os ydych chi'n tynhau unrhyw ran arall o'ch corff. Gadewch i'ch ysgwyddau ddisgyn ar bwynt isaf y cylch yn hytrach na'u gwthio i lawr. Anadlwch i mewn pan fyddwch chi'n eu codi; pan fyddwch yn eu troi, anadlwch allan fel bod yr anadl yn canolbwyntio'ch sylw ar y symudiad. Nawr gwnewch yr un peth i'r cyfeiriad arall; eto, bum gwaith. A ydych chi'n dal i anadlu? Dewch yn ôl i niwtral a dewch yn ymwybodol o'r effeithiau a gafodd yr ymarferiad. Gadewch i'r ffocws fynd...

Ymestyn i'r ochr

Dewch â'ch sylw at yr holl deimladau yn eich dwy fraich wrth i chi eu codi uwch eich pen, gyda'r cledrau'n wynebu ei gilydd. Ymdeimlwch â'u pwysau wrth i chi eu codi. Yn raddol, plygwch o'ch canol i'r dde, gyda'ch breichiau'n gyfochrog â'i gilydd, bob ochr i'ch pen. Plygwch yn ddigon pell fel y gallwch chi deimlo'r rhan yn ymestyn ond heb fod y tu hwnt i'r hyn y gallwch ei wneud yn hawdd. Sylwch a yw eich meddwl wedi gadael yr adeilad ac os felly, byddwch yn garedig ac ailffocyswch ar y rhan sy'n ymestyn. Dewch yn ôl i'r canol, gyda'ch breichiau yn dal i fod uwch eich pen, a phwyswch eich corff i'r chwith, gan deimlo eich canol yn plygu i'r chwith a'r rhan hir yn ymestyn ar hyd eich ochr dde. Dewch yn ôl i'r canol eto a gostyngwch eich breichiau wrth eich ochr. Teimlwch effeithiau'r rhannau a gafodd eu hymestyn a rhyddhewch eich ffocws. Ailadroddwch hyn ddwywaith ar bob ochr.

Rholio'r corff

Sefwch yn syth, gyda'ch pen i fyny a'ch coesau led eich cluniau ar wahân. Wrth anadlu allan, crymwch ymlaen yn araf, gan adael i'ch pen arwain a theimlo ei bwysau yn eich tynnu i lawr, o un fertebra i'r llall (daliwch ati i anadlu) nes eich bod yn hongian ar y gwaelod, a chaniatáu i ddisgyrchiant gymryd drosodd. Hyd yn oed os nad ydych ond wedi symud modfedd, peidiwch â gwthio; y pwynt yw bod yn ymwybodol o'r hyn sy'n digwydd yn eich corff a'ch meddwl. Wrth anadlu allan eto, dadroliwch, gan sythu'ch asgwrn cefn, o un fertebra i'r llall, fel pe baech chi'n pentyrru dominos. Sefwch yn syth iawn, nes bod eich pen yn teimlo'n gytbwys ar eich asgwrn cefn. Teimlwch effeithiau'r ymarfer hwn. Ailadroddwch y broses.

Y gath

Ewch ar eich pedwar, eich ysgwyddau dros eich dwylo a'ch cluniau uwchben eich pengliniau. Nawr, yn araf, wrth anadlu allan, gwnewch fwa â'ch asgwrn cefn fel ei fod wedi crymu fel cath flin ac wrth anadlu i mewn plygwch eich cefn y ffordd arall, gan godi eich pen a'ch pen-ôl yn yr awyr. Ailadroddwch hyn dair gwaith.

Cyrlio

Eisteddwch ar y llawr a'ch dwy goes gyda'i gilydd o'ch blaen, a chyrliwch eich pen ymlaen tuag at eich pengliniau. Unwaith eto, mae'n ymwneud â sylwi ar yr hyn sy'n digwydd, nid ar ba mor bell y gallwch chi blygu, felly hyd yn oed os na symudwch fwy na lled blewyn, peidiwch â gwthio'ch hun. Ceisiwch aros yn yr ystum rydych wedi'i gyrraedd, gan anadlu i mewn ac allan, ac anfon ffocws at unrhyw ran sy'n boenus neu i'w gweld fel pe bai'n teimlo straen. Pan fyddwch yn yr ystum hwn, sylwch a oes unrhyw beth yn newid. Ailadroddwch hyn ddwywaith.

Rholio'r cluniau

Nawr, gorweddwch ar y llawr ar eich cefn gyda'ch coesau a'ch traed gyda'i gilydd ac wedi'u plygu'n siâp 'L', eich traed yn yr awyr. Estynnwch eich breichiau yn wastad ar y llawr ar ongl sgwâr i'ch corff. Wrth i chi anadlu i mewn, dewch â'r ddwy goes, yn dal i fod gyda'i gilydd ac wedi'u plygu, tuag at y llawr i'r dde, gan synhwyro pob rhan o'r symudiad a defnyddio cyhyrau eich abdomen i'ch sadio. Ewch mor bell ag y gallwch, gan anadlu i mewn a sylwi ar eich ochr chwith yn ymestyn. Wrth anadlu allan, dewch â'ch coesau yn ôl i'r canol ac wrth anadlu i mewn, symudwch nhw'n araf i'r chwith, gan deimlo eich ochr dde'n ymestyn. Wrth anadlu allan, dewch â nhw'n ôl i'r canol.

Os ydych chi'n cael unrhyw broblemau gyda'ch cefn, cadwch eich traed ar y llawr a gadewch i'ch pengliniau ogwyddo i'r naill ochr neu'r llall cyn belled ag y gallan nhw, gyda'ch traed a'ch fferau'n dilyn. Yn yr ystum hwn gallwch droi'ch pen yn groes i'ch corff i chi allu ymestyn rhan ychwanegol o'r corff. Ailadroddwch hyn ddwywaith ar bob ochr.

Ymarferion: symud ymwybyddol ofalgar yn y gampfa (ar gyfer pobl sydd ddim yn gallu dioddef symud ymwybyddol ofalgar)

Wrth gerdded, rhedeg, nofio, eistedd o flaen y cyfrifiadur neu ddawnsio, sganiwch eich corff am unrhyw ran sy'n dynn ac anadlwch i mewn iddi. Cofiwch: bob tro y byddwch yn anfon ffocws at deimlad yn eich corff, nid diogi fyddwch chi; byddwch yn cryfhau'r rhannau o'chymennydd sy'n gwella hunanreoleiddio. Hyd yn oed os mai am funud y dydd y byddwch chi'n gwneud hyn, mae'r canlyniadau'n rhai da. Ewch i edrych ar sganiwr ymennydd os oes gennych un wrth law.

Bydd rhai ohonoch yn ystyried bod y Symudiadau Ymwybyddol Ofalgar yn rhy ddiflas i'w trafod hyd yn oed ac yn rhy araf i'w goddef, ond gallwch chi, hefyd, fod yn ymwybyddol ofalgar yn ystod eich gweithdrefn ymarfer corff arferol. Os ydych chi am bwmpio fel rhywbeth lloerig mewn cap pêl fas 'I ROCK' tra bod hyfforddwr maint yr Incredible Hulk yn cyfarth, 'Gwasgwch y cyhyrau 'na nes eich bod yn gwaedu drwy'ch clustiau! Heb boen, does dim modd llwyddo!', os rhowch eich sylw i'r rhan rydych chi'n ei hymarfer, fe fyddwch chi'n dal i weld canlyniadau gwell na phe baech chi'n gadael i'ch meddwl grwydro. Fydd niwronau newydd ddim yn tyfu yn y rhan o'ch ymennydd sy'n cyfateb i'r rhan rydych yn ei hymarfer oni bai eich bod yn canolbwyntio ar y rhannau penodol hynny o'ch corff. Os nad yw chwaraewyr piano yn canolbwyntio ar eu bysedd, fyddan nhw byth yn meistroli'r piano. Felly, beth bynnag y byddwch yn ei bwmpio, ei dynnu, ei sugno i mewn neu ei ymestyn, byddwch yn ymwybodol ohono. Os ydych chi'n ei wneud ar awtobeilot, gallech fynd i edrych fel gorila gorgyhyrog mewn bres gwddf.

Dyma awgrymiadau ar gyfer rhai ymarferion cyflym a ffyrnig.

Ar feic ymarfer neu beiriant rhedeg

Gwnewch yr ymarfer am ba hyd bynnag fyddwch chi'n ymarfer fel arfer, ond rhowch gynnig ar y rhain, pob un am tua ugain eiliad (defnyddiwch yr amserydd ar yr offer, neu ceisiwch gyfrif am ugain anadl). Wrth i chi feicio neu redeg, anfonwch eich sylw at eich traed, yn benodol y pwyntiau lle maen nhw'n cyffwrdd â'r pedalau neu'r gwregys rhedeg. Teimlwch bob symudiad, ac anadlwch. Ar ôl ugain eiliad, gadewch i'r ffocws fynd...

Os ydych chi ar feic, dewch â'ch sylw at eich pelfis lle bynnag mae'n cyffwrdd â'r sedd ac â'ch cluniau a'ch canol. (Hynny yw, y rhan a fyddai'n cael ei gorchuddio pe baech chi'n gwisgo nicyrs neu drôns mawr.) Anadlwch i mewn i'r holl deimladau rydych chi'n eu profi yn y rhannau hyn. Sylwch a yw eich meddwl yn crwydro, ac os yw'n gwneud, byddwch yn garedig wrthych chi'ch hun ac ailffocyswch ar y rhan 'dronsiog' honno ohonoch. Os ydych chi'n rhedeg, canolbwyntiwch ar yr un rhan am ugain eiliad. Yna gadewch i'r teimlad fynd...

Nawr, am ugain eiliad, symudwch eich ffocws yn gyntaf at waelod eich asgwrn cefn, yna'r holl ffordd i fyny at eich ysgwyddau. Sut mae eich ystum yn teimlo o'r tu mewn? A ydych chi'n gwmanog neu'n dynn? A yw eich ysgwyddau wedi'u tynnu'n ôl neu'n pwyso ymlaen? Sylwch arno, ond peidiwch â'i newid. Gadewch iddo fynd...

Yna, am ugain eiliad, teimlwch deimlad eich dwylo ar y bar, neu ddim ond y teimlad yn eich dwylo. A ydyn nhw'n gafael yn dynn, yn llac neu'n ddiffrwyth? Gwyliwch pan fydd eich meddwl yn eich cludo ymaith a dowch ag ef yn ôl at eich dwylo. Gadewch iddo fynd...

Dewch â'ch sylw at eich gwddf a'ch wyneb. A yw eich gwddf yn gwyro ymlaen, yn ôl, yn cael ei ddal neu'n cydbwyso? Sganiwch nodweddion eich wyneb: gên, gwefusau, tafod, trwyn, talcen, croen y pen. Pa fynegiant ydych chi'n ei wisgo ar eich wyneb? A ydych chi'n edrych fel gargoil? Unwaith eto, gwnewch hyn am ugain eiliad.

Yn olaf, am ugain eiliad, dewch â'ch ffocws at eich corff cyfan o'ch traed, i fyny drwy eich corff, i'ch corun; llenwch fel balŵn wrth anadlu i mewn a gwagio wrth anadlu allan. Gadewch iddo fynd...

Os na allwch ganolbwyntio ar unrhyw un o'r rhannau hyn, y peth pwysicaf yw peidio â bod yn llym â chi'ch hun. Ewch yn ôl i wneud yr hyn rydych chi fel arfer yn ei wneud ar y beic. Os oes angen i chi dynnu eich sylw eich hun drwy wylio MTV, gwrando ar eich clustffonau neu ddarllen cylchgrawn *Heat*, gwnewch hynny. Os ydych chi'n sylwi eich bod yn ei wneud, yna mae'n ymwybyddol ofalgar – hyd yn oed os ydych chi'n gwylio MTV yn ymwybyddol ofalgar.

Cyrlio'r breichiau gyda phwysau

Daliwch bwysau llaw (y pwysau rydych chi fel arfer yn gweithio gyda nhw) neu dun ffa pob (neu beth bynnag) yn eich llaw dde. Dechreuwch gyda'ch braich yn syth wrth eich ochr ac yna, wrth anadlu allan, plygwch eich penelin a dewch â'r pwysau i fyny i uchder yr ysgwydd. Wrth anadlu allan, gostyngwch eich braich i'ch ochr. Ceisiwch roi sylw i unrhyw gyffyrddiadau o boen, gan sganio'ch corff i weld a ydych chi'n tynhau unrhyw ran arall ohono nad yw'n rhan o'r cyrlio. Ailadroddwch hyn ddeg gwaith ar bob braich. Os yw hynny'n rhy anodd, dewch i lawr i bump.

Cyrlio'r cyhyryn triphen

Daliwch bwysau yn eich llaw dde, yna codwch eich braich fel ei bod yn pwyntio'n syth i fyny wrth eich pen. Wrth anadlu allan, plygwch eich penelin a gostyngwch y pwysau y tu ôl i'ch cefn (fel pe baech chi'n ymestyn i grafu rhwng eich palfeisiau). Wrth anadlu allan, codwch y fraich eto. Ailadroddwch hyn ddeg gwaith ar bob braich ac wrth i chi ddod yn fwy hyfedr, cynyddwch y nifer.

Tynhau'r stumog

Gorweddwch ar eich cefn gyda'ch coesau wedi'u plygu a'ch traed ar y llawr tua lled y cluniau ar wahân. Rhowch eich dwylo tu ôl i'ch pen, ac wrth anadlu allan, tynnwch eich abdomen i mewn fel pe baech wedi cael eich pwnio a chyrliwch ran uchaf eich corff tuag ymlaen (heb dynnu eich hun i fyny'n sydyn gerfydd eich gwddf). Sganiwch eich corff i wneud yn siŵr mai dim ond cyhyrau eich stumog rydych chi'n eu defnyddio a dim arall. Wrth anadlu allan, dadgyrliwch i lawr at y llawr. Ailadroddwch hyn bump i ddeg gwaith.

Tynhau'r pen-ôl

Gorweddwch ar eich cefn gyda'ch coesau wedi'u plygu a'ch traed ar y ddaear tua lled y cluniau ar wahân. Wrth anadlu allan, tynhewch eich pen-ôl a'i godi fel bod eich cefn yn gwneud siâp bwa, a'ch bogail yn pwyntio at yr awyr. Daliwch yr ystum, gan ddal i dynhau eich pen-ôl a theimlo'r ychydig boen (nid artaith) yng nghefn eich cluniau, ac yna tynnwch eich cefn i lawr eto. A dyna chi: rydych chi'n cael pen-ôl tyn wrth i chi fod yn ymwybyddol ofalgar. Ailadroddwch hyn bum gwaith.

Gwaith cartref

Nodwch unrhyw sylwadau ar yr ymarferion rydych chi wedi'u gwneud yn eich dyddiadur.

Dyma rai cwestiynau i'w cael yn eich meddwl.

- Sut oedd yr ymarferion yn wahanol pan ddechreuoch chi ymarfer ymwybyddiaeth ofalgar wrth eu gwneud?
- Pan oedd eich meddwl yn crwydro, a ydych chi'n cofio unrhyw feddyliau a gawsoch?
- Pan oeddech yn dal ystum, pa newidiadau, os o gwbl, y sylwoch chi arnyn nhw?

Unwaith eto yr wythnos hon, ceisiwch wneud yr ymarferiad anadlu ymwybyddiaeth ofalgar tair munud ddwywaith y dydd, naill ai pan fyddwch yn sylwi bod eich meddyliau ar wasgar a'ch bod yn dechrau mynd yn orbryderus, neu'n syml er mwyn dychwelyd i'r presennol.

Ymarferion: symud ymwybyddol ofalgar wrth wneud rhywbeth arall (i bobl sydd ddim yn gallu dioddef symud ymwybyddol ofalgar yn y gampfa hyd yn oed)

Cyrlio yn y stryd

Fyddwch chi ddim yn mynd i gampfa nac yn gwneud unrhyw ymarfer corff? Mae hyn yn gweithio i mi. Wyddoch chi pan fyddwch chi'n cario dau fag trwm ac yn teimlo fel pe bai eich breichiau'n cael eu tynnu allan o'ch ceseiliau? Fydd rhegi ddim yn helpu; fydd hynny ond yn eich gwneud yn fwy rhwystredig. Gan fod rhaid i chi gario'r bagiau beth bynnag, beth am roi cynnig ar wneud defnydd o'r amser nid yn unig i fod yn ymwybyddol ofalgar ond hefyd i ddatblygu ambell gyhyr? Wrth i chi gerdded, hyd yn oed os ydych ar frys, codwch y bag yn eich llaw dde i fyny tuag at eich ysgwydd a'i ddal wrth i chi gyfrif i ddeg. Fel gyda phwysau, canolbwyntiwch ar y rhan lle rydych chi'n teimlo'r boen ac anadlwch i mewn iddi. Ar y stryd, mae'n hanfodol sganio'r corff i edrych am dyndra, oherwydd ein bod wedi arfer codi ein hysgwyddau neu dynhau ein cyrff pan fyddwn yn cario rhywbeth trwm. (Does gen i ddim syniad pam fod rhai ohonon ni'n hapus i godi pwysau yn y gampfa ond byth yn gwneud y gorau ohono tu allan gyda bagiau trwm.) Nawr ailadroddwch hyn gyda'ch braich chwith.

Codi bagiau

Dwi hefyd yn gwneud cyrliau cyhyrynnau triphen yn gyhoeddus ar y stryd, oherwydd does gen i ddim affliw o ots beth mae pobl yn ei feddwl ohonof, ac fel arfer fydd pobl ddim yn sylwi beth bynnag. Codwch a sythwch un fraich, gan ddal bag wrth eich pen, yna plygwch eich braich a gostyngwch y bag tu ôl i'ch cefn. Codwch y bag a sythwch eich braich a chyfrif i ddeg. Ailadroddwch hyn ar y fraich arall. Byddwch yn ymwybodol o'r holl deimladau rydych chi'n eu profi ac os yw eich meddwl yn mynd ar wyliau, dewch ag ef yn ôl.

Pwmpio troli

Mae gwthio troli siopa yn dda ar gyfer cryfhau ac ymestyn eich breichiau. Tynnwch y troli tuag atoch (mae'n well os oes llawer o nwyddau ynddo), gyda'ch dwylo'n gafael yn y bar fel y bydden nhw'n ei wneud fel arfer, yna gwthiwch y troli i ffwrdd a'i dynnu'n ôl atoch ddeg gwaith. (Peidiwch â thynhau eich ysgwyddau; defnyddiwch eich breichiau'n unig, neu fe gewch yr adenydd fwltur a oedd gan fy mam.) Nawr daliwch far y troli ond gyda chledrau eich dwylo'n wynebu i fyny, ac ailadroddwch y broses.

Ymestyn gyda throli

Daliwch far y troli a gadewch i'r troli rolio ymlaen fel bod eich cefn yn ymestyn yn hir, yn gyfochrog â'r llawr. (Os ydych chi'n dal i fod yn yr archfarchnad, rhowch yr argraff eich bod wedi colli rhywbeth a'ch bod yn chwilio amdano ar y llawr.) Sefwch yn syth unwaith eto. Ailadroddwch hyn bum gwaith.

Gweithio gyda chesys

Ydych chi yn y maes awyr neu'r orsaf drenau, ac yn hwyr? Hyd yn oed os ydych chi, peidiwch â thynhau wrth i chi redeg i ddal yr awyren neu'r trên. Canolbwyntiwch ar ble mae'ch traed yn cyffwrdd â'r llawr er mwyn atal eich meddyliau rhag edliw i chi, 'Rwyt ti'n ffŵl, rwyt ti'n hwyr eto! Dy fai di yw hyn i gyd – roeddet ti yn y bath pan gyrhaeddodd y tacsi.' Sythwch eich corff, ymlaciwch eich ysgwyddau a gafaelwch yn y tennyn sy'n sownd wrth eich troli cesys. Tynnwch ef tuag atoch ac yna ei wthio i ffwrdd eto. Ailadroddwch hyn ddeg gwaith. Mae hyn yn adeiladu eich cyhyrynnau deuben yn ymwybyddol ofalgar a fyddwch chi ddim yn colli'r awyren neu'r trên.

(Gallech chi roi cynnig ar hyn wrth fynd â chi mawr am dro, ond fyddwn i ddim yn ei argymell: gallech ei dagu'n ddamweiniol.)

Lifft

Y lifft yw'r cyfrwng perffaith ar gyfer gwneud ymarferion ymestyn ar y corff. Rhowch eich troed ar y canllaw (os gallwch) a phlygwch tuag ato, gan ymestyn cefn y goes rydych chi'n sefyll arni. Ailadroddwch hyn ar y goes arall. Wedyn, gan sefyll, plygwch un goes yn ôl a gafael yn eich ffêr y tu ôl i chi, gan ymestyn y cluniau. Ailadroddwch hyn ar y goes arall. Os ydych chi'n mynd i fyny i ben yr Empire State neu'r Shard, bydd gennych amser i barhau, trwy orwedd ar y llawr a chodi un goes ar y tro mewn ymestyniad ar gyfer y coesau. Fe allech roi cynnig ar blygu'r cefn. O ddifrif, fe allwch wneud unrhyw beth, bron â bod, mewn lifft. Ac os oes rhywun arall yno hefyd, anwybyddwch nhw, gan eich bod chi'n mynd i fod yn heini, yn wahanol iddyn nhw.

Ymestyn wrth y carwsél cesys. Neu lle bynnag

Defnyddiwch eich amser yn effeithiol pan fyddwch chi'n aros am eich cesys (neu mewn unrhyw giw). Yn hytrach na gweiddi neu fynd yn gynddeiriog tu mewn (ddaw eich cesys chi ddim eiliad yn gynt a wnaiff y ciw ddim symud eiliad yn gynt), manteisiwch ar y cyfle i ymestyn eich gwddf, rholio eich ysgwyddau a gwneud ymestyniad ochr. Ydych chi'n dal i aros? Rhowch gynnig ar blygu'r cefn. Os ydych chi'n gwneud yr ymarferion hyn yn ymwybodol yn hytrach nag edrych o'ch cwmpas mewn embaras, rydych chi'n bod yn ymwybyddol ofalgar.

Ymestyniad bag ysgwydd

I unrhyw un sy'n cario bag ysgwydd... Rhowch y strap dros un o'ch ysgwyddau, yna pwyswch eich pen dros yr ysgwydd arall i deimlo ymestyniad braf ar hyd eich gwddf, ac ar hyd eich canol os pwyswch chi'n ddyfnach i mewn iddo. Cofiwch newid ysgwyddau, neu mae perygl i chi fynd yn sgi-wiff.

WYTHNOS PEDWAR:
Ymwybyddiaeth ofalgar o deimladau ac emosiynau

Yn union fel rydyn ni wedi anfon ffocws ein sylw at ein traed, ein pen-ôl, at synau, y corff ac anadlu, nawr rydyn ni'n mynd i'w anfon i ble rydyn ni'n teimlo emosiynau yn y corff. Mae'r broses yr un fath yn union: gallwch deimlo poen emosiwn yn eich corff lawn cymaint ag y gallwch deimlo poen neu straen wrth wneud ymestyniad ymarfer corff. Yn y ddau, y syniad yw symud tuag at y teimlad, nid rhedeg oddi wrtho. Os ydych chi'n meddwl, 'Dwi ddim eisiau'r teimladau hyn, dwi eisiau iddyn nhw ddiflannu', fe fyddan nhw'n ymosod arnoch yn galetach ac yn aros yn hwy.

Mae coctels o gemegion yn rhaeadru drwy'r gwythiennau drwy'r amser, gan greu teimladau ac emosiynau; wnewch chi byth ddirnad sut mae hyn yn gweithio, felly profwch nhw ac anghofiwch am y dehongliad. (Oni bai eich bod yn fardd, ac os felly, ewch amdani.)

Mae ymwybyddiaeth bur o deimlad (corfforol neu emosiynol) yn eich galluogi i fynd yn is na hunansgwrsio negyddol ac yn golygu nad oes rhaid i chi bigo wrth grachen y cof. Os ydych chi'n dal y teimlad yn gyflym ac yn canolbwyntio eich sylw arno, fe gewch wared ar ei effaith lythrennol cyn iddi ddatblygu. Y syniad yw rheoli'r tân cyn iddo ledu.

Datgelais yn gynharach fy mod i (ond yn llai felly y dyddiau hyn) yn gaeth i gynddaredd. Cynddeiriogi oedd fy hoff hobi'n arfer bod. Ar ddiwrnod allan, byddwn yn chwilio am wardeiniaid traffig, yn aros amdanyn nhw y tu ôl i goeden ac yna'n neidio allan, fel rhywun hurt bost. Doedden nhw byth yn rhwygo'r tocyn parcio roedden nhw wedi'i roi i mi, ond roedd fy llid yn teimlo'n wych, ac yn bwydo fy nibyniaeth. Y diwrnod wedyn, byddai gen i ben mawr yn sgil yr holl fustl roeddwn i wedi'i godi.

Pan ddois i'n ymwybodol o fy mhatrymau meddwl peryglus a sut roedden nhw'n effeithio ar bobl eraill, dechreuais lacio llinynnau fy nghaethwasgod. Sylweddolais fy mod yn bwydo fy arfer ac yn ei chryfhau fwyfwy bob tro y byddwn yn cael pwl o dymer.

Pan fyddaf yn gwneud unrhyw ymarfer corff, dwi'n sylwi fy mod yn teimlo poen gyfarwydd mewn rhai rhannau o fy nghorff. Hyd yn oed os ydw i'n cael ei gwared dros dro, y diwrnod wedyn mae'n ei hôl, yn yr un lle. Dwi wedi dysgu byw gyda hi, gan drin fy holl boenau fel hen ffrindiau. Dwi'n dihuno a dweud, 'Helô, dyna'r hen boen yn y pen-glin. Sut wyt ti?' 'Ie, dyna fe, fy ngwddf yn chwarae ei hen driciau eto. Henffych!' Mae'r un peth yn wir am emosiynau: dwi'n dysgu adnabod y rhai cyfarwydd wrth iddyn nhw godi ac yn eu cyfarch, 'Bore da, boen yn fy nghalon, doeddet ti ddim gyda fi ddoe? A'r diwrnod cynt... a'r rhan fwyaf o fy oes? Croeso'n ôl.' Mae gan bob un ohonon ni emosiynau penodol sy'n ailadrodd eu hunain dro ar ôl tro: ein themâu emosiynol.

Drwy dderbyn yr hyn sydd yno heb ei wthio ymaith, cwyno amdano neu ei wadu, bydd y teimladau'n trawsnewid o ran eu dwyster, y canfyddiad ohonyn nhw neu eu lleoliad. Pan fyddan nhw'n mynd yn rhy boenus, ewch â'r ffocws yn ôl at eich anadl neu'n uniongyrchol at y teimladau crai. Pan fyddwch chi'n barod, dewch yn ôl at yr ymdeimlad o anadlu.

Ymarfer: emosiynau ymwybyddol ofalgar

Ymarferwch am bump i ddeng munud.

Cofiwch: gallwch eistedd yn unrhyw le ar gyfer yr ymarferion hyn, neu os ydych chi'n casáu eistedd, gwnewch nhw mewn unrhyw ystum, yn unrhyw le. Os ydych chi'n digwydd bod yn eistedd... pwyswch ymlaen gyda'ch cefn yn syth a chorun eich pen yn pwyntio at yr awyr a dewch â'ch ffocws at y ddwy droed. Gadewch iddo fynd a dewch â'ch sylw at eich anadl, heb ei orfodi ond gadael iddo ddigwydd ar ei ben ei hun. (Os yw'n haws, cyfrwch ddeg anadl.) Nawr, ehangwch eich ffocws er mwyn i chi fod yn agored i unrhyw ymdeimlad emosiynol yn eich corff a allai fod yn mynnu eich sylw. Pan fyddwch wedi lleoli'r rhan honno, chwyddwch i mewn a'i harchwilio gyda chwilfrydedd, nid beirniadaeth. Pa siâp sydd iddi? A yw'n pwyo, yn curo, yn trywanu neu'n cosi?

Ymarfer: ymdrin â'r hyn sy'n anodd

Gallwch barhau â'r ymarfer hwn o'r ymarfer uchod, neu ei ddefnyddio fel un ar wahân. Ymarferwch am bump i ddeng munud.

Wrth i chi eistedd, yn canolbwyntio ar eich anadlu, meddyliwch am sefyllfa anodd sydd naill ai'n digwydd yn eich bywyd ar hyn o bryd neu a oedd yn digwydd yn y gorffennol, sefyllfa pan oeddech chi'n teimlo'n ddig, yn flin, yn orbryderus, dan straen – unrhyw beth sydd â cholyn bach ynghlwm wrtho o hyd. Byddwch yn ymwybodol nad ydych chi'n cofio'r teimladau negyddol hyn er mwyn brifo eich hun ond i gydnabod a dod yn gyfaill i'r teimladau tywyllach sy'n bodoli… teimladau sydd yno beth bynnag, hyd yn oed os nad ydych yn ymwybodol ohonyn nhw. Trowch atyn nhw gyda thosturi a gofal, fel y byddech yn ei wneud i ffrind sy'n dioddef. A phan fyddwch wedi cydnabod y teimlad, chwyddwch i mewn at y man lle mae a defnyddiwch e fel angor. Cyn i chi orffen, dychmygwch brofiad da a gawsoch yn y gorffennol a gweld a yw eich emosiynau'n cyd-daro â'r cof cadarnhaol. Sylwch y gallwch ddylanwadu ar eich emosiynau drwy newid i ddelweddau mwy cadarnhaol yn eich meddwl; os yw'r emosiwn yn mynd yn rhy boeth, ailffocyswch ar un cadarnhaol. Am yr ychydig funudau olaf, dewch â'ch pwynt ffocws yn ôl at eich anadl, yn ôl i'r man lle rydych chi'n teimlo'n fwy tawel eich meddwl ac yn bresennol.

Cadwch ddyddiadur dros y chwe diwrnod nesaf, gan nodi'ch teimladau ymwybyddol ofalgar.

Dyma ychydig o gwestiynau i'w cael yn eich meddwl.

- Pa emosiwn y gwnaethoch chi feddwl amdano yn yr ymarferiad?
- Tynnwch lun o gorff a nodwch y man lle'r oedd y teimlad. Pa liw oedd e? Siâp? Maint?
- Tynnwch lun arall o'r corff a dangoswch beth, os o gwbl, a newidiodd yn ystod yr ymarfer.

Unwaith eto yr wythnos hon, ceisiwch wneud yr ymarferiad anadlu ymwybyddiaeth ofalgar tair munud ddwywaith y dydd.

WYTHNOS PUMP:
Meddwl ymwybyddol ofalgar

Yn yr un modd ag emosiynau, gall eich meddyliau dyfu'n arferion a dod yn obsesiwn. Ar adegau, gallan nhw fod yn wastraff o le yn eich pen; ar adegau eraill, mae rhywfaint bach o ddefnydd iddyn nhw am eu bod yn rhoi barddoniaeth, celf, llenyddiaeth, iaith, cyfathrebu, gwareiddiad i ni... i enwi rhai pethau'n unig. Dwi am barhau i'w ddweud: pan fyddan nhw'n dda, maen nhw'n dda iawn, iawn; a phan fyddan nhw'n wael maen nhw'n aflan. Ein cenhadaeth yw dewis a dethol sut i'w defnyddio yn hytrach na'u bod nhw yn ein defnyddio ni. Felly yn ôl â ni at ymwybyddiaeth ofalgar, sy'n ymwneud â newid patrwm eich perthynas â'ch meddyliau: dysgu eistedd a dewis pryd i fachu ar feddwl a phryd i adael iddo fynd.

Os ydych chi'n sylwi ar eich meddyliau gyda meddwl mwy eglur a mwy llonydd, prin fod angen dweud y gallai ambell em ddeillio o'r tywyllwch ar ffurf syniad gwych / doniol / creadigol / gwreiddiol.

Weithiau, pan fyddaf yn ymarfer ymwybyddiaeth ofalgar, mae syniad gwych yn brigo i'r wyneb o'r tywyllwch a dwi'n eistedd yno fel rhywun gwallgof, yn chwerthin yn uchel. Cyn gynted ag y byddaf wedi gorffen, dwi'n gafael mewn beiro i'w nodi'n gyflym cyn iddo suddo yn ôl i'r llaid. Dydy ymwybyddiaeth ofalgar ddim yn golygu eistedd fel pysgodyn marw wedi'i rewi; rydych chi yno'n arsylwi ar eich meddyliau, a chydag amser, dylai fod yn haws gwahaniaethu rhwng pa feddyliau sy'n rhai gwych a pha rai y gallwch eu bwrw allan wrth iddyn nhw gyrraedd. Dywedir bod y rhan fwyaf o feddyliau creadigol yn digwydd pan nad ydych chi'n ymdrechu i ddod o hyd iddyn nhw; dyma pam mae pobl yn cael syniadau anhygoel yn y gawod. Mae'n siŵr ei fod yn debyg i bobl sy'n chwilio am aur; yn sydyn, maen nhw'n sylwi ar rywbeth yn disgleirio yn y llaid. Dyma sut mae'n teimlo pan fyddaf yn sylwi weithiau ar frawddeg wych yn gorwedd yno yn y llaid.

Byddwch yn therapydd i chi'ch hun

Yn yr un modd ag y byddwch yn ymdrin ag emosiynau poeth trwy gamu'n ôl oddi wrthyn nhw, gallwch ddysgu sut i ddatgysylltu oddi wrth eich meddyliau. Gydag ymwybyddiaeth ofalgar, chi yw eich therapydd chi'ch hun, sy'n gwrando ar eich meddyliau dwfn, tywyll eich hun. Yn union fel y seiciatrydd nad yw'n barnu, bydd eich meddwl, os nad yw'n cael ei fygwth neu'n ofnus, yn dangos i chi pwy ydych chi, ac yna gallwch ryddhau eich hun oddi wrth y meddyliau sy'n cyfyngu ac yn dinistrio a chreu rhai newydd. Os nad ydych yn edrych i mewn ac yn dod yn ymwybodol, fe fyddwch chi'n gaeth i arferion ac yn parhau i chwarae'r un hen dôn, fel nodwydd sy'n sownd yn rhigol record.

Ymarfer: meddwl ymwybyddol ofalgar

Gwnewch yr ymarfer hwn am ddeng munud bob dydd am y chwe diwrnod nesaf.

Eisteddwch ar gadair neu glustog a sythwch eich cefn, heb bwyso'n ôl, eich pen yn gytbwys ar ben eich asgwrn cefn.

Teimlwch y ddwy droed yn wastad ar y llawr a phwysau eich corff ar y sedd, a dewch â'ch ffocws at eich anadl (gan gyfrif i ddeg gyda phob anadl, os yw'n haws). Sylwch pan fydd eich meddwl yn crwydro a dewch â'ch ffocws yn ôl i'r pwynt blaen pìn hwnnw o anadlu. Ehangwch eich ymwybyddiaeth i gynnwys sŵn; gwrandewch, gan adael i'r sŵn ddod atoch chi heb i chi chwilio amdano.

Nawr dewch â'ch sylw at eich meddwl, gan wylio beth bynnag sy'n codi, yn union fel y gadewch i'r synau ddod atoch chi. Os dymunwch, dychmygwch y meddyliau hyn fel cymylau'n symud yn barhaus ar draws yr awyr; mae rhai'n drwm, rhai'n ysgafn, rhai'n llawn taranau, ond maen nhw'n parhau i symud a thrawsnewid heb unrhyw ymdrech ar eich rhan. Os nad yw hyn yn gweithio i chi, dychmygwch eich bod yn eistedd mewn sinema yn gwylio ffilm ac ar y sgrin, daw eich meddyliau allan o gegau gwahanol gymeriadau. Dim ond eistedd rydych chi'n ei wneud, a gwylio, a bwyta popcorn neu gi poeth efallai. Efallai y byddwch yn sylwi ar ryw bwynt eich bod wedi gadael eich sedd, wedi ymuno â'r ffilm ac wedi dod yn rhan o'r plot. Cyn gynted ag y byddwch yn sylweddoli bod hyn wedi digwydd, heb roi adolygiad gwael i chi'ch hun, cerddwch yn ôl i'ch sedd, codwch y popcorn a dechreuwch wylio eto. P'un a yw'r ffilm yn ddoniol neu'n frawychus, gwyliwch o'ch sedd a sylwch pryd bynnag y byddwch chi yno ar y sgrin. Dydych chi ddim yn cael sgôr well po leiaf o weithiau y byddwch chi'n symud at y sgrin ac yn ôl; y pwynt yw sylwi bob tro y byddwch chi'n gwneud hynny. Os ydych chi'n ei wneud gant o weithiau, llongyfarchwch eich hun am fod yn ymwybodol eich bod wedi gwneud hynny. Fel y dywedais ym Mhennod 2, mae'n ymarfer meddyliol gwell mewn gwirionedd pan fydd eich meddwl chi'n crwydro a'ch bod yn dod â'ch ffocws yn ôl, oherwydd bob tro y byddwch yn ei wneud mae'n cryfhau'r cyhyrau meddyliol. Yn ystod ychydig eiliadau olaf yr ymarfer, dewch yn ôl i ddim ond anadlu; bob tro y byddwch chi'n cofio anadlu neu'n eistedd yn ôl yn eich cadair yn y sinema, rydych chi'n awtomatig yn y presennol. Mae'r anadl yno bob amser i ddod â chi'n ôl at ymdeimlad o lonyddwch a phresenoldeb.

Ysgrifennwch eich meddyliau ar ôl pob myfyrdod yn eich dyddiadur bob dydd.

Dyma rai cwestiynau i'w cael yn eich meddwl.

- Sut deimlad oedd symud o wrando ar synau i wrando ar eich meddyliau?
- Gan ddefnyddio delwedd y cwmwl neu'r sinema, beth oedd eich meddyliau pan oedd eich meddwl yn crwydro? A oes unrhyw themâu?
- Sut ymateboch chi pan sylweddoloch chi (os gwnaethoch) eich bod wedi dod yn rhan o'r ffilm a bod angen i chi ddychwelyd i'ch sedd?
- A oedd y popcorn yn flasus?

WYTHNOS CHWECH:
Trosolwg: rhoi'r cyfan at ei gilydd

Yr wythnos hon, byddwch yn gweithio ar sut i ymgorffori ymwybyddiaeth ofalgar yn eich bywyd go iawn. Dyna yw ei phwynt (nid dysgu sut i fod yn ddarn o bren).

Ni allwch fod yn bresennol drwy'r amser, yn gwylio'ch teimladau a'ch meddyliau, neu fe fyddech chi'n dod i stop, ar ganol mynd am dro efallai, neu'n waeth, yng nghanol y traffig. Dwi'n tybio mai dim ond iogis sy'n byw mewn ogofâu neu bobl â mathau penodol o niwed i'r ymennydd sy'n profi'r cyflwr hwnnw o fod yn bresennol yn barhaol.

Diwrnod ym mywyd rhywun sy'n gweithio

7 a.m. Mae'r cloc larwm yn canu. *Ceisiwch, ceisiwch, ceisiwch* osod y cloc ddeng munud yn gynharach er mwyn i chi gael amser i gynnal sesiwn ymwybyddiaeth ofalgar am bump i ddeng munud (dewiswch unrhyw ymarfer o fy nghwrs chwe wythnos) neu, os nad oes amser, ceisiwch gael eich cawod neu frwsio'ch dannedd gydag ymwybyddiaeth. Os nad oes gennych

chi amser i frwsio'ch dannedd, ewch i weld meddyg...
a deintydd.

8 a.m. Os oes gennych amser tra byddwch chi'n paratoi
i fynd i'r gwaith i daflu coffi, te neu hyd yn oed fwyd i
mewn i'ch ceg, am ddau neu dri llwnc neu frathiad
efallai y gallwch brofi tymheredd, blas a maint yr hyn
rydych chi'n ei fwyta / ei yfed. (Cofiwch: mae hyd yn oed
ychydig eiliadau yn gwneud gwahaniaeth yn eich
ymennydd.)

8.30 a.m. Ewch i mewn i'r car a gyrrwch (os ydych chi'n
gyrru i'r gwaith). Ar y pwynt hwn, peidiwch â meddwl
am ganolbwyntio ar eich synhwyrau na dod i mewn i'r
presennol, oherwydd fe gewch chi ddamwain a dwi
ddim am gael y bai. Y rhan fwyaf o'r amser mae'n rhaid
i ni fod ar awtobeilot; dyma un o'r adegau hynny.

Fodd bynnag, os ydych chi'n mynd i'r gwaith ar fws neu
drên, mewn tacsi neu ar gefn ceffyl, mae hwn yn amser
da i wneud rhywfaint o ymarfer ymwybyddiaeth ofalgar.

Gwnewch unrhyw rai o'r canlynol: teimlwch eich traed
ar y llawr, teimlwch eich corff ar y sedd, gwrandewch ar
sŵn, canolbwyntiwch ar eich anadl, gwyliwch eich hun
yn meddwl ac os ydych chi'n poeni eich bod yn mynd i
fod yn hwyr, canolbwyntiwch ar y teimlad o ofnusrwydd.

9 a.m.–1 p.m. Ar unrhyw adeg yn ystod y bore, os ydych
chi'n sylwi bod eich ymennydd yn gorlenwi neu fod niwl
coch yn dod i lawr, gwnewch ymarfer ymwybyddiaeth
ofalgar tair munud o hyd neu un funud hyd yn oed, wrth
eich desg, o dan eich desg, yn y lifft, yn y tŷ bach...
Ceisiwch ei wneud ddwywaith y dydd – efallai unwaith
cyn cinio, ac unwaith wedi hynny. Os caewch gaead eich
gliniadur a diffodd eich ffôn, neu gerdded oddi wrthyn
nhw am y tair munud / un funud, dwi'n addo, pan
fyddwch chi'n ailddechrau gweithio, y byddwch chi'n
gliriach eich meddwl, yn fwy creadigol, yn llawn egni ac

yn curo'r gystadleuaeth wrth iddyn nhw losgi'n ddim o'ch cwmpas.

1 p.m. Amser cinio. Ble bynnag y byddwch chi'n bwyta, blaswch y bwyd tra byddwch yn ei gnoi ac yn ei lyncu, hyd yn oed os mai dim ond am ychydig eiliadau y byddwch chi'n gwneud hynny; fel arall, mae'n wastraff arian a chaloriau. Os oes rhaid i chi fwyta cinio mewn cyfarfod, gwnewch ymdrech i flasu'r bwyd beth bynnag... fydd neb arall yn sylwi ac ar yr un pryd, fe fyddwch chi'n clirio rhagor o le yn eich pen trwy anfon eich ffocws at yr adran 'bwyta'.

4 p.m. Fel arfer, bydd y rhan fwyaf ohonon ni'n blino tuag at ddiwedd y dydd, ond dyna'n union pryd fydda i'n rhoi fy nhroed ar y sbardun, gan wneud i'r olwynion droi, er mwyn cael y gwaith wedi'i wneud. Ond dwi ddim yn mynd i unman, oherwydd, yn feddyliol, dwi wedi rhedeg allan o danwydd, er bod fy nhroed yn cyffwrdd y llawr. Mae mor drist, ond dyna fy syndrom i, fy nibyniaeth ar adrenalin, sy'n cael ei fwydo gan fy nhuedd 'funud olaf'. Dwi'n gyrru fy hun at ymyl y clogwyn ac yn hongian yno, wedi blino'n lân. Ond tra byddaf yn hongian dros y gagendor gerfydd fy ewinedd, byddai'n help i mi gymryd saib ymwybyddiaeth ofalgar am un funud neu dair munud.

7 p.m. Bydd angen set newydd gyfan o gêrs arnoch chi nawr ar gyfer eich bywyd cartref. Byddwn yn awgrymu cyn i chi weld eich teulu eich bod yn gwneud ychydig o ymarfer ymwybyddiaeth ofalgar fel nad ydych yn cario unrhyw sothach adref o'r gwaith. Am funud efallai, gwrandewch ar sŵn; does dim angen i chi droi at gerddoriaeth, dim ond gwrando ar sŵn amgylchynol i ddod yn ôl at eich synhwyrau ac allan o'ch pen. (Ac nid meddwi'n gaib ar y ffordd adref a olygaf wrth hynny.) Rydych chi nawr yn ceisio trawsnewid eich hun o'r modd

gwaith i'r chi sy'n siarad â phobl ac yn gwrando arnyn nhw.

8 p.m. ac wedyn. Os ydych chi wedi bod yn ymarfer ThGYO yn rheolaidd, bydd yn haws i chi ddiffodd eich hun o'ch diwrnod gwaith yng nghwmni'ch teulu a'ch ffrindiau. Os byddwch yn sylwi bod eich meddwl yn dal yn y swyddfa, yn gorfeddwl, canolbwyntiwch ar sylwi ar y bobl o'ch cwmpas. Gallwch roi'r amygdala i gadw, fyddwch hi ddim o'i angen nawr; does dim perygl ymysg ffrindiau a theulu... oni bai mai Macbeth ydych chi wrth gwrs.

11 p.m. Yn y gwely, os gallwch roi cynnig ar ymarfer tair munud, gallai eich helpu i fynd i gysgu'n gyflymach. Gorweddwch a chaniatewch i'ch meddyliau gael un sbri olaf: ewch ati i gnoi cil, poeni, cynllunio, ffantasïo, hel meddyliau, gwylltio. Ar ôl munud, dewch â'ch ffocws yn ôl at eich anadl ac yn y funud olaf, anadlwch i mewn i'ch corff o fysedd eich traed i'ch corun. Nos da.

Drwy gydol eich dydd, mae yna adegau penodol pan allai ymwybyddiaeth ofalgar fod yn ddefnyddiol.

Wrth aros am fws

Mae eich bws yn hwyr, rydych chi'n hwyr, ac erbyn hyn rydych chi wedi troi'n fwystfil, eich dannedd yn ysgyrnygu, a'r poer yn diferu. Fydd edrych ar eich oriawr yn lloerig ddim yn gwneud i'r bws ddod yn gynt. Os ydych chi wedi bod yn ymarfer ymwybyddiaeth ofalgar yn rheolaidd, efallai na fydd mor anodd i chi ddod yn ymwybodol eich bod wedi colli'ch pen. Dwi'n gwybod: mae'n frawychus cael cipolwg ar y ffŵl ydych chi, yn sgrechian fel ynfytyn i ddim diben yn y byd – ar wahân i gael eich ffilmio gan rywun gerllaw a fydd yn rhoi'r fideo ar YouTube.

Siarad cyhoeddus

Os ydych chi erioed wedi cael eich gwahodd i siarad yn gyhoeddus, dyma awgrym. Nawr, dwi'n gwybod bod hyn yn swnio'n rhyfedd, ond ewch i'r tŷ bach, clowch y drws ac eisteddwch yno ar y sedd (a'r caead i fyny neu i lawr), gan ganolbwyntio ar y teimladau rydych chi'n eu teimlo. Os dechreuwch feddwl pa mor rhyfedd yw'r sefyllfa, ewch â'ch ffocws at y sedd.

Ar eich ffordd i siarad, anfonwch eich ffocws at ble mae eich traed yn cyffwrdd â'r llawr. Os ydych chi'n mynd yn nerfus wrth i chi siarad, gallwch daflu'r ffocws at eich traed o bryd i'w gilydd, i sicrhau'n llythrennol fod eich traed ar y ddaear.

Ymwybyddiaeth ofalgar yn y bore

Y rhan fwyaf o foreau dwi'n dihuno â fy meddwl yn llawn o'r loddest nosweithiol o ddychmygion sydd wedi'u gadael ar ôl ers y noson cynt. (Weithiau, ar ddiwedd fy mreuddwydion, mae'r credydau'n rholio – enwau Pwylaidd fel arfer.) Os na fyddaf yn ymarfer ymwybyddiaeth ofalgar am ddeng munud yn y bore, dwi'n gwybod y byddan nhw'n aros yn fy mhen ac yn heintio gweddill fy niwrnod. I mi, mae ymarfer bob bore yn union fel defnyddio'r tŷ bach, yn yr ystyr, os na wnewch chi wagio'r hyn sydd y tu mewn i chi, fe fyddwch yn teimlo'n anghysurus drwy'r dydd. Fy namcaniaeth i yw bod breuddwydion yr un fath: mae angen i chi gael rhyw fath o strategaeth ymadael ar eu cyfer, neu byddan nhw'n suddo i mewn i'ch anymwybod ac yn y pen draw yn ffrwydro allan ohonoch. Felly bob bore dwi'n eistedd yn amyneddgar ar fy ngwely ac yn gadael y breuddwydion i mewn i fy ymwybyddiaeth ac yn sylwi, yn y pen draw, eu bod yn colli eu gafael a'u cadernid. Dyma rai enghreifftiau o pam mae angen i mi fynd ati'n dyner i gael gwared ar fy mreuddwydion.

Ychydig nosweithiau yn ôl, breuddwydiais fod Alan Rickman newydd fy nhrywanu tu mewn i fy ngheg mewn siop *delicatessen*, am ddim rheswm. Yna es i mewn i siop Zara yn India, gofyn am nodwydd ac edau a gwnïais y clwyf, fy ngheg ar agor yn llydan fel llew. Wedyn clymais yr edau'n fow mawr. (Mae'r freuddwyd yn parhau ar y trywydd hwn...)

Dwi wedi gadael fy nghar mewn man dim parcio a phan ddychwelaf, dwi'n sylwi ei fod wedi cael ei ddatgymalu'n llwyr; dim ond y ffrâm sydd ar ôl. Mae'r dyn (gangster) a'i tynnodd yn ddarnau yn dweud wrtha i y bydd yn ei roi'n ôl at ei gilydd os talaf $5,000 iddo. Dwi'n gwrthod, felly mae'n mynd â fi at ei arweinydd, sy'n edrych fel Idi Amin. Dwi'n ceisio gwneud i Idi chwerthin trwy ddangos iddo sut gallaf droi ei luniau pornograffig yn ddolenni allweddi. Mae'n chwerthin fel ynfytyn, a dwi'n meddwl, 'Y ffŵl, dwi wedi ei ddal, fydd dim rhaid i mi dalu'r $5,000.' Wrth i mi adael, mae grŵp o fechgyn-filwyr o Fietnam yn gorymdeithio heibio ac mae Idi'n torri pen un ohonyn nhw gyda gwaywffon ac yn dweud wrtha i mai dyna fydd yn digwydd i mi os na thalaf y $5,000. Dwi'n penderfynu nôl yr arian. Dwi'n neidio i mewn i limo hir gwyn ac yn treulio'r noson yn mynd o un man codi arian i'r llall yn ei gasglu; dwi'n penderfynu y byddaf yn ei dalu'n ôl mewn afocados. Llam ymlaen: dwi'n gweithio bob awr o'r dydd a'r nos gyda gweithwyr Tsieineaidd, yn lapio miloedd o afocados... Ydych chi'n gweld nawr pam fy mod i weithiau'n dihuno'n teimlo'n orbryderus?

6

Y meddwl cymdeithasol: perthnasoedd ymwybyddol ofalgar

O dan ein croen di-flew, rydyn ni (bobl) yn anifeiliaid cymdeithasol; waeth a ydyn ni'n hoffi hynny ai peidio, neu waeth a ydyn ni'n hoffi ein gilydd ai peidio, trwy ein perthnasoedd yn unig rydyn ni'n parhau i fodoli. Tyfodd iaith, celf, gwareiddiad a chrefydd o'r angen i gysylltu. Pe baen ni i gyd ar ein pennau ein hunain, fydden ni ddim wedi cyrraedd mor bell â hyn (yn sicr nid heb Tinder). Hefyd, allwch chi ddim hel clecs pan fyddwch chi ar eich pen eich hun; dydy e ddim yn gweithio, dwi wedi rhoi cynnig arni.

Chi: Wyt ti'n gwybod beth wnes i neithiwr?
Chi: Roeddwn i ar fy mhen fy hun a wnes i ddim cwrdd â neb.
Chi: Beth oeddet ti'n ei wisgo?
Chi: O, yr un hen groen byffalo un darn, dros yr ysgwydd.
Chi: Pwy gynlluniodd hwnnw?
Chi: Fi.

Mae'r ymennydd ei hun yn organ cymdeithasol; ar ei ben ei hun, dydy e'n ddim mwy na lwmp 3 phwys o jeli. Dim ond pan fydd yn cymdeithasu ag ymennydd arall y daw'n fyw; dyna pryd mae'r parti'n dechrau. Caiff yr ymennydd ei drefnu trwy ryngweithio cymdeithasol a thrwy ymgysylltu â meddyliau eraill; mae wedi'i weirio i gysylltu o'r dechrau un. Hyd yn oed yn y groth, mae'r amgylchedd yn dylanwadu ar ymennydd a chorff y babi. Ydy'r hylif amniotig yn ddigon cynnes? Ydy'r groth yn rhy fach? Sut mae wedi'i haddurno? Oes gormod o bling yno? Ar ôl iddo ddod allan i'r awyr iach, os nad yw'r rhiant neu'r gofalwr angenrheidiol wrth law i siapio a datblygu ymennydd y babi, gallai pethau fynd yn stecs – yn llythrennol, oherwydd pwy sy'n mynd i newid y cewyn? A heb adborth ystumiau wyneb, siarad babi ar y ddwy ochr a chyfnewid yr hormon bondio, ocsitosin, gallai'r plentyn dyfu i fyny'n chwarae *solitaire* ar hyd ei oes. Mae popeth bron sy'n ein gwneud ni'n ddynol – ein gallu i siarad, i feddwl, i garu ac i gasáu – yn dibynnu ar ein perthynas â'n gilydd.

Wnes i erioed arbenigo ar greu perthynas (yn enwedig pan oeddwn yn ifanc). Efallai fy mod yn brin o ryw hormon allweddol, gan nad oes neb ond y bechgyn gwirioneddol erchyll yn yr ysgol uwchradd erioed wedi dangos diddordeb felly ynof fi. Yn yr ysgol, byddai'r holl fechgyn deniadol yn taflu'r merched deniadol i mewn i'r llyn, ac fe fydden nhw'n sgrechian, 'Paid â 'nhaflu i mewn! Paid â 'nhaflu i mewn!' Fe wnes i sgrechian, 'Paid â 'nhaflu i mewn!', a wnaeth neb erioed. Ac nid y bechgyn yn unig oedd yn fy ngwrthod i. Roeddwn i bob amser yn teimlo fy mod yn cael fy ngadael allan o gangiau yn yr ysgol hefyd. Gallai'r holl ferched poblogaidd arogli nad oeddwn yn perthyn i'w rhywogaeth a bydden nhw'n dod draw ataf, gan ddweud pethau fel, 'Wyt ti'n edrych fel yna ar bwrpas?' Wnes i ddim dod o hyd i *fy mhobl i* nes i mi dreulio cyfnod yn yr ysbyty; teimlwn yn ddiogel a bod eraill yn fy neall i, hyd yn oed gyda'r rhai a oedd yn rhoi eu gwallt ar dân ac yn honni bod Norman y Concwerwr yn trosglwyddo cyfrinachau iddyn nhw.

Gallwch fynd i'r sw a gwylio ein cefndryd heb fod mor bell â hynny, yr epaod, yn gweithio'n naturiol fel uned: yn bondio, chwarae, bwyta a pharu â'i gilydd. Yn ffodus, does dim rhaid i ni bigo llau o walltiau ein gilydd neu fod yn destun sylw cyson yr alffa-epa, oherwydd mae gennym ni gwnselwyr perthynas i'n cynghori ynghylch ffyrdd gwell o gyfathrebu. Rydyn ni'n gallu bod ar yr un donfedd â'n gilydd drwy ganiatáu i'n cyflyrau mewnol ein hunain adleisio byd mewnol y sawl rydyn ni'n siarad â nhw, fel bod yr un strwythurau ymenyddol yn weithredol pan mae dau berson yn rhyngweithio; mae fel rhyw fath o ddawns o ymatebolrwydd ar y ddwy ochr. Dyma pam fyddwch chi'n gweld pawb yn crio neu'n chwerthin ar yr un pryd pan fyddan nhw'n gwylio ffilm. Os nad ydych chi'n fy nghredu, eisteddwch yn y rhes flaen ar gyfer *Toy Story*, trowch yn eich sedd a gwyliwch beth sy'n digwydd pan fydd Jesse'n canu 'When She Loved Me'. (Bu'n rhaid i barafeddygon fy nghario i allan. Collais 200 pwys mewn mwcws a dagrau.) Sut bynnag yr edrychwch chi arni, rydyn ni i gyd yn y cawl yma gyda'n gilydd.

Rydyn ni'n trosglwyddo ein hwyliau a'n cyflyrau emosiynol i'n gilydd fel firws. Peidiwch â meddwl y gallwch guddio'ch hwyliau; mae'n bosib na fydd y person arall yn gwybod yn union beth rydych chi'n ei feddwl ond gall synhwyro'ch cyflwr chi'n glir iawn. Mae pawb yn adnabod ymddygiad 'goddefol ymosodol' pan fyddan nhw'n ei weld (gwenu gan ddangos eich dannedd), felly dydych chi ddim yn twyllo neb. Rydyn ni'n gweithio fel Wi-Fi niwral; beth bynnag dwi'n ei deimlo, byddaf yn ei drosglwyddo i chi, a chaiff hwnnw ei drosglwyddo i bwy bynnag y byddwch chi'n cwrdd â nhw gan ymledu i gynnwys eich ffrindiau, cyd-weithwyr, cymdogion, cymuned, tref, gwlad... planed. Gwenwch, ac mae'r byd yn gwenu gyda chi. (Dydy hynny ddim yn hollol wir, ond rydych chi'n deall beth sydd gen i). Allwch chi ddim newid y byd trwy udo ar y duwiau neu drwy luchio arian neu daflegrau at y broblem. Fodd bynnag, trwy ddod yn ymwybodol o'ch cyflwr mewnol, fyddwch chi ddim yn treulio'ch bywyd yn beio'r gelyn; efallai fod y gelyn yn llechu y tu mewn i chi.

Felly sut newidion ni i fod yr hyn ydyn ni nawr? Beth sydd wedi mynd o'i le a beth sydd wedi mynd yn iawn?

Cofnod cryno o hanes perthnasoedd dynol

Mae Paul Gilbert, Athro Seicoleg Glinigol ym Mhrifysgol Derby, yn arbenigwr ar yr ymennydd cymdeithasol a natur tosturi, ac rwy'n eich cynghori i ddarllen ei lyfrau (ar ôl i chi orffen fy un i, wrth gwrs). Mae'n ein hatgoffa mai rhan o grwpiau bach ynysig o gant neu ddau o bobl oedden ni yn ein dyddiau cynnar, a phob grŵp wedi'u cysylltu'n enetig. Roedden ni i gyd yn adnabod ein gilydd (ac yn cael rhyw gyda'n gilydd, dwi'n siŵr). Roedd goroesi yn dibynnu ar rannu a gofalu, er bod rhai mwtaniadau penodol a fewnfridiwyd yn anochel (*gweler* Alabama). Y newyddion da oedd bod pawb yn deulu a phawb yn malio am les ei gilydd. Pe baech chi'n mynd allan i hela (nid fi, dwi wedi dweud hyn o'r blaen: dwi'n dod o lwyth nad yw'n hela; rydyn ni'n pwyntio at yr hyn rydyn ni ei eisiau) a'ch bod chi ddim yn dychwelyd, byddai pobl yn eich llwyth yn mynd i chwilio amdanoch chi. Hyd heddiw, mae pob un ohonon ni eisiau teimlo y byddai eraill yn edrych amdanon ni pe baen ni'n diflannu'n sydyn, ac na fydden ni'n cael ein hanghofio.

Meddyliwch am y ffilmiau lle maen nhw i gyd yn mynd i blaned Clingffilmiwm a Sigourney Weaver (neu fersiwn iau ohoni), mewn trowsus caci a thop bicini bychan, yn mynd yn ôl bum mil o flynyddoedd drwy amser gyda chriw o ddynion cyhyrog i achub rhyw ddyn y mae ei long ofod wedi rhedeg allan o betrol ac sydd wedi cael ei rewi mewn bwced iâ dros yr holl amser, yn aros i fersiwn y gofod o'r AA ddod heibio a'i ddadrewi. Mae'r gynulleidfa gyfan yn y sinema yn gweiddi hwrê pan fydd Sigourney (neu fersiwn iau ohoni) yn ei gusanu, ac maen nhw'n dychwelyd i'r ddaear i fyw bywyd diflas.

Beth bynnag, yr hyn a ddigwyddodd nesaf oedd bod y llwythau wedi ehangu'n ddinasoedd a dinasoedd wedi troi'n ganolfannau siopa ac fe roeson ni'r gorau i falio am ein gilydd. (Felly pe baen ni'n colli ein partner / plentyn bach yn Zara, fydden ni byth yn ystyried mynd yn ôl i chwilio amdanyn nhw. Neu ai dim ond fi sydd felly?) Ac wrth i ni boblogi'r blaned ac arnom angen dod o hyd i ffyrdd o gyfathrebu â chynulleidfa ehangach, wele'r rhyngrwyd. Roedd hyn tua'r adeg y dechreuon ni golli rhai o'n sgiliau rhyngbersonol a mynd yn fwyfwy ynysig y tu ôl i'n sgriniau. (Y gwir yw, dydy Facebook ddim yn ddigon. Mae angen i ni fod groen wrth groen â'n gilydd i fynd o dan radar geiriau a deall ein gilydd i'r dim.) Dyma pam mae'n rhaid i gwmnïau logi siaradwyr ysgogol i ddysgu sgiliau fel cydberthynas, ymddiriedaeth a thosturi i rai o'r bobl fwyaf pwerus yn y byd. Tristwch pethau yw nad yw'r rhain yn briodoleddau mae pobl yn tybio y byddai eu hangen arnoch chi wrth i chi ddringo ysgol llwyddiant.

Y dyddiau hyn, rydyn ni weithiau'n twyllo ein hunain ein bod yn ymladd dros bethau fel cyfiawnder neu heddwch byd-eang, ond yn fy marn (greulon yn aml) i, yr hyn a wnawn yn syml yw lleddfu ein hysfa gyntefig i golli ein tymer â rhyw elyn arall – unrhyw elyn, beth bynnag fo'i hil, ei grefydd neu ei ddaliadau gwleidyddol. Mae pob un ohonon ni'n cario hadau rhagfarn, llwytholdeb, trachwant a hunanoldeb, a dylen ni fod yn ymwybodol, er mor wâr rydyn ni'n credu ydyn ni, mai ni oedd y rhai a adeiladodd y Colosewm a chynnal sioeau sy'n gwneud i *The Hunger Games* edrych fel chwarae mini-golff. Does dim angen i ni feithrin ymddygiad negyddol; mae natur yn ei roi i ni ar blât.

O dan ein gwedd allanol addfwyn, rhaid inni fynd i'r afael â'r ffaith ein bod, ar y tu mewn (sut ddyweda i?) yn anifeiliaid gwyllt (yn enwedig fy rhieni a finnau). Dwi ddim yn poeni pa fath o gar rydych chi'n ei yrru na pwy gynlluniodd eich dillad, o dan yr wyneb crand rydych chi'n dal i fyw o dan garreg. Rydych chi'n dal i wisgo cewyn.

Mae angen dewrder mawr i sefyll ar wahân i'ch llwyth sydd wedi'i reoli gan gymhellion gwleidyddol neu grefyddol, a meddwl am y ddynoliaeth yn ei chyfanrwydd. Dyna wir natur tosturi: nid meddwl am eich math chi o bobl yn unig ond pob math o bobl. Mae hyn, eto, yn ymwneud â gallu goddef y gwahanol agweddau arnoch chi'ch hun, er mwyn gallu goddef gwahanol agweddau ar bobl eraill, a dyna sut rydyn ni'n meithrin empathi. Oes, mae gobaith y gallwn ni dorri allan o'n cocŵn o hunanoldeb. Mae'n rhan annatod ohonon ni, mae pob mamal yn teimlo empathi (dydy madfallod ddim yn becso'r un iot), ond oherwydd ein bod yn byw mewn byd hunanol mae ychydig yn rhydlyd a heb fod ar waith. Gallwch weld tystiolaeth mewn sganiwr MRI fod rhai rhannau o'r ymennydd yn dod yn weithredol pan fyddan nhw'n ymateb i garedigrwydd a thosturi gan berson arall, ac mae'r rhannau cyfatebol yn y person hwnnw hefyd yn weithredol.

Fel yr ysgrifenna'r Athro Richard Davidson: 'Gallwn fynd ati'n fwriadol i lywio cyfeiriad newidiadau plastigedd yn ein hymennydd. Trwy ganolbwyntio ar feddyliau iach, er enghraifft, a chyfeirio ein bwriadau yn y ffyrdd hynny, gallwn ddylanwadu ar blastigedd ein hymennydd a'i siapio mewn ffyrdd a all fod yn fuddiol. Mae hynny'n ein harwain at y casgliad anochel y dylid ystyried rhinweddau fel caredigrwydd a llesiant fel sgiliau.'

Yn 2014, mi es i ar encil yn New England dan arweiniad Jack Kornfield, meddyg seicoleg glinigol a hyfforddwyd i fod yn fynach Bwdhaidd yng Ngwlad Thai, Myanmar ac India. Fel y gallwch chi ddychmygu, mae'n ffigur pwysig ym maes myfyrdod.

Fel arfer, pan fyddaf yn cyrraedd unrhyw fath o gynulliad mawr o bobl a minnau ar fy mhen fy hun, y peth cyntaf dwi'n ei wneud yw casglu pobl o fy nghwmpas i ffurfio fy nghriw fy hun. Fel arfer, nhw yw'r bobl fwyaf pigog sydd yno: y rhai maleisus, y rhai doniol a'r rhai mwyaf sinigaidd; wrth gwrs, os oes rhywun hoyw, dwi'n eu cael nhw hefyd. Ond yma roedd yna bolisi 'dim siarad', felly beth fyddai'r pwynt i mi hel fy mhobl ataf?

Roedd yna lawer o gofleidio, sydd bob amser yn codi ofn arna i ac yn gwneud i mi fod eisiau dianc, ond roeddwn i'n iawn cyhyd â bod dim angen i mi'n bersonol gofleidio neb. Wrth i amser fynd yn ei flaen des i garu'r distawrwydd: roedd hi'n gymaint o ryddhad peidio â gorfod ymroi i siarad gwag ac ymddwyn fel pe bai'r pethau mwyaf diflas yn eich swyno. Os nad ydych yn siarad, gallwch eistedd, wedi'ch amgylchynu gan bobl, gyda'ch meddyliau eich hun, yn gwylio'r eira'n disgyn ar y coed bytholwyrdd yn debyg i gerdyn cyfarch Americanaidd.

Mae Jack Kornfield yn rhywun arbennig. Mae'n hollol bresennol a digyffro, ond eto'n ddoniol ac yn graff iawn. Fe ddysgodd fath o ymwybyddiaeth ofalgar i ni nad ydw i ond yn ei ymarfer yn achlysurol iawn... fe'i gelwir yn dosturi gofalgar. Roeddwn i'n barod i fod yn sinigaidd, yn barod i daro, ond fe wnaeth yr ymarfer a ddysgodd e i ni sychu'r grechwen oddi ar fy wyneb. Gofynnodd i ni ddewis partner ar hap ac i bob un ohonon ni syllu i mewn i lygaid ein partner a dychmygu'r person arall yn blentyn, pan oedd yn chwerthin, mewn poen, ac ati. Yna fe wnaeth i ni ddychmygu'r person arall fel oedolyn, a phrofi ei lwyddiannau, ei fethiannau, ei anawsterau a'i lawenydd. Doeddwn i erioed wedi cwrdd â'r fenyw oedd yn bartner i mi, ond erbyn diwedd yr ymarferiad roeddwn i'n teimlo fy mod i'n ei hadnabod yn well na dwi'n adnabod rhai o fy ffrindiau. Roedd yn brofiad mor ddwys, ond gwnaeth i mi deimlo fy mod mewn dwylo diogel. Rhoddais y gorau i feddwl sut roedd hi'n fy ngweld i; canolbwyntiais ar ei llygaid, a oedd yn dangos pob emosiwn dan haul. Roedd yn ymddangos fel pe bai pont emosiynol yn ein cysylltu; yn hytrach na'n bod yn ddau endid ar wahân, roedd ein calonnau a'n meddyliau yn cyfarfod rywle yn y canol. Ar ôl i ni orffen, dywedodd Jack mai'r hyn roedden ni newydd ei brofi oedd tosturi – ond doedd dim rhaid iddo esbonio; roedden ni'n ei deimlo.

Cyn i mi adael, sylweddolais fy mod yn caru'r holl Famau Daear di-fra hyn yn eu Uggs, ac yn wir fe wnes i gofleidio nifer ohonyn nhw. Diolch i Dduw nad oedden nhw'n caniatáu i ni dynnu lluniau.

Felly, er bod gennym dueddiadau cyntefig, mae gennym nodweddion mwy rhinweddol hefyd: heddwch, tegwch, gofal, greddf fagwrus a phwyllogrwydd. Yn y bôn, rydyn ni'n hen bobl iawn. Y drwg yw, dydyn ni ddim yn dangos y rhinweddau hyn yn rhy aml, rhag ofn y cawn ni'n dal â'n trowsusau am ein coesau yn dinnoeth.

Am bob pump o'n meddyliau negyddol, ar gyfartaledd rydyn ni'n cael un meddwl cadarnhaol, felly mae'r gallu i'w gael ynon ni o leiaf. (Dwi bob amser yn dweud bod un yn well na dim o gwbl… dydy e ddim yn ddiddorol, ond dwi'n ei ddweud e ta beth.)

Hyd yn oed pan fyddwch ar eich pen eich hun, os ydych chi'n dychmygu bod yn garedig neu'n dosturiol, mae'r un rhannau o'ch ymennydd mor weithgar ag y bydden nhw pe baech chi'n bod yn garedig go iawn. Mae mecanwaith tebyg yn peri i ni ddynwared ein gilydd yn dylyfu gên drwy ysgogi'r rhan o'r ymennydd sy'n gwneud inni ddlyfu gên.

Mae'n dda dod i adnabod ein hunan amlddimensiwn; fel arall, fydden ni ddim yn gallu adnabod pobl eraill fel dim heblaw stereoteipiau dau ddimensiwn. Efallai mai'r rheswm pam rydyn ni'n gweld pobl yn llai cyflawn nag y maen nhw mewn gwirionedd yw oherwydd ein bod eisiau teimlo'n ddiogel; mae'n haws labelu ein hunain a phobl eraill fel rhai 'cyfeillgar', 'gelyniaethus' neu 'swil', er enghraifft. Mewn gwirionedd, mae'r rhain i gyd yn wir am bawb ohonon ni; ond os nad ydyn ni'n ymwybodol o hyn, byddwn yn parhau i gredu ein CV mewnol ein hunain: 'Dwi'n berson... (dewiswch eich math eich hun).'

Gobeithio eich bod wedi gweld y ffilm Disney wych, *Inside Out*. (Wnes i erioed feddwl y byddwn yn defnyddio'r geiriau hynny gyda'i gilydd eto ar ôl iddyn nhw roi Mickey a Donald Duck i ni – athronwyr mwyaf fy nghenhedlaeth i.) Mae'n ymwneud â'r ffaith fod pob un ohonon ni'n gymysg oll i gyd o wahanol bersonâu, pob un ohonyn nhw'n ddefnyddiol – hyd yn oed persona'r 'cythraul mewn croen'.

Ymwybyddiaeth ofalgar yn y gwaith

Credaf mai rhinweddau tosturi a chydberthynas yw'r union bethau sydd eu hangen ar arweinwyr sefydliadau i gael y gorau gan eu staff a'r rhai maen nhw'n gwneud busnes â nhw. Yn ein dyddiau ni, mae gofyn i bobl weithio'n galetach a thros oriau hwy, ac yn ddiweddar, gwelwyd cynnydd yn y lefelau absenoldeb o'r gwaith, yn rhannol oherwydd anhwylderau sy'n gysylltiedig â straen. Mae gweithwyr dan gymaint o bwysau i gyrraedd targedau; os ydyn nhw'n mynd i weithredu'n dda yn y dyfodol, bydd angen i gorfforaethau newid eu dull o weithio o gystadlu i gydweithredu. Efallai y dylai fod rhyw fath o wobr a fyddai'n adlewyrchu'r ethos hwnnw, felly os ydych chi'n helpu rhywun yn y gwaith, bydd hynny'n cael ei nodi a chithau'n cael bonws – unrhyw beth o wraig / gŵr newydd hanner eich oed i gymeradwyaeth wresog. Mae'n ymddangos mai slogan ein cyfnod ni yw 'Trechaf treisied, waeth faint o bennau fydd yn rhaid eu torri'. Pe bai Macbeth yn fyw heddiw, mae'n siŵr y byddai'n cyrraedd y Fortune 500 ac yn aelod o fwrdd rheoli Goldman Sachs.

Os ydyn ni am i'n busnesau lwyddo, heb sôn am yr hil ddynol, rhaid i ni gael gwared ar ein hobsesiwn â 'fi' a dechrau meddwl mwy am 'ni'. Mae angen i ni fwrw'n golygon tu hwnt i drachwant personol at y darlun ehangach a gweld effeithiau canlyniadol ein hymddygiad (ac ymddygiad pobl eraill) i'n sbarduno i weithredu mewn ffyrdd newydd.

Efallai y bydd rhaid i arweinwyr ddysgu, cyn unrhyw gyfarfod, y dylen nhw gymryd sylw o'u cyflwr mewnol fel na fyddan nhw'n trosglwyddo eu straen neu eu hagweddau ymosodol yn ddiarwybod i neb arall. Os dysgan nhw oddef eu teimladau ac nid eu chwydu allan, gallan nhw wneud i bawb o'u cwmpas deimlo'n dda a theimlo eu bod yn cael eu clywed. Ac os yw eu meddwl yn glir, byddan nhw'n gallu gwrando yn hytrach nag arthio. Dyna sut mae llwyddo, nid trwy wthio pobl i gyrraedd targedau neu drothwyon gofynnol. Yn y bôn, dydy pobl ddim yn poeni am dargedau; yr hyn maen nhw'n poeni amdano go iawn yw p'un a oes rhywun yn eu hoffi ai peidio.

Mae'n wir: os ydyn ni am fod yn llwyddiant mawr ym mha faes bynnag a ddewiswn, mae'n rhaid i ni gael gwared ar ein hobsesiwn â 'fi' a dechrau meddwl mwy am 'ni'. Pan fyddwch chi'n gwrando ar rywun â chwilfrydedd go iawn, dywedir bod gennych *gydberthynas* â rhywun, a dyna yw Dom Perignon cyfathrebu: does dim byd gwell i'w gael. Os ydych chi'n rhoi eich sylw llawn i'r hyn mae rhywun yn ei ddweud, dyna'r peth mwyaf caredig y gallwch ei wneud i fod dynol arall a bydd y person hwnnw naill ai'n eich gwahodd adref neu'n eich mabwysiadu. Aiff hyn yn ôl at fy mhwynt ynglŷn â phwysigrwydd gallu cymryd sylw: pan fydd rhywun yn sefyll o'ch blaen, ddylech chi ddim bod yn meddwl am frechdan.

Yn y gymdeithas sydd ohoni, mae ein gallu i oroesi'n dibynnu ar dderbyniad cymdeithasol a statws, ac rydyn ni'n teimlo straen pan nad ydyn ni'n cael digon ohonyn nhw. Dydw i erioed wedi cael digon ohonyn nhw.

Es i barti gardd ychydig fisoedd yn ôl a'r tro hwn, roeddwn i'n gwybod pam, yn y gorffennol, fy mod wedi teimlo'r angen i feddwi. Gyda chymaint o bobl mewn un lle, roedd fy meddwl ar ddisberod ac felly byddwn yn troi'n syth at fy hen arfer o ddyddiau fy mhlentyndod: gwneud i bobl chwerthin er mwyn ennill eu cymeradwyaeth.

Does gen i ddim syniad pam mae angen i mi wneud hyn. Efallai mai'r rheswm, pan oeddwn i'n blentyn, oedd fy mod bob amser yn meddwl po fwyaf o bobl y gallwn eu cael i fy hoffi, mwyaf oll o amddiffyniad a gawn i rhag cael fy ngham-drin gan fy rhieni. Roedd fel adeiladu iglw dynol o amddiffyniad. Ond yn ôl at y parti. Dwi'n symud o gwmpas fel anifail newynog, yn hel sylw o berson i berson. Fel arfer, dwi'n cael fy nhynnu at y rhai mwyaf pwerus neu'r rhai mwyaf poblogaidd yn fy marn i. Os gallaf eu cael nhw i fy hoffi, mae fy hunan-barch yn codi i'r entrychion. Ond dydy'r teimlad ond yn para am ychydig eiliadau oherwydd ei fod yn waith mor galed. Tra byddaf yn dawnsio'n feddyliol i gael eu sylw, mae fy meddwl yn ymosod arna i gyda'i 'Unrhyw eiliad maen nhw'n mynd i ddarganfod mai twyllwr wyt ti'.

Roedd yna bobl enwog yn y parti hwn hefyd. Yn hierarchaeth y bobl enwog (er fy mod wedi gweithio ym myd teledu ac yn cael fy ystyried yn enwog gan rai), protoplasm ydw i. Mewn perthynas fel hon, mae'n amlwg mai fi yw'r llawforwyn sy'n bwydo llinellau iddyn nhw... a dwi'n gwybod mai dyna'r fargen, felly dydy e ddim yn syndod. Mae gen i gywilydd cyfaddef, fel eraill nad ydyn nhw'n enwog, mae'n siŵr, fy mod i, wrth wynebu rhywun gwirioneddol enwog, yn mynd i'r cyflwr braidd yn nerfus hwnnw, gyda'r galon yn pwmpio'n llawn cyffro, ac yn troi fy hun tu chwith allan wrth geisio bod yn ddoniol. Dwi'n siŵr ei fod yn mynd yn ôl i'r adeg pan oeddwn i'n cael fy ystyried ar gyrion pethau yn yr ysgol uwchradd; pan benderfynai Brenhines y Prom edrych i 'nghyfeiriad, byddwn yn mynd dros ben llestri wrth geisio ennill ei chymeradwyaeth. Doeddwn i byth yn llwyddo. Un o bleserau mawr fy mywyd bellach yw gwybod bod y Frenhines dan sylw yn 'rehab'.

Beth bynnag, dwi'n treulio gweddill y nos yn mynd i banig am ba mor hir y dylwn i siarad ag un person a phryd y dylwn i droi i siarad â'r nesaf. (Oes yna lyfr ar reolau cwrteisi? Pam na allwn ni wneud yr hyn y bydden ni'n ei wneud yn blant? Poeri sudd yn wyneb yr unigolyn a sgrechian, 'Rwyt ti'n fy niflasu i nawr!') Dwi ddim eisiau i'r person arall droi i fynd yn gyntaf – byddai hynny'n gyllell yn fy nghalon – felly dwi'n lladd fy hun yn ceisio dal i ddangos diddordeb er nad oes gen i rithyn ohono. Daliais fy hun yn dweud wrth un dyn, 'Felly dywedwch wrtha i am y peiriannau cloddio rydych chi'n buddsoddi ynddyn nhw draw yn Nwyrain Affrica.' Daliais fy hun yn plygu drosodd, yn ceisio gwneud ymdrech ddyfal i gynnal fy niddordeb, ond wedyn meddyliais, 'Alla i ddim gwneud hyn mwyach' a chan wneud yn siŵr nad oedd yn sylwi, fe sleifiais i oddi yno. Mae'n debyg fod hynny'n ymwybyddol ofalgar, sylwi bod fy meddwl heb fod ar waith ac nad oeddwn i yno mewn gwirionedd, felly gadewais a mynd i'r tŷ bach i dawelu fy meddwl gorfywiog. Gallwn benderfynu'n glir wedyn beth roeddwn i wir yn teimlo roeddwn i eisiau ei wneud. Heb geryddu fy hun am y peth fel y byddwn wedi'i wneud bum mlynedd yn ôl, es adref i'r gwely.

Mae'n ymddangos nad oedd neb wedi sylwi fy mod wedi gadael. Weithiau mae'n dda peidio â theimlo bod yn rhaid i chi fod yn seren y sioe – y cyfan gewch chi yw pen mawr.

Rhai awgrymiadau ar sut i ymdrin â pherthnasoedd yn ymwybyddol ofalgar

Beth i'w wneud pan mae'ch bòs yn gweiddi uwch eich pen

Os ydych chi'n gwybod nad yw'r cyfarfod yn mynd i fod yn un hawdd, paratowch ar ei gyfer. Anadlwch. Canolbwyntiwch ar y synau. Edrychwch ar lun sy'n ysgogi atgofion da ac anfonwch eich ffocws at eich traed ar y llawr. Sylwch a ydych chi'n dechrau cnoi cil ar senario 'beth os' a symudwch eich sylw at ble rydych chi'n teimlo'r anniddigrwydd yn eich corff. Os nad yw eich meddwl yn clirio, peidiwch â bod yn llym â chi'ch hun; derbyniwch mai dyna ble mae eich meddwl, ond cydnabyddwch hefyd fod y sylwi ynddo'i hun wedi cael effaith ar y llif gormodol o gortisol.

Pan fyddwch chi'n dod wyneb yn wyneb â'ch bòs a'i fod ef / hi lawn mor heriol ag roeddech chi'n ei ofni, daliwch yn sownd.

Yr hyn dwi'n ei wneud yw canolbwyntio ar ael chwith y person ffyrnig, neu ei ffroen dde (dewiswch unrhyw beth ar yr wyneb yn agos at y llygaid), ac astudio'r manylyn hwnnw'n fanwl: y blew, y mandyllau chwys, yr olew, y lliw a sut mae'n newid. Fydd eich bòs chi ddim yn gwybod nad ydych chi'n gwrando am eich bod yn dal i edrych i'w gyfeiriad. Bydd am i chi daflu'r belen ddicter yn ôl er mwyn iddo / iddi allu rhoi slam arall i chi, ond os ydych chi â'ch traed yn gadarn ar y ddaear, fydd e ddim yn gallu chwarae'r gêm ar ei ben ei hun a bydd ei ddicter yn bwmerangio neu'n llosgi'n ddim. Yn y cyfamser, byddwch chi wedi dysgu llawer am flew ei ffroen dde.

Fel arall, gallwch hefyd ddewis gwrando ar ddicter eich bòs fel pe bai'n wynt, gyda nodau uchel ac isel, cryf ac ysgafn. Peidiwch â chanolbwyntio ar yr hyn mae'n ei ddweud, dim ond y synau crai sy'n dod o'i wefusau. Mae'r ffocws hwn ar synnwyr yn eich cadw allan o'r modd taflu geiriau at eich gilydd.

Trwy ddefnyddio deallusrwydd cymdeithasol (gan osgoi effaith y ffrwydrad, a pheidio â tharo'n ôl), rydych chi'n dangos tosturi nid yn unig atoch chi eich hun ond tuag at eich bòs hefyd. Efallai y cewch eich diswyddo, ond fyddwch chi ddim wedi rhoi ail ddos o gywilydd neu boen i chi'ch hun.

Sut i ymdrin â rhywun sy'n ffŵl yn eich barn chi

Dwi'n hoffi hwn. Os dwi'n sylwi fy mod am fwyta rhywun yn fyw ac yn gallu dal fy hun yn ddigon buan, dwi'n ceisio canolbwyntio ar ei lygaid a cheisio sylwi ar ei ofn yn hytrach na'i drin fel bag dyrnu yn unig. Os gallaf weld gwyn ei lygaid a nodi'r bregusrwydd go iawn, mae fy nhosturi'n cael ei gynnau. Dwi'n ddynol, wedi'r cyfan... weithiau.

Sut i ymdopi pan mae'ch ffrind yn eich anwybyddu heb unrhyw eglurhad

Sylwch ar eich ymatebion a beth bynnag ydyn nhw, mae hynny'n iawn, hyd yn oed os ydych chi am daflu eich ffrind o dan olwynion car neu guddio fel anifail wedi'i glwyfo. Ffrwynwch eich greddf i fynegi'ch ymatebion ar unwaith, naill ai drwy ddechrau beichio crio neu drwy weiddi fel rhywun ynfyd. Os gallwch eistedd a chanolbwyntio ar y teimladau crai, bydd eich meddwl yn llonyddu ac fe feddyliwch chi am strategaeth fwy pwyllog i ddarganfod beth sydd wrth wraidd y broblem heb i'ch hen ysgogiadau gymylu'r darlun. Os nad yw eich ffrind yn rhoi ateb i chi, dydy e neu hi'n fawr o werth fel ffrind yn y lle cyntaf, ond os yw'n dweud y gwir wrthych chi, mae'n werth dal eich gafael ar y person hwnnw, am mai prin iawn yw'r bobl sy'n gwneud hynny.

Sut i ymdrin â'ch partner, sy'n cega arnoch er mai arno fe mae'r bai, nid chi

Pan fyddwch yn sylwi eich bod yn anelu tuag at yr hen ddeuawd gyfarwydd honno o feio a phwyntio bys wedi'i pherfformio yn C uchaf (un o'r hoff alawon dwi'n eu canu i fy ngŵr yw, 'Pam 'dyn ni'n mynd i'r cyfeiriad anghywir? Rydyn ni bob amser ar goll! Pam yffach na wnei di ddefnyddio map?'), rhowch gynnig ar y dechneg (bron yn amhosib) hon.

Gan gadw goslef eich llais yn wastad ac yn isel, dywedwch eich bod yn gweld pwynt eich partner ond bod angen i chi fynd i'r tŷ bach; fe fyddwch chi'n ôl nawr. (All neb ddadlau os oes angen i chi fynd i'r tŷ bach.) Ewch i mewn ac eisteddwch mewn man caeedig a cheisiwch ganolbwyntio ar ychydig o anadliadau. Hyd yn oed os na lwyddwch i'w wneud, o leiaf fe gawsoch chi seibiant, a bydd saib yn rhoi amser i chi'ch dau gael gwared ar yr adrenalin ac ailfeddwl. Dwi erioed wedi llwyddo i wneud yr ymarferiad penodol hwn, a dwi ddim yn meddwl bod neb arall wedi llwyddo chwaith.

Gobeithio nad ydw i wedi rhoi'r argraff mai'r cyfan yw ymwybyddiaeth ofalgar yw eistedd mewn cadair, yn marinadu yn eich meddyliau eich hun a charu eich hun. Pwynt yr holl archwilio mewnol yw dod yn ymwybodol o'r cyflwr rydych chi ynddo fel nad ydych yn heintio pwy bynnag y dowch ar eu traws trwy waredu eich sbwriel meddyliol eich hun arnyn nhw'n anymwybodol, a'u beio nhw am eich anhapusrwydd. Ddywedodd neb fod ymwybyddiaeth ofalgar yn golygu gadael i bobl sathru arnoch neu dderbyn popeth; mae'n ymwneud â gwneud penderfyniadau priodol ar gyfer yr hyn sydd ei angen mewn sefyllfaoedd penodol. Weithiau mae'n rhaid i chi dynnu'n ôl; weithiau mae'n rhaid i chi roi eich troed ar y pedal i wneud i bawb symud.

I gloi, os ydyn ni am dorri ein cysylltiadau esblygol gyda'r bwystfil tu mewn, mae angen i ni hyfforddi ein hunain i symud yn ymwybodol i'n hymennydd uwch (cyn i ni rwygo coesau ein gwrthwynebwyr o'u gwraidd). Ar yr un pryd, wrth wneud hyn, mae angen i ni ddangos peth tosturi tuag at y bwystfil oddi mewn, oherwydd bod rhai o'i weithredoedd wedi dod â ni mor bell â hyn. Hebddo, bydden ni wedi cael ein cnoi'n stwnsh a'n poeri allan bellach.

Er mwyn esblygu ymhellach, mae angen i ni fod yn ymwybodol o'r 'hen sibrydion cyntefig'. O dan ein gwedd allanol gwrtais a hynaws, mae ein brodyr barbaraidd o'r gorffennol yn llechu, ac os nad ydyn ni'n ymwybodol o'n grymoedd tywyll ein hunain, byddan nhw'n camymddwyn drwy daflu grenâd ar yr adeg fwyaf annisgwyl.

Yn ei hanfod, mae wedi cymryd 4 biliwn o flynyddoedd i ni esblygu i ble'r ydyn ni, ac er ein bod yn wych o ran ein gwybyddiaeth, rydyn ni'n dal i fod yn gorachod, braidd, yn emosiynol. Y cwestiwn yw: a all ein hochr fwy empathetig a thosturiol ddal i fyny? Dwi'n dweud mai'r cam cyntaf yw dysgu sut i gofleidio eich epa mewnol. (Enw ar lyfr newydd? Neu efallai ddim.)

Fy nghamau cyntaf tuag at berthynas â'r hil ddynol

Er mwyn dathlu, cyn mynd ar yr encil tawel yr es i arno yn y bennod hon, penderfynais fynd i Bruges (heb fod unrhyw reswm penodol dros ddewis y fan honno). Doeddwn i erioed wedi bod o'r blaen, ond roeddwn i eisiau rhoi amser da i fy ymennydd am adael i mi ei ddefnyddio fel storfa ar gyfer yr ymchwil a ddôi i mewn ac fel cyfrwng ar gyfer rhyddhau'r hyn rydych yn ei ddarllen nawr. (Chi sydd i farnu'r cynnwys, y negesydd yn unig ydw i.) Roeddwn i eisiau mynd ar fy mhen fy hun i wagio fy meddwl, ac i fod yn rhywle lle na fyddai unrhyw gysylltiadau a fyddai'n cythryblu fy meddyliau ar hyd lonydd y cof. Mae cael rhywbeth i dynnu sylw, pan gaiff ei ddefnyddio'n ddoeth a phan fo'n briodol, yn system frecio wych. Mae'r weithred fwriadol hon o gau fy mamlong fy hun yn weithred brin o dosturi tuag at yr hunan. Doeddwn i ddim eisiau ei gorwneud hi wrth ysgrifennu llyfr ar ymwybyddiaeth ofalgar – sôn am saethu eich hun yn eich troed.

Ar ôl i mi fod yn eistedd ar y trên am ychydig oriau (roedd yr awr gyntaf yn uffern; fe'i treuliais yn gwrthsefyll yr awydd i neidio oddi ar y trên a mynd adref i ailysgrifennu'r rhan fwyaf o'r llyfr), fe bylodd y meddyliau a oedd yn swnian arna i i ailddarllen y llyfr. Erbyn i mi gyrraedd Bruges, roedd y meddyliau hynny bron â bod wedi diflannu. Pe na bai'r ddinas wedi'i llenwi â chymaint o bethau hardd i'w gweld, efallai y byddwn wedi meddwl, 'Ddylwn i ddim fod wedi dod. Dwi'n mynd i fod yn unig. Pam Bruges?' Ond mae'r lle hwn, yn wyrthiol, wedi'i adael heb ei gyffwrdd gan amser. Yn wahanol i unrhyw ddinas arall dwi wedi ymweld â hi, dydy hi ddim wedi'i Disneyeiddio na'i llenwi â La Starbucks a Das McDonald's wedi'u hintegreiddio'n glyfar gan ryw gynllunydd dinesig gwallgof. Cerddais y strydoedd cul, coblog rhwng y tai a'r toeau pigfain gwreiddiol (gydag angylion a seintiau aur yn addurno rhai ohonyn nhw), yn clywed fy hun yn dweud 'O Mam fach!' yn uchel. Dwi ddim yn gwybod am ba hyd y bues i'n cerdded, yn syllu'n gegagored ar bopeth, ond am fod cyn lleied o ymyrraeth o 'fyny grisiau', roeddwn i'n teimlo fy mod yn llyncu popeth oedd o fewn golwg. Roeddwn i fel lens agored. Doedd fy rhestr o 'bethau i'w gwneud' ddim ar waith, roedd fy Wi-Fi meddyliol wedi'i ddiffodd ac roeddwn yn teimlo fel bod dynol eto. Pan ddywedais wrth ychydig o ffrindiau fy mod i'n mynd ar fy mhen fy hun, roedden nhw'n meddwl bod hynny'n rhyfedd ac yn gofyn pam byddwn i'n gwneud hynny. Nawr gallaf eu hateb. Dydy fy sylw ddim wedi'i rannu; gallaf syllu ar yr hyn dwi am syllu arno cyhyd ag y dymunaf heb boeni am neb sydd gyda mi, a gwn fod hynny'n hen arferiad gen i. Does dim eiliad o ddiflastod wrth i mi wylio'r cychod ar y camlesi yn llithro o dan y pontydd, ac edmygu'r tai heb eu cyffwrdd o'r ail ganrif ar bymtheg â mwsogl drostyn nhw bob ochr i'r camlesi.

Yn nes ymlaen y noson honno, roeddwn i'n dal i syllu a mwmian, 'O Mam fach!', ac fe es i un o sgwariau'r dref oedd yn llawn dop o bobl leol yn dawnsio i gerddoriaeth salsa ffrwydrol. Pe bawn i wedi bod yn chwilio am hapusrwydd, dyma fe. Fe arhosais am oriau i wylio'r llawenydd pur ar wynebau'r dawnswyr wrth i'w traed, eu cluniau a'u breichiau symud mewn cytgord perffaith. Nefoedd, roedd gen i awydd anhygoel i wybod sut i ddawnsio salsa y funud honno. Roedden nhw'n canolbwyntio'n llwyr ar yr hyn roedd eu cyrff yn ei wneud, nid ar sut roedden nhw'n edrych yn allanol. Roedd hen ddynion moel yno a edrychai fel pe baen nhw'n feichiog ers wyth mis, ond roedden nhw'n gwneud gwaith ardderchog gyda menywod ifanc heini. Câi dynion ifanc eu cloi yng nghoflaid dawns gyda menywod hŷn (gallai rhai ohonyn nhw fod wedi bod yn hen fam-gu i mi), gan eu gwyro'n ôl fel bod eu cefnau'n plygu o bryd i'w gilydd. Mae salsa'n rhywiol, ond doedden nhw ddim yn defnyddio'r ddawns fel man i ddod o hyd i gariad; roedden nhw i gyd i'w gweld wedi'u clymu mewn cydsymud llawen â phwy bynnag oedd yn digwydd bod yn dawnsio o'u blaenau. Aeth menyw gwallt pinc gyda chymaint o gylchoedd drwy ei thrwyn nes ei bod yn edrych fel tarw i ofyn i ddynes mewn cadair olwyn a oedd hi eisiau dawnsio. Yn amlwg, roedd salsa yng ngwaed y fenyw mewn cadair olwyn, a chododd a dawnsio fel y gorau o'u plith heb golli curiad, ei chorff yn heini o hyd, a'i hwyneb yn wên o glust i glust. Sylwais fod gan rai o'r menywod groen fel lledr tywyll iawn, a rhychau dwfn ynddo, a wnâi iddyn nhw edrych heb fod yn annhebyg i gesys dillad. Roedden nhw'n gwisgo'r sodlau uchaf, a ffrogiau sipsi â gyddfau isel oedd ar agor hyd at eu clustiau. Ar y dechrau, meddyliais, 'Sut gallen nhw ddod allan yn edrych fel yna?', ond ar ôl i mi eu gwylio'n dawnsio, roedden nhw'n trawsnewid o flaen fy llygaid yn fenywod rhywiol iawn yr olwg – hyd yn oed y menywod a oedd yn edrych fel dynion. Ar un adeg, ffurfiodd pawb gylch mawr, ac roedd un dyn hŷn crebachlyd ond heini yn gweiddi cyfarwyddiadau. Fel mellten, newidiodd pawb yn y cylch bartneriaid, heb roi cam o'u lle, gyda phob person yn dolennu eu breichiau dros bennau pobl eraill gyda chywirdeb cymhleth a rywsut heb dagu ei gilydd. Roeddwn i'n gwybod fy mod yn sefyll yno ar yr ystlys yn gwenu fel mam falch, er nad oeddwn i'n adnabod neb yno. Roeddwn i'n caru pawb ohonyn nhw. Dechreuais wylio am bump yn y prynhawn, cyn mynd i gael bwyd. Pan ddois yn ôl am un ar ddeg y nos roedden nhw'n dal i fynd, a neb allan o wynt – gan gynnwys y ddynes oedd wedi bod yn y gadair olwyn.

Dyma'r hil ddynol ar ei gorau, meddyliais; doedd y bobl hyn ddim yn cystadlu i fod y gorau am wneud unrhyw beth, doedden nhw ddim yn poeni sut olwg oedd arnyn nhw: roedden nhw'n rhydd. Doeddwn i ddim am un eiliad yn teimlo fy mod i ar fy mhen fy hun, oherwydd roedd yr awyrgylch yn gwneud i mi deimlo ein bod ni i gyd yn rhan o rywbeth gwych. Roedd y bobl hyn yn drigolion y presennol, ac roeddwn i'n ei ddal. Gallwn ddysgu cymaint ganddyn nhw, ac nid dim ond salsa. Roeddwn i'n meddwl tybed pam fy mod yn pregethu bod cymaint o'i le ar y byd pan mae cymaint yn iawn. Dechreuais feddwl bod y gallu i fod wedi'n cysylltu â'n gilydd yn y ffordd hon ynon ni i gyd. Y cyfan sydd angen i ni ei wneud rywsut yw cael ein heffeithio llai gan y llif o wybodaeth ddiangen sy'n dod i mewn a'r pwysau arnon ni i fod yn rhywun arall. Does dim rhaid i ni wneud rhywbeth ym maes gwleidyddiaeth neu ddechrau crefydd newydd; dim ond dysgu sut i lywio'n ffordd drwy'r byd rydyn ni wedi'i greu er mwyn i ni allu teimlo'n llai unig ac ofnus. Dyma pwy ydyn ni pan nad ydyn ni wedi'n caethiwo gan anhrefn. Mae gan bob un ohonon ni botensial i ollwng ein gafael a theimlo'r math hwn o lawenydd. Hyd yn oed os nad yw'n para ond am ychydig, bydd yn dal i effeithio arnon ni am weddill ein hoes.

Yn y bennod nesaf, byddaf yn cyflwyno ymarferion ymwybyddiaeth ofalgar penodol ar gyfer babanod, plant a rhieni. Mae'n rhaid i'r oedolion a'r rhai hŷn yn ein plith ei ddysgu heb Mam yno i ddal eu llaw, ond gallan nhw ddefnyddio'r cwrs ymwybyddiaeth ofalgar chwe wythnos fel llawlyfr. Mae ein hymennydd yn mynd trwy wahanol gamau twf ym mhob cyfnod o'n bywydau. Dwi'n credu bod angen ymarferion pwrpasol arnon ni sy'n addas ar gyfer pob un. Does yna'r un ateb sy'n addas i bawb.

7

Ymwybyddiaeth ofalgar i rieni, babanod a phlant

Hoffwn nodi un peth yma: pan fyddaf yn siarad am blant a babanod yn y bennod hon, dwi'n mynd i newid bob yn ail rhwng 'fe' a 'hi' fel nad ydw i'n mynd i gael fy llabyddio am fod yn rhywiaethol.

Os ydych chi newydd ddarllen y bennod olaf a'ch bod yn rhiant, efallai eich bod yn meddwl, 'Sut ydw i i fod i ddefnyddio'r stwff ymwybyddiaeth ofalgar yma? Dwi ddim yn cael amser i wneud fy ymarfer corff fy hun, heb sôn am gael cawod – sut alla i wneud hyn gyda fy mhlant?' Dyma enghraifft o ddiwrnod na fyddwch chi byth yn ei gael, ond darllenwch amdani beth bynnag – gallai wneud i chi chwerthin.

Diwrnod ym mywyd rhiant a phlentyn

7.30 a.m. Rydych chi'n mynd i ystafell wely eich plentyn i'w dihuno. Byddwch yn dyner, a byddwch yn gynnar, fel nad yw'n mynd i fod yn ras wyllt. (Roedd fy mam yn arfer sgrechian fy enw oherwydd fy mod i'n hwyr bob bore; roedd hi fel seiren cyrch awyr yn cyhoeddi bod y Trydydd Rhyfel Byd wedi dechrau.) Cofiwch gadw tôn eich llais yn dyner ac yn gysurlon.

8 a.m. Yn ystod amser brecwast, gofynnwch i'ch plentyn ddisgrifio sut flas sydd ar ei thost / ei hwyau / ei grawnfwyd. Sut beth yw'r teimlad o gnoi? Sut mae'r bwyd yn teimlo yn ei cheg? Gofynnwch iddi a hoffai ddewis un gweithgaredd bob bore a pheidio â meddwl

cymaint amdano ond synhwyro beth mae'n ei wneud; er enghraifft, golchi ei dwylo / gwisgo ei hesgidiau / rhoi mwythau i'r ci... Bob dydd gall ddewis rhywbeth arall, felly bydd bob amser yn newydd.

8.30 a.m. Wrth yrru eich plentyn i'r ysgol, gallech chwarae Dwi'n gweld â'm llygad bach i, ond gwnewch hynny gyda sŵn, felly daw'n Dwi'n clywed â 'nghlust fach i, a gofynnwch iddi ddyfalu pa sŵn rydych chi'n gwrando arno. Mae hyn yn ei thynnu'n syth i mewn i'r profiad o gymryd sylw. Gallech ei chwarae gydag arogl hefyd. Anaml y byddwn yn defnyddio'r synnwyr hwn, ond cyhyd â bod eich plentyn yn canolbwyntio ar y gwahaniaethau bach y bydd synnwyr yn eu nodi, mae hi'n ymarfer ei meddwl.

9 a.m. Mae eich plentyn yn dechrau ei diwrnod ysgol. Gobeithio bod rhywfaint o hyfforddiant ymwybyddiaeth ofalgar yn rhan o'r cwricwlwm. (Gweler yr adran ar ymwybyddiaeth ofalgar mewn ysgolion ym Mhennod 8.)

4 p.m. Cynlluniwch gêm arall i'ch plentyn ei chwarae bob dydd ar ôl ysgol – dywedwch eich bod yn mynd i roi cwis hwyliog iddi i'w wneud. Un diwrnod gofynnwch iddi gyfrif faint o gymylau y gall eu gweld yn ystod amser cinio. Ar ddiwrnod arall, gofynnwch iddi sylwi ar faint o bobl yn neuadd yr ysgol sy'n gwisgo rhywbeth porffor. Faint o athrawon a wenodd y diwrnod hwnnw? Bob dydd, rhowch rywbeth iddi sylwi arno a gofynnwch iddi ddweud wrthych chi ar ôl ysgol. Byddwch yn chwilfrydig a gofynnwch iddi am fwy o fanylion.

7 p.m. Pan fyddwch chi'n bwyta swper, dewch i'r arfer o sgwrsio am unrhyw beth mae hi'n teimlo fel siarad amdano. Gwnewch yn siŵr nad oes gennych chi agenda, gadewch iddi fod yn sgwrs anffurfiol. Byddwch yn chwilfrydig a dangoswch ddiddordeb, ond peidiwch â gwthio gormod. Os ydych chi'n orbryderus neu wedi

gorflino, dywedwch wrthi, fel na fydd yn meddwl mai dyna yw eich ymateb iddi hi, ac er mwyn dangos bod gennych chi deimladau hefyd. (Gallwch chi, hefyd, gael pwl o stranciau.) Gadewch iddi fod ym mha hwyliau bynnag y mae hi ynddyn nhw. Does dim rhaid iddi ddweud pam, ond ceisiwch ei chael hi i siarad am yr hyn mae'n ei deimlo tu mewn.

8 p.m. Amser gwely, darllenwch iddi, ond os oes lluniau o'r cymeriadau gofynnwch iddi a all ddyfalu am beth maen nhw'n meddwl mewn gwirionedd. Dim ond dyfalu fydd hi; rhywbeth i'w chael hi'n gyfarwydd ag edrych o dan yr wyneb, gan ddefnyddio ei radar. Gallwch wneud hyn wrth wylio'r teledu hefyd drwy ostwng y sain – ond dim ond am ychydig funudau, neu fe fydd hi'n dod i'ch casáu chi.

Magu plant heb ddagrau

Mae pob rhiant, ar ryw adeg ym mywyd eu plentyn, yn gofyn y cwestiwn: 'Ai fy mai i yw hyn?' Does neb yn gwybod yn iawn i ba raddau mae plant yn datblygu o ganlyniad i natur ac i ba raddau oherwydd magwraeth: bu'n bwnc llosg ers y 1960au. Maen nhw bellach yn dweud ei fod tua 50/50... felly dim ond 50 y cant o debygrwydd sydd yna y gwnewch smonach o fywyd eich plentyn. Y genynnau yw'r cardiau a roddwyd iddi, ond chi sy'n gwybod sut rydych chi am eu chwarae.

Yr hanner natur – y DNA – sy'n gosod y glasbrint gyda chelloedd ymennydd wedi'u rhaglennu'n enetig ymlaen llaw, ond maen nhw'n aros am eich mewnbwn, Mrs neu Mr Magwraeth. Mae'r ffordd rydych chi'n gafael ynddo, yn gwenu, yn gwgu, yn canu, ac yn dweud 'Bw!' yn effeithio'n uniongyrchol ar y cylchedau yn ymennydd eich plentyn. A'r rhain sydd, yn y pen draw, yn ffurfio'i gymeriad, ynghyd â'r diwylliant, yr amgylchedd a'r bobl mae'n eu cyfarfod yn ei fywyd.

Darllenwch hyn nawr!

Isod, fe welwch y ddwy reol bwysicaf oll ar gyfer bod yn rhiant.

Gwnewch yn siŵr eich bod yn adnabod eich hunan

Mae'n ddrwg gen i swnian ond os ydych chi eisiau bod yn rhiant gwell na neb arall, eich cenhadaeth gyntaf yw 'adnabod eich hunan'. Yr oracl yn Delphi ddywedodd hyn, a doedd ganddi ddim plant hyd yn oed. Dydy e ddim yn golygu bod rhaid i chi fynd i gloddio ym mhwll glo eich anymwybod, ond pan fyddwch chi'n sylwi eich bod yn ymateb yn danllyd i rywbeth sy'n digwydd ac yn beio'ch hun amdano, credwch fi, bydd eich plentyn yn ei synhwyro. Mewn gwirionedd, pan fydd baban yn teimlo bod ei fam yn ddig, yn isel neu'n orbryderus, bydd yn amsugno'r teimladau hynny i mewn iddo'i hun yn hytrach na gweld ei fam fel rhywun sy'n ddiffygiol. Os ydych chi'n garedig wrthych chi'ch hun heb fod yn feirniadol, bydd eich babi hefyd yn synhwyro'r tosturi hwnnw, gan wneud iddo deimlo'n ddiogel yn ddiweddarach yn ei fywyd.

Bydd eich holl brofiadau yn y gorffennol yn effeithio ar eich plentyn *oni bai* eich bod yn dod yn ymwybodol o'ch problemau eich hun. Mae perygl o alldaflu ein problemau ar ein plant, gan eu beio nhw am ein diffygion fel pe baen nhw'n llungopi ohonon ni ac fel pe baen ni'n gallu gwneud pethau'n iawn drwyddyn nhw (*gweler* mamau sy'n dechrau addysgu eu plant yn ddeuddeg wythnos oed er mwyn iddyn nhw gael eu derbyn i Rydychen).

Mae'r ffordd rydyn ni'n rhyngweithio â'n plant yn cael ei dylanwadu gan y profiadau gawson ni gyda'n rhieni ein hunain. Yn yr un modd ag y byddwch chi'n gadael eich argraff ar ymennydd eich babi, gwnaeth eich rhieni hynny ar eich ymennydd chi. 'They fuck you up, your mum and dad,' fel y dywedodd Philip Larkin mor gariadus. Os ydych chi'n meddwl bod eich plentyn yn chwarae'r diawl, edrychwch yn y drych.

Mae meddwl plentyn yn debyg i eira newydd, ac rydyn ni'n sathru arno yn ein hesgidiau gwaith trymaf, gan adael ein hôl.

Fe wnaeth eich rhieni ollwng eu stwff arnoch chi, fel y gwnaeth eu rhieni nhw iddyn nhw, ac yn y blaen yr holl ffordd yn ôl at y fertebrat cyntaf. Os ydych chi eisiau rhoi stop ar y ras gyfnewid hynafol hon o 'drosglwyddo'r diffygion', y cyfan sydd angen i chi ei wneud yw dod yn ymwybodol o'r diffygion hynny.

Ar y llaw arall, os oes gennych ddos iach o dosturi, genynnau da a rhywfaint o wybodaeth ynglŷn â sut mae eich meddwl yn gweithio, bydd eich plentyn yn iawn. Ac os gallwch chi aros yn bresennol hyd yn oed pan fydd yn sgrechian llond ei ysgyfaint, rydych chi wedi ennill y wobr gyntaf yng Nghwpan Aur Rhianta.

Mae'n ddiddorol sylweddoli er hynny, pan fydd eich plentyn yn strancio, y gallai'r llid y byddwch yn ei gysylltu'n gyntaf ag ymddygiad annifyr eich plentyn fod yn dod oddi wrthych chi. Efallai y cewch eich atgoffa o boen o'ch plentyndod eich hun; y syniad yw eich bod yn sylwi y gallai'r dicter rydych yn ei deimlo weithiau tuag at eich plentyn fod yn cael ei ysgogi gan siomedigaethau heb eu datrys ynoch chi'ch hun.

Peidiwch â mynd i banig wrth ddarllen hyn – dydy'r rhan fwyaf ohonon ni ddim yn ei gael e'n iawn drwy'r amser pe baen ni'n onest, ond mae ffyrdd o drwsio pethau, a dydy hi byth yn rhy hwyr. Os ydych chi'n teimlo bod edrych yn ôl ar eich plentyndod yn brofiad rhy boenus, efallai y byddai'n syniad i chi ystyried ychydig o gwnsela.

Doedd gen i ddim syniad sut i fod yn fam. Wnes i ddim mynd i'r brifysgol i astudio sut i sychu pen-ôl neu godi gwynt mewn bod dynol arall.

Ond pan fyddan nhw'n estyn y babi i chi, rydych chi'n teimlo'r cariad yn chwythu trwoch chi. Naill ai cariad pur, neu'r morffin – a dyna pam y cefais i dri o blant: allwn i ddim rhoi'r gorau iddo. Cefais fy mhlant yn ysbytai'r Gwasanaeth Iechyd Gwladol (diolch), ac ar ôl geni'r cyntaf, roeddwn i'n rhannu ystafell gyda menyw a oedd wedi 'darllen y llyfrau'. Cedwais i hi ar ddihun drwy'r nos gyda chwestiynau fel 'Pam mae'n gollwng? Sut wyt ti'n ei fwydo? Ga i ddefnyddio dy fronnau di i odro?' Drannoeth, cefais fy rhoi mewn ystafell ar fy mhen fy hun. Dywedais

wrthyn nhw nad oeddwn i'n mynnu sylw arbennig oherwydd fy mod ar y teledu, ac nad oedd ots gen i rannu. Dywedodd y nyrs wrtha i fod y ddynes wedi gofyn i mi gael fy symud; allai hi ddim goddef rhagor. O hynny ymlaen, roedd rhaid i mi ddibynnu ar garedigrwydd nyrsys.

Dydy eich babi ddim yn estyniad ohonoch chi

Rhaid bod Duw wedi rhoi arogl hyfryd o hudolus ar ben y baban i'ch atal rhag ei fflysio i lawr y tŷ bach pan gaiff ei bwl cyntaf o sterics, ond ar ôl i'r strancs gilio, dwi'n credu mai'r hyn sy'n cynnal eich diddordeb yn y babi yw'r ffaith ei fod yn adlewyrchiad ohonoch chi. Mae'r modd y byddwch chi'n syllu i mewn i'r crud yn debyg i Narsisws yn syllu ar y dŵr ac yn syrthio mewn cariad â'i adlewyrchiad ei hun.

Yna, yn sydyn, rydych chi'n sylweddoli nad chi yw eich plentyn – mae ganddo ei nodweddion a'i ffyrdd ei hun, ac mae gan y babi a oedd unwaith yn eich addoli hyfdra bellach i dorri'n rhydd a thorri ei gŵys ei hun. Nawr, gallwch naill ai dathlu eich bod wedi rhoi genedigaeth i unigolyn a gweiddi 'Hwrê!', neu gallwch geisio dod o hyd i forthwyl er mwyn curo'r clai nes ei fod yn edrych yn debyg i chi.

Fel mae'n digwydd, un o'r ymatebion cyntaf ar ôl ymddangosiad y babi yw bod y fam yn dychmygu ei fod yn edrych yn union fel ei dad ac ychydig yn debyg iddi hi. (Mewn gwirionedd, dydy e ddim yn edrych yn debyg i'r un ohonoch – mae pob babi'n edrych yn debyg i eirin sych, crebachlyd, moel – ond mae'n rhan o'n bioleg i ddychmygu eu bod yn debyg i Dadi, er mwyn sicrhau nad yw Dadi'n mynd i hel ei draed oddi yno.) Hefyd, os ydych chi'n meddwl bod yna arwydd fod Babi'n mynd i fod yn athrylith mathemategol neu'n bencampwr tennis yn y dyfodol, eich dychymyg sy'n gwneud i chi feddwl hynny hefyd. Yn gynnar, fe ddylech geisio gweld eich babi am yr hyn ydy e, nid yr hyn rydych chi'n ei alldaflu arno. Mae natur, er mwyn goroesi, yn defnyddio popeth sydd ganddi i wneud i chi feddwl bod y pecyn glas neu binc yn cynnwys eich holl freuddwydion a'ch gobeithion, neu fel arall byddech chi'n cael ei wared. Y 'peth' hwn yw'r 'chi' nesaf, a bydd yn cario'ch genynnau chi i'r dyfodol, felly mae o fudd i chi gredu mai'r babi yw'r meseia newydd.

Cefais lawdriniaeth ar fy nhraed pan oeddwn yn blentyn ac fe wnes i erfyn ar fy mam i gynnau'r system aerdymheru; roedd hi'n ferwedig o boeth yn Chicago – roedd hyd yn oed y pryfed yn toddi. Doedd hi ddim am wneud hynny am ei fod yn wastraff arian; byddai'r aer yn dianc. Fe wnes i erfyn arni eto; ni allwn godi, roedd fy nhraed mewn rhwymynnau. Yn y diwedd, aeth at y wal a gwthio ei bys ar y teclyn, heb fod yn agos at y botwm aerdymheru, a gwneud sŵn 'Mmmmmmm' i ddynwared y sŵn y byddai'n ei wneud pe bai'r system yn weithredol... fel pe na bawn i'n gallu dweud y gwahaniaeth.

Dwi'n gyson wyliadwrus, ar flaenau fy nhraed, yn gwneud yn siŵr nad yw llais fy mam yn dod allan ohonof fi nawr.

Roedd hi'n fy ngharu fel babi generig ond nid fel fi yn benodol. Roedd hi'n meddwl y byddwn i'n gopi ohoni hi; roedd hi'n brydferth iawn, ond roedd gen i ddannedd afanc. Cefais fy nghosbi'n aml am na allai ddeall bod gen i bersonoliaeth wahanol i'w hun hi. Doedden ni ddim yn gwybod hynny ar y pryd, ond roedd ganddi anhwylder gorfodaeth obsesiynol (OCD) eithafol. Arferai wneud fy ngwely pan oeddwn i'n dal ynddo, byddai'n dal napcyn o dan fy ngên pan fyddwn i'n bwyta ffrwythau, yn didoli fy nillad isaf yn nhrefn y flwyddyn y cefais i nhw ac yn mynd ar drywydd peli llwch ar ei phedwar gyda chlytiau wedi'u clymu wrth ei dwylo a'i phengliniau.

Doedd hi ddim yn dderbyniol i mi gael unrhyw nodweddion, arferion na meddyliau nad oedden nhw'r un fath â'u rhai hi. Efallai y dylen nhw fod wedi rhoi pyped maneg iddi yn hytrach na phlentyn – byddai wedi arbed llawer iawn o ddryswch.

Mae'n hanfodol ceisio gweld a charu eich plentyn fel y mae mewn gwirionedd, a pharchu ei chwaeth a'i dueddiadau (oni bai eu bod yn cynnwys casglu palod wedi'u stwffio). Fydd e ddim angen eich beirniadaeth; bydd yn cael digon o hynny wrth iddo dyfu'n hŷn. Os ydych chi'n ymarfer ymwybyddiaeth ofalgar, byddwch yn gallu teimlo'r hyn mae'n ei deimlo a bydd yr empathi'n ei warchod rhag saethau ac ergydion siomedigaethau yn y dyfodol.

Wnes i ddim ennill cymeradwyaeth fy rhieni. Roedden nhw mewn cariad â fi pan oeddwn i'n faban bach pert ond y funud yr agorodd fy ngheg ac y daeth geiriau allan, daeth y cariad i ben. Dwi wedi treulio'r rhan fwyaf o fy oes yn ceisio chwilio am bobl sy'n fy hoffi fel ydw i.

Mewn cyferbyniad â fy rhieni i, roedd rhieni Ed yn berffaith; efallai fy mod wedi'i briodi'n rhannol oherwydd ei rieni. Doedd dim – dim byd – yn ormod o drafferth iddyn nhw. Byddai sgons yn dod allan o fam Ed ddydd a nos. Byddai'n rhedeg i fyny i chwyddo'ch gobennydd cyn i'ch pen ei daro, ac yno'n barod gyda chwpanaid o de fwy neu lai wrth i chi ddihuno. Allwch chi fy nychmygu i'n priodi i mewn i hynny? Roedd yn fy atgoffa o straeon Dickens lle mae'r plentyn amddifad, ar ôl blynyddoedd o gam-drin, yn cerdded o'r diwedd i goflaid gynnes cartref hapus.

Roeddwn i'n arfer dewis fy ffrindiau gorau yn yr ysgol yn seiliedig ar bwy oedd eu mamau. Fel arfer, roeddwn i'n dewis y mamau Iddewig cynnes a blonegog (nid y rhai gwallgof) a oedd yn byw er mwyn bwydo a choginio i'w hepil. Byddwn yn rhyw fath o symud i mewn, yn gobeithio na fydden nhw'n sylwi, fel y cathod crwydr sydd, pan fyddan nhw'n ymddangos yn sydyn yn ystod amser bwydo, yn cael eu cynnwys yn y dorraid, a does neb yn dweud, 'Pwy ddiawl yw honna?' Yn yr un modd, doedd gan y mamau ddim ots fy mod i yno; roedden nhw mor gariadus â hynny, ac yn gwybod bod rhywbeth o'i le yn fy nghartref fy hun. Fydden nhw byth yn sôn fy mod i'n byw a bod yn eu hoergell, yn syllu ar yr holl fwyd cartref ffres. Yn ein hoergell ni, roedd yna sigârs ac ychydig o golslo ar ôl o'r adeg pan saethwyd Kennedy. Roeddwn wrth fy modd pan oedd y mamau hyn yn rhoi cwtsh i mi, a minnau'n cael fy mygu yn y bronnau mawr ac arnyn nhw arogl bisgedi sinamon.

Magu plant yn ymwybyddol ofalgar

Sylwi

Os ydych chi gyda'ch plentyn a'ch bod naill ai'n ymateb i'w hwyliau neu, am ryw reswm, eich bod yn gweld bod eich meddwl yn mynd ar chwâl, *sylwch* ar hynny (bydd hynny ar ei ben ei hun yn ennill saith deg pum seren aur i chi). Pan fyddwch yng ngafael rhyw rym negyddol, peidiwch â siarad â'ch plentyn bryd hynny; yn lle hynny, hyd yn oed os oes rhaid i chi wneud esgus, ewch i eistedd mewn ystafell arall a cheisio gwneud munud o ymwybyddiaeth ofalgar. (Os nad yw hynny'n gweithio, cymerwch Xanax neu swig o fodca.) Pan fydd y teimlad wedi'i leddfu yn eich meddwl, dychwelwch at eich plentyn, er eich bod yn dal i fod eisiau dianc o bosib. Allwch chi ddim datrys eich problemau eich hun, a phroblemau eich plentyn felly, nes eich bod wedi sadio.

Labelu

Pan fyddwch chi gyda'ch plentyn (neu bwy bynnag fydd gyda chi mewn gwirionedd) ac yn dechrau teimlo'ch hun yn crynu gan gynddaredd, gorbryder neu rwystredigaeth, ceisiwch labelu'r emosiwn rydych chi'n ei brofi, naill ai yn eich meddwl neu drwy ysgrifennu'r un gair sy'n disgrifio'r hyn rydych chi'n ei deimlo. Mae'r broses labelu hon yn atal y cnoi cil, pan fyddwch chi'n adeiladu stori am yr holl resymau rydych chi'n gynddeiriog, sy'n arwain at don fawr o gortisol. Bydd y teimladau hynny'n cael eu lleddfu wrth i chi symud eich ffocws o'r cortecs cyntefig i'r cortecs cyndalcennol uwch a mwy meddylgar. Dyma ffordd wych o ymdrin ag ymosodiad yr amygdala: enwch y peth, peidiwch â'i feio.

Sganio

Pan fyddwch chi'n ymwneud â'ch plentyn, taniwch eich sbotolau mewnol i sganio am unrhyw dyndra yn eich corff; mae osgo ac iaith y corff yn datgelu eich cyflwr meddwl. Mae wyth deg pump y cant o'r hyn a fynegwn yn digwydd drwy iaith ein corff, nid trwy gyfathrebu llafar.

Archwiliwch i weld a ydych chi'n ymateb yn eich modd ymlusgol. Os ydych chi, gallwch fentro'ch het y bydd eich plentyn yn ymateb yn ei fodd ymlusgol ei hun: 'Mwnci blin yn gweld. Mwnci blin yn gwneud.' Ni allwch feio'r plentyn mewn gwirionedd – plentyn yw e, mae'n fympwyol ac yn emosiynol iawn; chi yw'r un sy'n gyfrifol am ddatblygu ei gortecs cyndalcennol.

Adfyfyrio

Pan fydd eich plentyn dan bwysau mawr, yn ddig neu'n drist, ceisiwch fynegi mewn geiriau yr hyn rydych chi'n meddwl y gallai fod yn ei deimlo. Felly, os yw'n sgrechian am eich bod wedi taflu'r hosan bum mlwydd oed mae'n dal i gysgu gyda hi, efallai y gallwch chi adfyfyrio (*reflect*) yn ôl iddo; er enghraifft, 'Gallaf weld dy fod di wedi cynhyrfu. Rhaid dy fod di'n teimlo'n ofnadwy... Roeddwn i'n caru fy hosan hefyd, pan oeddwn i'n chwech oed. Dylwn fod wedi gofyn i ti'n gyntaf.' Ceisiwch roi eich hun yn ei esgidiau ef, fel eich bod chi'n teimlo sut beth yw colli hosan neu fod heb esgid.

Caiff cymeriad eich plentyn ei siapio gan eich ymwneud cynnar ag ef. Mae'n dysgu emosiynau drwy ddynwared mynegiant eich wyneb. All e ddim dysgu gwenu, tynnu ei dafod, gwneud wyneb trist neu ddig, heblaw drwy gopïo'ch wyneb chi. Felly, pan mae'n cynhyrfu, defnyddiwch eich wyneb i ddangos diddordeb, caredigrwydd a gonestrwydd. Arbrofwch gydag ef i weld a yw'n dechrau adfyfyrio chwilfrydedd a charedigrwydd ac yn anghofio am y dicter. Drwy newid mynegiant ein hwyneb, dydy hi ddim yn gwbl amhosib y gallwn nid yn unig newid ein hwyliau ni ond hwyliau ein babi hefyd. Weithiau gallwn ei ffugio er mwyn ei wireddu; cyhyd â'ch bod yn ei wneud yn ymwybodol, mae'n dal i fod yn ymwybyddol ofalgar.

Nid ar ymddygiad allanol ei blentyn yn unig mae rhiant adfyfyriol yn canolbwyntio, mae hefyd yn canolbwyntio arno fel unigolyn gyda'i feddwl ei hun. Defnyddir yr ymadrodd 'mae ganddo ei feddwl ei hun' yn aml mewn ffordd ychydig yn ddifrïol i ddisgrifio plentyn penderfynol ac ystyfnig. Mae rhieni adfyfyriol yn deall hyn a dydyn nhw ddim yn feirniadol, gan werthfawrogi pa mor wahanol yw meddwl eu plentyn i'w meddwl nhw.

Nadu pum munud

Os sylwch eich bod yn dechrau ar gêm bêl foli eiriol dreisgar gyda'ch plentyn – 'Dy fai di yw e.' 'Na, dy fai di.' 'Na, ti wnaeth smonach ohonof fi'. 'Na, ti wnaeth hynny.' – mae hwn yn amser da i roi cynnig ar yr ymarferiad canlynol.

Gan mai chi yw'r rhiant, nawr yw'r amser i chi gau eich ceg. Dywedwch wrth eich plentyn fod ganddo un funud (gosodwch yr amserydd ar eich ffôn) i roi ei ochr ef o'r stori heb i chi dorri ar ei draws (hyd yn oed os ydych chi'n rhwygo pob gewyn yn eich corff yn ceisio atal eich hun rhag ei dagu). Wrth iddo refru, edrychwch i weld a allwch chi wneud yr ymarfer ymwybyddiaeth ofalgar gyda sŵn, gan wrando ar ei weiddi fel pe bai'n ddim ond sŵn yn hytrach na chael eich dal yn y ddrama. Yna canolbwyntiwch ar yr hyn mae'n ei ddweud a gweld a yw wedi newid mewn unrhyw ffordd... Gobeithio y bydd yn dawelach. Manteision yr ymarferiad hwn yw y bydd wedi blino'n lân ar ôl ei bwl o strancio, a bydd eich lefelau cortisol chi wedi gostwng.

Canolbwyntio

Yn union fel y gwnaethoch chi ymarfer disgleirio sbotolau'r sylw ar synnwyr, yn yr ymarfer hwn, ewch â'ch ffocws at eich plentyn, gan roi sylw i fanylion yr hyn mae'n ei ddweud. Felly, pan fydd yn dweud wrthych chi sut cafodd ei gwningen ei bwyta gan lwynog, gallwch deimlo dyfnder y trawma a – dyma'r her fawr – rhowch eich ffôn i lawr pan fyddwch chi'n gwrando.

Weithiau mae fy mhlant yn gofyn i mi ynglŷn â'r adeg pan oedden nhw'n fach. Dwi ddim yn gallu cofio – mae'n rhaid i ni wylio fideos i gael gwybod. Pan oedden nhw'n siarad â mi, dim ond hanner gwrando fyddwn i.

Os ydych chi'n cymryd sylw mae lefel eich cortisol yn gostwng, a phan fyddwch chi'n ymdawelu, bydd eich plentyn yn ymdawelu. Os ydych chi'n llawn o adrenalin, fe fydd yn rhoi hwb i'w adrenalin e. Os ydych chi'n diferu o ocsitosin, bydd eich plentyn yn creu ei gyflenwad ei hun, a'r hormon penodol hwnnw yw'r un sy'n sail i'r gallu i fagu ac i faethu.

Os ydych chi'n teimlo gelyniaeth sydyn neu agwedd negyddol tuag at eich plentyn, hyd yn oed os yw ynghanol strancio, gwnewch ymarfer ymwybyddiaeth ofalgar byr. Ewch â'ch ffocws at nodwedd ar ei wyneb, gan angori'ch sylw fel y byddech chi'n ei wneud gyda sŵn neu anadlu. Canolbwyntiwch ar ei wyneb ac archwiliwch nodwedd arbennig gyda chwilfrydedd – y llygaid, y trwyn, neu'r geg – fel pe na baech chi erioed wedi sylwi ar y nodwedd honno o'r blaen.

Camu'n ôl

Bwriad hyn yw lleihau'r awydd ysgubol ynoch gan bwyll bach i wneud popeth yn well pan fydd eich plentyn yn ofidus. Mae angen iddo ddysgu sut i'w gysuro'i hun; os mai chi sy'n gwneud hynny bob amser, bydd yn rhaid iddo ddod o hyd i rywun sy'n edrych fel chi i'w briodi.

Ddylech chi ddim drysu rhwng y syniad o dosturi a chydymdeimlad ysgubol, lle rydych chi'n maldodi'r plentyn gydag 'O, 'mabi bach i, mae Mami fan hyn', fel pe na bai ond yn gallu teimlo'n well oherwydd eich bod chi'n dweud hynny. Gadewch iddo deimlo'r hyn mae'n ei deimlo. Cefnogwch ef drwy adfyfyrio'i deimladau yn ôl iddo i ddangos eich bod yn ei ddeall a bod modd iddo ymdopi â'i deimladau. Rydych chi'n ei ddysgu i beidio â rhedeg oddi wrth ei deimladau ond i droi tuag atyn nhw a dysgu nad oes dim i'w ofni – dim ond teimladau ydyn nhw.

I grynhoi'r cyfan...

Mae cyfrifoldeb y rhieni'n newid gan ddibynnu ar oedran eu plant, ond mae'r sylfaen yn aros yr un fath: rhowch gariad diamod, gosodwch ffiniau... a pharhewch i luchio arian i'w cyfeiriad.

Babanod

Daw glasbrint genetig gyda phob babi, ynghyd ag ystod o bosibiliadau mae'r corff wedi'i raglennu i'w ddatblygu; fodd bynnag, dydy hi ddim yn rhaglen awtomatig. Caiff ei chynnau neu ei diffodd gan brofiadau allanol. Meddyliwch am y babi fel ffetws allanol sydd angen ei raglennu gennych chi neu ryw fod dynol caredig arall gerllaw; fel arall, bydd hi'n parhau i fod yn ddim mwy na sach o organau. Caiff ymennydd babi ei siapio gan ei hymwneud â'r byd a'i pherthynas ag eraill. Mae'r rhain yn ysgogi tanio nerfol ac yn ffurfio'r cysylltiadau. Wrth i'ch babi dyfu, caiff y genynnau a mewnbwn profiadau eu gweu ynghyd, a dyma sut caiff personoliaeth ei chreu.

Pan fyddwch chi'n cael babi, rydych chi mor llawn o sudd cariad (mae'n rhaid i chi fod, fel arall fyddech chi byth yn maddau iddi am ddinistrio'ch corff) nes bod popeth yn ewfforig: rydych chi'n pobi cacennau bach gyda chalonnau arnyn nhw ac yn darganfod yn sydyn fod pinc yn lliw derbyniol. Yna aiff yr amser heibio, ac un diwrnod heulog, rydych chi mewn cyflwr o fod eisiau lladd. Rydych chi wedi'i cholli hi'n llwyr oherwydd unigolyn moel pymtheg modfedd o hyd nad yw'n gallu dweud wrthych chi beth sydd ei angen arni, a dydy hi ddim yn gwneud dim byd heblaw gorwedd yno'n sgrechian, ac mae disgwyl i chi wybod beth mae arni ei eisiau, fel pe baech chi'n seicig.

Roeddwn i'n arfer mynd i banig mawr bob tro y byddwn i'n cael fy ngadael ar fy mhen fy hun gydag un o fy mhlant pan oedden nhw'n fabanod. Roeddwn i'n meddwl na fyddwn i'n sylwi pe baen nhw'n sydyn yn bwyta plwg neu fy mod yn eu gadael mewn siop esgidiau; doeddwn i ddim yn gallu ymddiried ynof fi fy hun i ofalu amdanyn nhw. Gwariais y rhan fwyaf o fy arian yn cyflogi gweithwyr proffesiynol; ceisiais lusgo nyrs adref gyda mi o'r ysbyty. Yn raddol, cofiais nad oedd gan fy mam asgwrn mamol yn ei chorff. Mae'n amlwg na ddarllenodd hi'r llawlyfr babanod chwaith, ac arferai fy ngadael yn fy nghot yn gweiddi, 'Gargl, gargl, gargl!'; dyna'r cyfan y gallwn ei ddweud.

Yn ddiweddarach, darllenodd straeon i mi allan o chwedlau Grimm, lle'r oedd arth bob amser yn bwyta'r plant pe baen nhw'n gwneud rhywbeth ofnadwy fel peidio â gorffen eu cawl. Nawr, fe fydda i bob amser yn gorffen nid yn unig fy nghawl i, ond cawl pawb arall yn y bwyty.

Ymennydd babi

Cyn i mi esbonio'r ymarferion canlynol, dwi'n mynd i roi taith i chi o gwmpas ymennydd eich babi er mwyn i chi ddeall sut a pham mae hi'n ymateb i'r byd fel mae hi'n ei wneud.

Hyd yn oed cyn iddi gael ei choginio, pan mae'n dal i arnofio yn y tanc a elwir yn 'chi', mae eich babi'n ffurfio 25,000 niwron y funud. Bob eiliad, gwneir tua 2 filiwn o gysylltiadau synaptig. Bob tro y bydd y canghennau'n cysylltu maen nhw'n lawrlwytho nodweddion a thueddiadau sydd wedi'u perffeithio drwy'r holl genedlaethau blaenorol. Dychmygwch filiynau o nodweddion ers dechrau'r ddynolryw na lwyddon nhw i gyrraedd y safon. Eich babi yw'r goroeswr o blith y goroeswyr; enillydd y wobr gyntaf yn y Grand Prix esblygol. Roedd yna bobl yn y gorffennol â thraed gweog yn ôl pob tebyg, ond fe ddiflannodd y rheini am fod hwyaid wedi dod i fod ac roedden nhw'n gallu siglo cerdded yn well.

O'r adeg pan oedd hi'n dal i fod yn y groth, gallai eich babi ymffurfio heb system lywio. Mae pob cell yn gwybod yn union i ba leoliad i fynd. Mae cell penelin yn gwybod yn reddfol ei bod i fod i symud i ardal y penelin (neu Aberpenelin, fel y'i gelwir), mae cell ewin bys bawd y droed yn anelu i'r de heb gwmpawd ac mae'n dod o hyd i'r union le y dylai fod. Allwch chi ddychmygu pe bai yna gymysgwch a bod eich ael wedi bwrw gwraidd yn eich cesail? Ni allai unrhyw lawdriniaeth helpu. (Er, pe bai gennych fron yn tyfu allan o'ch talcen, fe allech chi werthu'ch hun mewn ocsiwn fel un o luniau Picasso.)

Does dim angen eich help ar gelloedd ei chorff i ffurfio corff; maen nhw'n gwybod beth maen nhw'n ei wneud ac maen nhw wedi bod yn ei wneud ers miliynau o flynyddoedd. Ond rhaid i

chi – Mami, Dadi neu'r sawl sy'n gofalu amdani – wynebu'r her
o greu'r ymennydd. Chi yw'r prif adeiladwr bellach. Bedair
wythnos ar ôl beichiogi, mae hanner miliwn o niwronau'n cael
eu cynhyrchu bob munud, mwy nag y bydd gan eich babi byth
eto, felly mae'n rhaid i chi fanteisio ar y cyfle hwn gyda'r holl
gnydau nerfol i gysylltu'r rhai fydd eu hangen arni os yw'n mynd
i ffynnu mewn amgylchedd penodol. Fe fyddwch yn ei helpu i
gryfhau'r niwronau fydd eu hangen arni, a bydd y rhai nad oes
eu hangen arni'n diflannu. Gelwir hyn yn niwrogenesis (enw
gwych ar fand).

Er enghraifft, os caiff eich babi ei geni yn y byd gorllewinol,
mae'n debyg na fydd arni angen y sgiliau ar gyfer chwythu saeth
trwyn neu flingo morfil (oni bai ei bod yn dod o Ganada), felly
mae'r niwronau a fyddai'n sefydlu'r rheini'n marw. Gelwir y
broses hon o ddifa'r celloedd gwannaf yn Ddarwiniaeth Niwrol.
Yn yr un modd, pan fydd eich babi'n dechrau ei bywyd mae
ganddi *repertoire* di-ben-draw bron o synau mae'n gallu eu creu,
ond dim ond y geiriau a'r synau mae'n eu clywed yn cael eu
hailadrodd fydd yn llunio ei hiaith frodorol ei hun.

Felly os ydych chi'n gwneud synau clicio iddi bob dydd, ar y
sail hon, bydd yn gallu siarad Xhosa erbyn iddi droi'n ugain oed.
Wrth gyfyngu ar nifer y synau, dydy'r synapsau eraill a fyddai
wedi datblygu ei gwybodaeth o ieithoedd eraill ddim yn cysylltu,
felly gallai ddysgu iaith arall yn nes ymlaen yn ei bywyd, ond
fydd hi byth yn llwyddo i gael yr union sain honno o fflem yn cael
ei beswch a gewch gan siaradwr Almaeneg brodorol, dyweder.

Dysgu cymryd sylw

Rydyn ni'n dysgu cymryd sylw ar ddechrau'n bywydau, yna
rydyn ni'n ei anghofio yn ddiweddarach oherwydd bod ein
sylw'n cael ei dynnu gan yr holl ddewisiadau sydd gennym ni i'w
gwneud. Bydd eich babi'n canolbwyntio'i sylw ar wrthrych nes y
bydd o'r diwedd yn deall ei enw, ei liw a'i siâp, ac yna mae'n
symud ymlaen at y gwrthrych nesaf. Mae eich babi'n cymryd
sylw'n reddfol wrth ailadrodd 'Wa' yn ddi-baid a phwyntio at

gar. Yn ffodus, fydd Mami ddim (fel arfer) yn arthio arni i gau ei cheg am ei bod hi'n anghywir. Mae hi'n cywiro ei babi ac yn gwichian mewn llawenydd pan fydd hi'n cael gair yn iawn o'r diwedd. Gyda phob gair cywir, mae'r babi'n cael chwa o ddopamin, felly mae hi'n cael ysgogiad i ddysgu'r gair nesaf. Mae gan fabi, fel anifail, allu i fod yn gwbl bresennol gyda'i theimladau, p'un a yw'n hapus, yn drist, yn ofnus neu'n ddig. Erbyn i chi dyfu'n oedolyn, fel arfer rydych chi'n cuddio'r teimladau hynny, yn teimlo'n euog am eu cael neu'n eu gwthio'n daclus o dan y mat fel nad ydyn nhw byth yn dod i'r golwg yn gyhoeddus eto.

Ymarfer: gwrando ar eich babi

Dewch â'ch sylw at ble mae eich corff yn cyffwrdd â beth bynnag rydych chi'n eistedd, yn gorwedd neu'n lled-orwedd arno, a newidiwch eich sylw o'r meddwl sy'n clebran i'r teimladau corfforol rydych chi'n eu profi. Nawr symudwch eich sylw at eich anadlu, gan gyfrif o un i ddeg efallai. Codwch eich babi'n ofalus a daliwch hi nes bod ei chalon yn cysylltu â'ch un chi. Dychmygwch pan fyddwch chi'n anadlu allan fod eich anadl yn mynd i mewn i'w chalon, a phan fydd hi'n anadlu allan mae'n mynd i mewn i'ch calon chi. Sylwch i weld a yw curiad eich calonnau'n cydamseru. Yn olaf, daliwch eich babi led braich oddi wrthych ac edrychwch i mewn i'w llygaid, gan sylwi ar yr hyn sydd yno, heb alldaflu eich emosiynau arni, dim ond bod yn y foment.

Nawr, dechreuwch siglo'n ysgafn. Yr iaith Mam arferol sy'n dod o'ch ceg (cofiwch yr 'Wgi, wo, wo, dw di do') yw'r hyn sy'n tawelu ac yn cysuro eich babi. Felly gwnewch y synau babi a gwyliwch ei hadweithiau... mae pob baban yn dwlu ar hyn. Mae eich tôn yr un mor bwysig â mynegiant eich wyneb.

Yn drist iawn, doedd dim o'r wybodaeth hon gen i, felly roedd yn rhaid i mi ddatblygu fy nulliau fy hun. Pan arferai fy merch Marina ddechrau sgrechian, am ba reswm bynnag, roeddwn i'n arfer ymuno â hi fel pe bai'n gystadleuaeth i weld pwy allai

weiddi uchaf, ac roedd hynny'n gwneud iddi roi'r gorau iddi ar ganol sgrechian mewn syndod ac yna byddai'n chwerthin. Efallai na fydd hyn yn gweithio i bob babi, felly byddwch yn ofalus. Wrth iddi fynd yn hŷn, roedd hi'n mynnu fy mod yn canu ar dop fy llais yn ei phartïon pen-blwydd fel rhan o'r adloniant. Ei hoff alaw oedd cân *The Flintstones* wedi'i chanu yn arddull Ethel Merman. Roedd mor swnllyd nes bod clustiau'r plant eraill yn gwaedu.

Nid creu moment Kodak neu gael profiad melys yn unig yw budd yr ymarfer hwn – pan fydd mam yn siglo ei babi neu'n ei dal, mae hi'n cydamseru curiad eu calonnau yn anymwybodol, a phan fydd y babi'n gweld canhwyllau ei llygaid yn fawr, mae'n synhwyro'n reddfol fod ei system barasympathetig (sy'n ein tawelu) yn cael ei chyffroi. Mae hyn yn sbarduno ymateb biocemegol o bleser yn y babi wrth i'w hendorffinau gael eu hysgogi. Os nad yw'r fam yn dangos wyneb da, neu os yw'n gafael ynddi'n ddiofal, neu'n dweud yn siarp, 'Na, paid â gwneud hynna!', mae'n ysgogi llif o gortisol a daw ei system sympathetig yn weithredol. Cefais ychydig gormod o 'na' gan fy nau riant i. Dyna pam dwi'n barod fel arfer am frwydr hyd yn oed yn fy nghwsg.

Niwronau drych

Y peth sy'n help gwirioneddol i greu cytgord rhwng mam a'i babi (er bod rhai gwyddonwyr yn dweud mai rwtsh yw hyn) yw'r hyn a elwir yn niwronau drych. Mae'n ymddangos bod y mathau penodol hyn o niwronau, a geir mewn gwahanol rannau o'r ymennydd, yn egluro sut y gall un cyflwr meddwl efelychu un rhywun arall, trwy gysylltu gweithredu echddygol (*motor action*) â chanfyddiad. Gadewch i mi egluro. Bydd emosiynau'r rhiant (a ddangosir gan fynegiant yr wyneb) yn awtomatig yn tanio niwronau tebyg yn ymennydd y babi ac yn creu mynegiant sy'n union yr un fath; os ydych chi'n gwenu, mae hi'n gwenu.

Gallwch feddwl amdanoch chi'ch hun fel drych emosiynol sy'n rhoi adborth seicolegol unrhyw awr o'r dydd a'r nos. Mae fel pe baech chi wedi gofyn i mi sut roeddwn i a bod yn rhaid i mi syllu i wyneb fy ffrind i roi ateb i chi. Dyma pam mae digrifwyr yn dod yn ddigrifwyr – oherwydd yr angen dwfn ynddyn nhw i weld miloedd o wynebau'n gwenu'n ôl er mwyn gwybod eu bod yn teimlo'n iawn. Os nad yw'r wynebau hynny yno neu os ydyn nhw'n edrych fel pe baen nhw wedi diflasu, mae'r digrifwr yn teimlo'n wag ac yn amddifad. (Fi sy'n dweud hynny; efallai nad yw'n ffaith.)

Beth bynnag, os yw rhiant yn gwenu, mae'r babi'n teimlo'n dda; os yw'n edrych yn wallgof, mae'r babi'n teimlo'n wael. Mae ein hymennydd wedi'i weirio'n uniongyrchol wrth gyhyrau'r wyneb, felly bydd pob chwa o gemegion a chysylltedd niwral wedi'u cysylltu'n uniongyrchol â'n hwynebau gerfydd ein nerfau. Os oes ocsitosin cynnes, clyd yn coginio i fyny'r grisiau, bydd ochrau ein cegau'n codi a'n llygaid yn disgleirio, gan greu gwên. Yn y bôn, os oedd eich mam bob amser yn gwgu wrth edrych arnoch, mae hi ar ben arnoch.

Pot-pourri o wahanol fathau o fynegiant wyneb a'u heffeithiau

Wyneb sy'n gwenu Mae pob wyneb a wnewch yn dylanwadu ar y ffordd mae eich babi'n gweld ei hun. Dydy hynny ddim yn golygu y dylai'r rhiant wenu gwên o gymeradwyaeth drwy'r amser (mae'n debyg y byddai hyn yn plannu hadau narsisiaeth) a gwneud i'r babi gredu mai hi yw'r peth gorau ar y ddaear er mai *putz* (ymadrodd Iddewig am rywun anobeithiol) yw hi.

Ffugio wyneb Os yw eich babi'n credu bod Mami neu Dadi yn ffugio, bydd hi'n amau bod y bobl y bydd yn eu cyfarfod yn nes ymlaen yn ei bywyd yn ffug. Mae hi hefyd yn cael gwers ar sut i guddio ei theimladau (nad yw ond yn ddefnyddiol os yw hi am weithio ar awyrennau).

Wyneb dig Os oes gan riant wyneb blin pan fydd plentyn yn ofidus, mae'n debygol o beri gorbryder iddi yn nes ymlaen – neu bydd ganddi dwitsh fel un Mr Bean.

Wyneb beirniadol Bob tro y bydd y babi'n gweld y mynegiant hwn, mae'n profi teimlad o ofn gyda lefel uchel o gortisol a dogn o gywilydd.

Wyneb difynegiant Dyma'r mwyaf gwanychol o'r holl fathau o fynegiant wyneb: yr wyneb heb ddim mynegiant. Byddai hyd yn oed wyneb dig yn well, oherwydd mae eich babi o leiaf yn cael adwaith. Gyda'r wyneb difynegiant dydy hi ddim yn teimlo ei bod hi'n bodoli hyd yn oed, felly dydy hi ddim yn datblygu ymdeimlad o hunan.

Wyneb caredig Os yw Mami'n cysuro ei babi drwy ddangos wyneb cariadus, cydymdeimladol a thosturiol, mae llawer mwy o obaith ei bod yn adeiladu babi iach a mwy cytbwys.

Gyda llaw, mae tua hanner cant o wahanol fathau o wenau (hunanfodlon, crechwengar, ymffrostgar, nawddoglyd): gwnewch yn siŵr eich bod yn gwisgo'r math cywir. Gwenwch yn y ffordd gywir, neu bydd eich plentyn yn crechwenu arnoch chi am byth.

Ymwybyddiaeth ofalgar i blant

Y dywediad ar gyfer magu plant sy'n fy helpu i yw 'Cysylltu yn hytrach na chywiro'; mae'n eich annog i ailsefydlu cysylltiad gyda'ch plentyn pan fyddwch chi wedi mynd benben â'ch gilydd. Beth yw eich barn chi? Ydych chi'n ei chael hi yr un mor anodd bod yn adfyfyriol drwy'r amser?

Bydd eich babi'n troi'n blentyn yn wyrthiol tua phedair oed. Bydd yn dechrau gofyn cwestiynau i chi fel 'Ydy jam cnau'n dod o'r nefoedd?'; 'Oes babi'n dod allan pan fyddwch chi'n chwythu'ch trwyn?' Dwi ddim yn arbenigwr ar ateb y cwestiynau hyn, felly fe atebais yn gadarnhaol i bopeth... dyna pam eu bod yn dal i aros am Siôn Corn, yn chwech ar hugain oed.

Dydy hi byth yn rhy gynnar i ddeall yr ymennydd, felly fy awgrym cyntaf yw dangos llun i'ch plentyn o sut olwg sydd arno ac esbonio sut mae'n gweithio. Helpwch y plentyn i ddeall bod gan bawb set debyg o adweithiau; mae gan bawb amygdala sy'n nodi perygl, a dyna pam y bydd yn cael ysfa naill ai i drechu'r bwli neu i'w gwadnu hi. Os yw'n deall ein bod i gyd yn rhannu'r cyfarpar hwn, fydd e ddim yn teimlo cywilydd na bai. Felly pan fydd ar fin ffrwydro, gobeithio y bydd yn gallu dweud, 'Dyna fy amygdala'n tanio!' Os yw'n deall effaith emosiynau dwfn neu straen, fydd e ddim yn beio ei hun am golli ei dymer neu fethu gwneud yn dda mewn arholiadau hyd yn oed ar ôl iddo astudio'n galed, oherwydd bydd yn gwybod mai un o'r pethau cyntaf i fynd ar chwâl pan fydd e dan ormod o straen yw ei gof.

Bydd hyn hefyd yn ei helpu i ddeall pan fydd e'n gweithredu o'i ymennydd limbig, a bydd yr wybodaeth hon yn ei symud yn awtomatig i'w gortecs cyndalcennol, ei ymennydd goruwchddynol. Gallwch hefyd ddefnyddio doliau Barbie a / neu Transformers fel cymhorthion gweledol i ddangos gwahanol weithrediadau pob ymennydd. Ond y cymorth perffaith ar gyfer dangos y newid o'r limbig i'r cyndalcennol yw'r Incredible Hulk wrth gwrs.

Efallai ei bod yn ymddangos fel pe bai eich plentyn yn ysu am annibyniaeth, ond ar hyn o bryd mae angen iddo wybod eich bod chi wrth law – rydych chi'n dal i fod yn ddwyfol nes iddo gyrraedd ei arddegau, pan fyddwch chi'n troi'n destun casineb pur. Chi, fel Duw am y tro, yw ffynhonnell yr holl ddiogelwch. Felly, y peth pwysicaf i'w gofio (fel y dywedais o'r blaen) yw peidio â thaflu beichiau eich gorffennol chi ar ei ysgwyddau ef.

Mae ymennydd eich plentyn yn dal yn y broses o gael ei ffurfio, ac un o'ch swyddogaethau chi yw ei helpu i ddeall pam ei fod yn gwneud yr hyn mae'n ei wneud, hyd yn oed os nad oes gennych chi unrhyw syniad pam. Meddyliaeth (*mentalization*) yw'r gair am y syniad o gamu i mewn i esgidiau rhywun arall, term a fathwyd gan y seicolegydd clinigol a'r seicdreiddiwr, Peter Fonagy, a'i gyd-weithwyr. Yr hyn a olyga yw'r gallu i ddeall eich ymddygiad, eich cymhellion a'ch bwriadau eich hun ac felly, ymddygiad, cymhellion a bwriadau pobl eraill. Mae meddyliaeth yn sgìl arbennig o effeithiol i rieni ei gael, gan nad yw'r plentyn yn gwybod sut i wneud synnwyr o'r hyn mae'n ei deimlo. Gyda'ch help chi, yn y pen draw, fe ddaw i allu gwneud hynny. Os ydych chi'n arthio arno, bydd yn arthio'n ôl. Os ydych chi'n ofalgar ac yn wironeddol chwilfrydig, heb fod eich agenda eich hun yn llechu yn y cysgodion, byddwch yn gallu dylanwadu ar ei fioleg yn gadarnhaol. Cofiwch: mae profiad yn siapio strwythur yr ymennydd, a bydd y ffordd rydych chi'n trin eich plentyn yn siapio pwy yw e a phwy fydd e.

Pan fydd eich plentyn yn gwneud rhywbeth sy'n annerbyniol i chi (fel ceisio gwthio ei chwaer i lawr y grisiau) ceisiwch sylwi ar eich ymateb. Os yw'n orthrymus a'ch bod chi'n gwylltio, fyddwch chi byth yn ei gael i ddweud ei ochr ef o'r stori wrthych chi'n onest. Bydd yn mynd i mewn i'r modd amddiffynnol. Ewch ati i weld a allwch fod yn llym ac eto'n dosturiol... ac os gallwch chi wneud hynny, fe fyddwch chi'n sant.

Syrthiais mewn cariad â madfall un tro pan oeddwn yn blentyn ar wyliau yn Jamaica gyda fy rhieni. Fe'i gelwais yn Alvin a threuliais ddyddiau'n ei wylio'n llawen yn neidio o'r nenfwd i'r wal i'r llawr. Ceisiodd fy mam ei fflysio i lawr y tŷ bach, a thorrodd hynny fy nghalon. Dim rhybudd: yn syth i lawr y tŷ bach. Yn amlwg, achosodd hyn drawma sylweddol i mi, neu fyddwn i ddim yn dal i'w gofio.

Aeth pethau o ddrwg i waeth. Cefais fadfall arall, o'r enw Alvin 2, ac yn ddiarwybod i fy mam, paciais ef yn fy nghês dillad i fynd ag e adref i Chicago. Credwn y byddai'n gallu anadlu rhwng y dillad. Wrth fynd drwy'r dollfa, fe agoron nhw ein bagiau a dyna ble'r oedd Alvin, wedi'i wasgu'n fflat ac yn stiff. Rhoddodd fy mam bryd o dafod i mi, heb weld dyfnder fy nghariad tuag at Alvin.

Mae Peter Fonagy yn ysgrifennu bod gan rieni sy'n gallu darllen meddwl eu plentyn gan ddeall yr hyn sy'n digwydd yn eu meddyliau eu hunain ar yr un pryd rywbeth a elwir yn 'weithredu adfyfyriol' (*reflective functioning*), sy'n hyrwyddo sgiliau cymdeithasol da a'r gallu i reoli a rheoleiddio eu hemosiynau eu hunain. Mae rhiant adfyfyriol yn gweld bod gan ei blentyn ei feddwl ei hun, ymadrodd sydd (am ryw reswm) yn cael ei ddefnyddio mewn ffordd ychydig yn ddifrïol yn aml i ddisgrifio plentyn penderfynol. Felly pan fydd Fonagy yn defnyddio'r term 'rhianta adfyfyriol', mae'n golygu'r dull o fagu plant mae pawb ohonon ni'n breuddwydio amdano. Wrth gwrs, mae gallu gwrando'n amyneddgar a mynd i mewn i feddwl yr anghenfil sy'n gwasgu tost i mewn i'n sychwr gwallt y tu hwnt i'r rhan fwyaf ohonon ni.

Ymarfer: byddwch yn chwilfrydig, nid yn unben

Os ydych chi, fel rhiant, yn wynebu sefyllfa debyg i'r un gyda'r fadfall (*gweler* Alvin), yn gyntaf, gwnewch ychydig o ymwybyddiaeth ofalgar a phan fyddwch chi'n teimlo'n fwy sefydlog a digyffro, gofynnwch i'ch plentyn ddweud wrthych chi beth yn union mae'n ei garu am y fadfall. Dydy hyn ddim yn golygu wedyn y dylech chi ddweud, 'Fe gei di gant o fadfallod os yw'n dy wneud di'n hapus', ond cyn i chi ddechrau dweud y drefn, o leiaf cydnabyddwch safbwynt eich plentyn. Peidiwch â'i gadael hi ar: 'Iawn, felly bu farw'r fadfall. Mae pawb ohonon ni'n marw. Paid â bod yn gymaint o fabi, rwyt ti'n fachgen mawr nawr.' Yn lle hynny, dywedwch rywbeth fel: 'Efallai y byddai'n hapusach yn llamu o blanhigyn i blanhigyn yn yr awyr agored gyda'i ffrindiau yn hytrach nag wedi'i wasgu'n fflat mewn cês. Beth wyt ti'n feddwl?' Efallai y byddai'n gallu cyd-fynd â hynny. Os ydych chi'n chwilfrydig am deimladau eich plentyn, mae'n rhyddhau endorffinau teimlo'n dda ynddo, ac felly, pan fyddwch yn egluro'ch safbwynt, fydd e ddim mor amddiffynnol. Dyma rai pethau i'w hystyried.

- Beth oedd eich meddyliau a'ch teimladau mewnol pan ddigwyddodd y sefyllfa?
- Os cawsoch ymateb greddfol wedi'i sbarduno gan agwedd neddygol, sut y llwyddoch chi i sefydlogi eich hun?
- Beth oedd ymateb y plentyn cyn ac ar ôl yr ymarferiad?
- Ydych chi'n fwy hoff o fadfallod bellach?

Ymdrin ag emosiynau

Peidiwch â cheisio gwneud popeth yn well pan fydd eich plentyn yn teimlo emosiwn dwfn. Mae pobl wedi'u creu i deimlo'r ystod gyfan o emosiynau, felly gadewch iddo brofi cynifer ag y gall, er eich bod yn marw tu mewn am ei fod yn brifo. Ddylech chi ddim osgoi emosiynau, felly peidiwch â dod â'r gwlân cotwm allan yn rhy fuan; mae angen iddo ddatblygu dulliau o ymdopi er mwyn iddo allu bod yn wydn yn nes ymlaen yn ei fywyd pan na fydd pethau'n digwydd fel y bydd e eisiau iddyn nhw ddigwydd.

Pan oedd Max yn fach, aethon ni i barti yn y parc ac fe gafodd ei fwlio ar y castell neidio. Roedd yn peri loes fawr i mi fod rhywun yn gallu gwneud hyn i fy mab perffaith a gwneud iddo ddioddef. Doedd Max ddim hyd yn oed yn sylwi nac i'w weld yn poeni. Ond fe drois i'n derfysgwr a mynd i mewn i'r castell neidio a cheisio tagu'r bwli. Roedd Max wedi dychryn drwyddo. (Allai hi ddim bod yn olygfa braf, gan fy mod wyth mis yn feichiog hefyd, felly roeddwn yn colli fy nghydbwysedd a chwympo o hyd.)

Yn sicr, fe wnes i gamgymeriadau fel rhiant, ond allech chi ddim dweud nad oeddwn i'n barod i ddangos fy emosiynau. Mae rhai rhieni yn cadw eu teimladau dan gaead ac yn gwenu fel pobl ynfyd er eu bod yn gynddeiriog tu mewn. Bydd eu plant yn gwybod bod rhywbeth o'i le ond fyddan nhw ddim yn gallu datrys eu dryswch. Felly, pan fydd eu plant wedi tyfu'n hŷn, byddant yn gwenu'n union fel nhw, ac yn union fel nhw, bydd yr holl ddicter yn mudferwi yn eu seler. Os ydych chi'n mynegi eich emosiynau mewn ffordd nad yw'n fygythiol, bydd eich plentyn yn gallu ymdrin â'i emosiynau ei hun.

Ymarfer: ymdrin ag emosiynau

Pan fydd eich plentyn wrthi'n profi emosiwn negyddol, synhwyrwch yr effaith mae'n ei chael ar eich emosiynau eich hun a heb geisio eu gwrthsefyll na'u gwadu, canolbwyntiwch ar y teimladau yn eich corff yn hytrach na'r straeon yn eich pen (*gweler* emosiynau ymwybyddol ofalgar yn y cwrs chwe wythnos). Nid diben ymwybyddiaeth ofalgar yw ceisio teimlo'n dda; mae'n golygu ein bod yn gallu ymwneud ag emosiynau negyddol fel pe baen nhw'n ffenomen ffisegol yn unig – does dim angen eu dadansoddi. Pan fyddwch chi'n teimlo bod eich meddwl wedi gostegu ar ôl i'r niwl coch godi, byddwch yn gallu gwrando ar eich plentyn heb eich ymateb tanllyd sydyn ac yn gallu adlewyrchu ei deimladau, gan ddweud rhywbeth fel: 'Mae'n rhaid bod hynny wedi brifo. Byddwn i wedi teimlo'n wael hefyd, pe bai hynny wedi digwydd i mi.' Y syniad yw dilysu ei deimladau yn hytrach na'i fygu â: 'Dyna ni. Mae Mami yma. Bydd popeth yn iawn nawr.'

Adrodd straeon

Drwy glywed straeon, mae plant yn gwneud synnwyr ohonyn nhw'u hunain ac o'r byd. Enwau'r cymeriadau'n unig sy'n newid; mae straeon yn archdeipiau a'r themâu'n rhai byd-eang. Fel arfer, mae'r straeon yn sefydlu cwmpawd moesol gyda dyn drwg a dyn da; mae'r dyn da fel arfer yn ennill, yn bennaf oherwydd ei fod yn dda (ac eithrio mewn straeon tylwyth teg Almaenig, lle mae bleiddiaid yn difa teuluoedd cyfan am resymau nad ydyn nhw'n hysbys heblaw i'r Brodyr Grimm, yr awduron). Fel arfer, caiff rhyw fath o dylwythen deg ei thaflu i'r gymysgedd i wneud pethau'n fwy diddorol a darparu esgus gwych i newid gwisg. Mae straeon yn helpu i sefydlu hunangofiant y plentyn ei hun, i roi rhywfaint o naratif i'w fywyd, ac ymdeimlad cryf o'r hunan.

Ni yw'r unig rywogaeth sy'n adrodd straeon; ni all unrhyw anifail arall ar y ddaear ei wneud… gofynnwch iddyn nhw, a go brin y cewch chi unrhyw beth, dim ond bref cyn cerdded i ffwrdd.

Dwi'n tybio eich bod eisoes yn darllen straeon i'ch plentyn. Os na, pam ddim? Beth bynnag, cymerwch amser nawr (ond dim ond os yw'n awyddus i wneud) i awgrymu y gallai, un tro efallai, yn hytrach na gwrando ar stori, ddweud ei stori bersonol ei hun hyd yma. Beth bynnag mae'n ei ddweud, gwrandewch, a chadwch eich sylw wedi'i hoelio ar y stori ac ar ei ymddygiad. Os yw'n diflasu neu os nad yw am barhau, rhowch y gorau iddi. Fel arfer, pan fyddwch chi'n gwrando gydag egni, bydd eich plentyn yn teimlo'n llawn egni, ac os ydych chi'n chwilfrydig ac yn dosturiol, bydd yn llawn cyffro ac yn llawn cymhelliant i barhau.

Ymarfer: sioe bypedau

Gofynnwch i'ch plentyn adrodd stori, unrhyw stori. Byddwch yn dysgu llawer amdano trwy ei ddewis o blot, y cymeriadau a'r ffordd mae'n dweud y stori. Os nad yw eisiau gwneud hynny, peidiwch â mynnu. Neu efallai yr hoffai ddefnyddio ychydig o ddoliau neu ffigurynnau i helpu i adrodd y stori. Efallai mai eich plentyn yw un ddoli, ac mai chi yw un o'r teganau eraill, neu Dadi neu'r gwarchodwr. Gall darganfod sut mae eich plentyn yn gweld eich perthynas nid yn unig gydag e ond gyda'r teulu cyfan fod yn ddadlennol. Beth bynnag sy'n digwydd, peidiwch â thorri ar ei draws na gwneud awgrymiadau: cadwch eich ceg ar gau.

Ymarfer: hunanreoleiddio cynnar

Cyn i mi gyrraedd yr ymarferiad ei hun, dwi am bwysleisio mai un o'r pethau pwysicaf sy'n rhaid i blentyn ei ddysgu yw'r gallu i oddef oedi, i ymatal rywsut rhag profi boddhad ar unwaith. Os ydych chi'n disgwyl i bopeth yr hoffech chi ei weld ddigwydd yr eiliad hon, fe gewch eich siomi.

Mae arbrawf enwog yn dangos sut mae'r gallu i ymatal rhag profi boddhad yn y fan a'r lle mewn plentyndod yn effeithio ar lwyddiant academaidd a chymdeithasol yn ddiweddarach mewn bywyd. Gofynnwyd i blant pedair oed, yn eu tro, eistedd mewn ystafell wrth fwrdd gyda llond bag o falws melys arno. Dywedwyd wrth y plant fod yr arbrofwr yn mynd i adael yr ystafell am bum munud ac na ddylen nhw fwyta'r un ohonyn nhw. Pe baen nhw'n ymatal rhag eu bwyta, gallai'r plant gael dwy ohonyn nhw pan ddôi'r arbrofwr yn ei ôl. Dywedwyd wrth rai o'r plant hefyd, pan fyddai'r unigolyn a oedd yn cynnal yr arbrawf yn gadael yr ystafell, er mwyn eu helpu i beidio â bwyta'r malws melys, y dylen nhw geisio peidio â meddwl sut flas fyddai arno a sylwi'n fanwl ar ei siâp, ei liw a'i faint yn lle hynny. Llwyddodd y rhai a ganolbwyntiodd ar y manylion ffisegol hyn i ymatal yn well rhag bwyta'r malws melys na'r rhai oedd yn meddwl am y blas. Dyma wers mewn ymwybyddiaeth ofalgar gynnar: mae canolbwyntio ar wrthrych yn y foment yn golygu na allwch gnoi cil, a bydd dychmygu'r blas yn achosi meddyliau rhwystredig diddiwedd am ddyheu am ei fwyta a meddwl yn y dyfodol am ba mor flasus fydd gwneud hynny.

Roedd gan y plant a ddangosodd y gallen nhw ymatal gortecs cyndalcennol mwy datblygedig na'r plant na allen nhw ymatal. (Cofiwch: mae cortecs cyndalcennol mwy datblygedig yn golygu mwy o hunanreolaeth, mwy o allu i gymryd sylw a meddwl â rhan uchaf yr ymennydd.) Tyfodd y plant pedair oed a oedd â'r hunanreolaeth fwyaf yn bobl ifanc yn eu harddegau a wnâi'n well yn yr ysgol na'u cyfoedion mwy mympwyol. Roedd ganddyn nhw sgiliau sylwi a chanolbwyntio gwell drwy gydol eu bywydau.

Allwch chi ddim hyfforddi plentyn yn llwyddiannus i wrthsefyll temtasiwn drwy swnian arno. Mae hyn yn achosi straen, ac mae'n debygol iawn o fachu'r bag cyfan a chnoi ei ffordd drwy bob un.

Yr hyn allwch chi ei wneud yw ei helpu, gan ddefnyddio syniadau chwareus ac arloesol, i ddysgu sut i ymatal rhag boddhau ei ddyheadau. Rhaid i chi wneud i'r peth ymddangos fel pe bai'r plentyn yn cymryd rheolaeth dros ei emosiynau ei hun; dydych chi ond yno yn y cefndir i'w ddal rhag syrthio os yw pethau'n mynd yn anodd.

Dwy gêm wych ar gyfer dysgu plant ifanc i ddefnyddio eu cortecs cyndalcennol sy'n dal i ddatblygu yw 'Mae Simon yn dweud' a 'Cerfluniau cerddorol'. Dilyn cyfarwyddiadau mewn pryd yw'r allwedd hud o ran hunanreolaeth. Gorau oll y bydd eich plentyn am stopio pan fydd y gerddoriaeth yn stopio, neu am wneud y symudiadau cywir yn ôl y gorchymyn yn ystod 'Mae Simon yn dweud', cryfaf oll y daw ei weirio cyndalcennol ar gyfer rheolaeth wybyddol. Dylai'r wobr gyntaf go iawn fynd i'r plentyn a all ddweud 'na' wrth ei fympwyon.

Ymarfer: teimlo fel glob eira

Rhowch glob eira yn anrheg i'ch plentyn. Os nad ydych yn gwybod beth yw un o'r rhain am ryw reswm (er enghraifft, am eich bod wedi bod mewn coma ers i chi gael eich geni), pelen glir yw hi sydd â golygfa sentimental, neu dwristaidd, fel arfer yn sownd wrth y gwaelod – Iesu yn ei grud efallai, wedi'i ludo i mewn yno gyda'r tri brenin. Pan fyddwch chi'n ysgwyd y glob mae'n troi'n gawod wyllt o gliter neu eira gwyn. (Dychmygwch gymaint o syndod y byddai Iesu wedi'i gael pe bai hynny wedi digwydd mewn gwirionedd.) Pan fyddwch chi'n dal y glob yn llonydd, mae'r holl gythrwfl yn tawelu. Awgrymwch i'ch plentyn efallai yr hoffai ysgwyd y bêl a gwylio'r cythrwfl yn tawelu. Dywedwch wrtho y gall ddefnyddio'r glob eira pan fydd yn teimlo'n ansicr neu wedi cynhyrfu, fel adlewyrchiad o sut mae'n teimlo. Po fwyaf dig neu rwystredig mae'n teimlo, caletaf y dylai ei ysgwyd. Pan fydd yn ei ddal yn llonydd, dylai ganolbwyntio ar y sioe sy'n digwydd yn y bêl. Pan fydd y storm o gliter wedi setlo, gofynnwch iddo a all ddychmygu y gallai'r lluwch yn y glob eira fod yn debyg i sut mae'n teimlo. Byddwch yn ddidaro ac yn chwilfrydig. Dyma rai pethau eraill i'w hystyried.

- Beth oedd e'n ei deimlo pan ysgydwodd y bêl?
- Beth oedd e'n ei deimlo wrth wylio'r eira?
- Ydy e'n teimlo bod ei emosiynau hefyd wedi tawelu, neu beidio?

Os yw'n mwynhau'r profiad ac yn dweud ei fod yn gwneud iddo deimlo'n dawelach, dywedwch wrtho y gall ddefnyddio'r glob eira pryd bynnag mae'n teimlo bod ei emosiynau'n mynd yn drech nag e. Os yw ar fin sefyll arholiad, os bydd ffrind yn ei wneud yn ddig neu os yw'n teimlo bod yr athro wedi bod yn annheg wrtho, gall ddefnyddio'i glob eira cyfrinachol, ei ysgwyd a llonyddu ei feddwl gyda'r gliter. Bydd hyn hefyd yn ei hyfforddi i adnabod pryd mae ei feddwl wedi cynhyrfu ac i sylweddoli y gall ddod ag ef yn ôl i'r pwynt tawel heb feio ei gyflwr meddwl ansefydlog ar rywun arall. Mae hon yn enghraifft o hunanreoleiddio cynnar. Os yw eich plentyn yn dysgu hyn pan fydd yn ifanc, erbyn iddo dyfu'n oedolyn bydd yn adnabod yr adegau pan fydd yn llithro i mewn i'r rhan limbig o'i ymennydd. Hefyd, trwy gadw ei sylw ar ei deimladau crai heb feddwl pwy sydd ar fai, fe fydd yn gwybod y bydd y teimladau'n newid yn y pen draw. Maen nhw bob amser yn gwneud hynny.

Rywbryd, pan fydd tua hanner cant ac un oed, efallai y bydd yn gallu tawelu ei feddwl heb y glob eira hyd yn oed, ond os na fydd, mae glob eira'n well na chymryd heroin.

Ymarfer: bod yn dylluan

Seiliais yr ymarfer hwn ar ymarfer mewn llyfr gwych gan Eline Snel o'r enw *Sitting Still Like a Frog*, llyfr plant i ddysgu ymwybyddiaeth ofalgar trwy gemau dychmygus. Mae'r awdur yn rhoi amryw o ymarferion ac mae DVD yng nghefn y llyfr. Dwi'n mynd i roi fy fersiwn i i chi. Gobeithio y gwnaiff Eline faddau i mi.

Gofynnwch i'ch plentyn ddisgrifio beth mae tylluan yn ei wneud tra bydd yn eistedd ar gangen coeden (y dylluan, nid eich plentyn). Gobeithio y bydd yn dweud, 'Mae'n eistedd yn llonydd ac yn symud ei phen a'i llygaid yn unig. Mae'n edrych yn effro iawn ac mewn rheolaeth.' Nawr gofynnwch iddo ddychmygu bod yn dylluan, yn eistedd yn llonydd iawn ar gangen coeden heb symud na hedfan i ffwrdd, dim ond sylwi ar bopeth sy'n digwydd o'i gwmpas. Gallwch ddweud wrtho fod tylluan yn ddoeth iawn ac yn sylwi ar bopeth. Gofynnwch iddo sylwi ar blu'r dylluan yn codi pan fydd yn anadlu i mewn ac yn gostwng pan fydd yn anadlu allan, a gofyn iddo symud ei lygaid fel y byddai tylluan yn ei wneud. Ar ôl ychydig, gofynnwch iddo gau ei lygaid a cheisio clywed pob sŵn o'i gwmpas ac unrhyw sŵn sy'n dod o'r tu mewn iddo. Dylai wrando'n astud ar bob smic a hyd yn oed ar yr hyn sydd i'w weld yn dawel. Nawr gofynnwch iddo, gyda'i lygaid ar gau, a yw'n gallu arogli unrhyw beth.

Ar ôl ychydig eto, gofynnwch iddo a yw'n sylwi bod ei anadlu'n arafu. Os yw'n sylwi, gofynnwch iddo a yw'n sylwi bod ei feddyliau'n arafu fel ei anadlu. Os yw'n dweud nad ydyn nhw, mae hynny'n iawn hefyd, oherwydd ei fod yn dysgu sylwi ar sut mae ei gorff yn teimlo tu mewn.

Dywedwch wrth eich plentyn y gall ddychmygu bod yn dylluan, yn eistedd yn llonydd a theimlo'i blu'n symud i fyny ac i lawr, pryd bynnag mae'n teimlo'n aflonydd, yn ofnus neu dan bwysau. Efallai y bydd yn teimlo'n fwy llonydd ac yn gallu canolbwyntio mwy pan fydd angen iddo ymdopi â phrofion, bwlio, neu pan fydd rhywun yn ei frifo. Cofiwch ddweud bod pawb yn teimlo'r emosiynau ofnus hyn, felly ni ddylai esgus nad ydyn nhw yno na mynd yn fwy ofnus hyd yn oed, dim ond sylwi ar yr emosiynau hyn a dychmygu bod yn dylluan sy'n canolbwyntio'n unig ar beth sydd o flaen ei lygaid.

Mae dychmygu bod yn dylluan hefyd yn ddefnyddiol pan fydd eich plentyn eisiau mynd i gysgu ond yn methu oherwydd bod ei feddwl yn llawn o bryderon, cynlluniau neu gyffro, neu am ei fod yn ailfeddwl ynghylch beth y gallai / dylai fod wedi'i wneud mewn rhyw sefyllfa neu'i gilydd. Dywedwch wrtho y gall ddychmygu beth fyddai'r dylluan yn ei wneud wrth fynd i gysgu. Mae'n debyg y byddai'n cau ei llygaid ac yn gadael i'r holl feddyliau fynd a dod, a dychmygu ei phlu'n codi a disgyn gyda phob anadl.

Yna gall eich plentyn ddweud, 'Nos da, dylluan.' A gallwch chi fynd i'ch gwely ac esgus bod yn dylluan hefyd.

8

Ymwybyddiaeth ofalgar ar gyfer plant hŷn a phobl ifanc yn eu harddegau

Ymwybyddiaeth ofalgar mewn ysgolion

Ysgrifennodd y seicolegydd enwog William James, 'Y gallu i ddod â sylw sy'n crwydro yn ôl yn wirfoddol, drosodd a throsodd, sydd wrth wraidd crebwyll, cymeriad ac ewyllys. Byddai addysg a fyddai'n gwella'r gallu hwn yn addysg ragorol.'

(A byddwn i wedi dweud hynny pe na bai e wedi gwneud.)

Dylai addysg ymwybyddiaeth ofalgar fod yn orfodol mewn ysgolion. Dydy hi ddim yn cymryd athrylith i weld pe bai myfyrwyr yn datblygu sgiliau cymdeithasol ac emosiynol ar wahân i ddarllen, ysgrifennu a... beth bynnag yw'r un olaf (doedd fawr o siâp arna i yn yr ysgol), y gallai arwain at ostyngiad mewn troseddau, hunan-niweidio, camddefnyddio cyffuriau, cyfraddau salwch meddwl a hyd yn oed hunanladdiad. Dwi'n gobeithio bod rhywun yn y llywodraeth yn darllen hwn.

Ar raddfa lai, pe gallai'r genhedlaeth ddiweddaraf hon ddysgu bod yn llai barus nag oedden ni, efallai y gallen nhw achub y blaned rydyn ni wedi'i dinistrio. Yr hyn rwy'n ei olygu wrth ddeallusrwydd emosiynol yw dysgu sut i gysylltu â bodau dynol eraill, gan greu ymddiriedaeth a chydberthynas – a, mentraf ddweud, tosturi. Dydyn ni ddim yn arbenigo ar y setiau sgiliau hyn nawr, ac mae'n ymddangos mai rhai o'r bobl ddisgleiriaf yw'r rhai sydd fwyaf ar ei hôl hi'n emosiynol. Mae ganddyn nhw ymennydd, ond y 'llwyddiannau' mawr hyn yw'r rhai sy'n rhoi'r amser caletaf i'r gweddill ohonon ni weithiau, a heb gydwybod ynglŷn â hynny chwaith (*gweler* Bernie Madoff, bwrdd cyfarwyddwyr Enron, Martha Stewart, ac ati).

Y dyddiau hyn, mae plant yn cael eu gorfodi i lyncu gwybodaeth er mwyn cael y graddau. Pwy sy'n poeni a ydyn nhw'n deall y pwnc cyn belled â'u bod yn cofio'r ffeithiau ac yn gwneud yn wych yn yr arholiadau? Pan fyddwn yn cael ein pwmpio'n rhy lawn o bwysau, y peth cyntaf i chwalu a llosgi yw'r cof. Sut mae disgwyl i blant ffynnu neu ddysgu unrhyw beth pan fyddan nhw'n cael eu gwthio i eithafion i gael graddau uchel nes nad ydyn nhw'n gallu cofio dim? Mae ymennydd plant yn debyg i fomiau bach cudd sy'n gallu ffrwydro yn nes ymlaen yn eu bywydau o gael eu rhoi dan ormod o bwysau.

Roedd gen i ddiddordeb mewn hanes ers talwm – nes i mi orfod gwthio'r Ymerodraeth Fesopotamaidd gyfan i mewn i fy ymennydd mewn un noson... a chael D am fy nhrafferth. Soniais i ddim amdani byth wedyn: doedd Mesopotamia o ddim diddordeb imi am weddill fy oes. Trueni. Roedd yna gymaint o bynciau y byddwn wedi bod â diddordeb yn eu hastudio, ond roeddwn i'n gwybod, gyda phob un ohonyn nhw, y byddai'r diwrnod yn dod pan fyddai'n rhaid i mi chwydu fy ngwybodaeth ar ddarn o bapur mewn amser cyfyngedig. Felly collais fy archwaeth at addysg yn gynnar iawn.

Anghofiwch am gael eich ysbrydoli gan unrhyw beth: eich cenhadaeth, fel plentyn, yw llwyddo i gyrraedd y gris nesaf ar yr ysgol, a'r nesaf, a'r nesaf wedyn; bydd rhywbeth bob amser y bydd yn rhaid i chi ei basio. Allwn i byth ddistyllu'r holl wybodaeth a gâi ei rhoi i mi ar gwrs yn draethawd wedi'i saernïo'n dda; dwi'n ysgrifennu fel dwi'n siarad, ac weithiau does dim diwedd i frawddeg. Dyma pam nad ydw i'n gwybod unrhyw hanes, mathemateg, ieithoedd na'r rhan fwyaf o'r pynciau eraill y llwyddais i'w methu mor rhagorol.

Os nad ydych yn methu, dydych chi ddim yn ymladd. Yr arloeswyr sy'n ceisio, yn methu, yn ceisio, yn methu... dyna'r gwir enillwyr. Dylid ysgrifennu ar bob carreg fedd: 'Ymdrechodd ymdrech deg.' Cafodd pob dyfais a chrefft newydd ei dilorni ar y cychwyn. Mae yna lawer o bobl sy'n tueddu i frwydro yn erbyn syniadau gwreiddiol, yn bennaf am nad nhw sy'n eu cael. Dylai athrawon ddysgu plant i fynd am y syniad gwych heb ofni cael F am sillafu pan fyddan nhw'n ysgrifennu eu campwaith. Mae'n siŵr na allai Mozart sillafu nac unrhyw Fesopotamiad chwaith. (Dysgais gymaint â hynny.) Yn hytrach na chael eu gorfodi i wthio gwybodaeth i feddyliau plant er mwyn iddyn nhw allu ei chwydu ar y papur arholiad yn nes ymlaen ac anghofio amdani'r diwrnod wedyn, dylai athrawon geisio tanio'u dychymyg. Nid wrth ei bwyso mae pesgi mochyn.

Tra dwi wrthi, credaf y dylai ysgolion ddysgu cwrs ar grefft methu. Mae angen i fyfyrwyr wybod sut i ymdopi â methiant mor gynnar â phosib oherwydd, yn ddiweddarach yn eu bywydau, fe gân nhw'u peledu gan fethiannau. Os ydyn nhw'n credu o ddifrif fod eu statws fel Capten y Tîm yn mynd i barhau ar ôl iddyn nhw raddio o'r ysgol, fe gân nhw fedydd tân a hanner yn hwyr neu'n hwyrach gyda llosgiadau trydedd radd.

Dyma pam mae'r plant siriol, pert, poblogaidd yn yr ysgol yn aml yn dod yn ddibynnol ar grac cocên yn y pen draw. Doedden nhw ddim yn barod ar gyfer y byd mawr; doedden nhw ddim wedi dysgu'r wers bwysicaf oll: allwch chi ddim bod yn siriol am byth. Fydd rhes o ddannedd gwenog, bronnau mawr a dwy blethen yn eich gwallt o fawr o ddefnydd i chi pan fyddwch chi'n bump a deugain oed.

Dyfyniad o araith a roddais pan raddiodd fy mhlentyn o'r ysgol uwchradd

Gofynnwyd i mi roi'r prif anerchiad. Y flwyddyn cynt, Daniel Craig wnaeth hi... sôn am ostwng y safon! Penderfynais ei wneud yn ddathliad o fethiant. Felly dyma ni.

Wnes i ddim ffynnu yn yr ysgol. Dechreuais fel myfyriwr gradd D ond weithiau roeddwn yn fyfyriwr gradd C gyda thueddiadau troseddol – fe wnaethon nhw ysgrifennu at fy mam yn dweud hynny.

Ysgrifennodd fy athro teipio hefyd fod gen i feddwl rhywun a fyddai'n glanio yn y carchar yn y pen draw. Y pynciau roeddwn yn arbenigo arnyn nhw oedd chwarae triciau a smygu yn nhai bach y merched. Roeddwn i hefyd yn darparu gwasanaeth tyllu clustiau yn yr ystafell gotiau.

Fe fyddwn i'n gwneud unrhyw beth i osgoi gorfod mynd i'r ysgol, felly fe wnes i roi pysgod amrwd yn y goleuadau ar y nenfwd; bu'n rhaid gwacáu'r ysgol gyfan a ddaeth neb i wybod o ble roedd y drewdod yn dod na pwy a'i hachosodd. Fe wnes i greu llosgfynydd yn y dosbarth gwyddoniaeth a roddodd yr ysgol ar dân. Allwn i ddim canolbwyntio am fod fy mywyd gartref yn ansefydlog, felly cefais fy rhoi yn y dosbarth adfer mewn Saesneg lle nad oedd neb yn siarad iaith gyntaf nac iaith olaf. Roedden nhw'n gofyn i ni ddarllen ein hoff gerdd, ond doedd neb yn gwybod un, felly byddai rhai ohonon ni'n darllen geiriau caneuon poblogaidd; roedd unrhyw beth arall yn ormod o waith. Dwi'n cofio cael sgorau mor isel yn y profion SAT fel bod fy mam wedi mynnu bod rhaid bod rhywbeth o'i le ar y peiriant graddio a gwnaeth i mi ailsefyll yr arholiadau. Pan oedden nhw'n gofyn yn y prawf p'un o'r rhain sydd ddim yn cyd-fynd â'r gweddill – rhinoseros; ci; eryr; artisiog – ni allwn roi ateb. Allwn i ddim gweld unrhyw wahaniaeth.

Dwi'n meddwl mai'r rheswm pam fy mod i wedi methu gyda chymaint o bethau oedd oherwydd bod pawb wedi anobeithio a rhoi'r ffidil yn y to gyda fi. Mae'n wir fy mod i'n rhyfedd, ond pwynt mynd i'r ysgol yw cynnau rhywbeth i roi archwaeth am chwilfrydedd i chi. Os gallwch chi gadw'r chwilfrydedd hwnnw ynghyn, bydd gweddill eich bywyd yr un fath â chael A seren, heb orfod bod yn seren.

Mae chwilfrydedd yn ein gwneud yn well na'r anifeiliaid. Yn anffodus, does dim llawer o bobl yn ei ddefnyddio. Mae ganddyn nhw chwilfrydedd, ond mae'n colli ei werth am nad yw'n cael ei ddefnyddio. Fydd y rhan fwyaf o bobl dwi'n eu cyfarfod ddim yn gofyn cwestiynau, ac mae'r rhain yn cynnwys rhai o'r bobl ddisgleiriaf, gydag IQ mwy na dim ar y blaned. I mi, does ganddyn nhw ddim chwilfrydedd ac felly maen nhw'n ffyliaid. Cawn ein geni gyda'r nodwedd hon, felly pryd ydyn ni'n colli golwg arni? Fel plant, rydyn ni'n newynu am wybodaeth, does byth ddigon ohoni i'w chael; dydyn ni ddim yn poeni beth yw'r stori hyd yn oed, cyhyd â'i bod yn ein hysgogi. Yna daw'r ysgol. Yr hyn sy'n lladd y fflach o chwilfrydedd yw'r ffaith bod popeth yn dibynnu ar radd. Fydd dim byd yn diffodd diddordeb yn gynt. Dwi'n ymwybodol y gallai graddau uchel agor y drws i brifysgol wych, lle byddwch chi'n mynd i'r partïon gorau, ond gallwch fynd yn ddibynnol ar hel graddau fel hyn a (hyd yn oed yn waeth) os yw eich rhieni'n eich gwthio chi'n rhy galed, gallwch fynd i'r arfer o hela sgwarnog am weddill eich oes, gan feddwl bod yna wobr o'ch blaen, ond bydd y wobr honno ryw fymryn bach y tu hwnt i'ch gafael bob tro. A phan fyddwch chi'n gorchfygu rhywbeth, efallai mai gwneud hynny'n unig er mwyn trechu'r gystadleuaeth fyddwch chi yn hytrach nag er mwyn y pleser personol o gyrraedd nod. Os ydych chi'n gwneud popeth am arian neu i greu argraff ar eraill, gan gynnwys eich rhieni, mae hynny'n wallgofrwydd. Dydy bywyd ddim yn werth ei fyw oni bai eich bod yn dod o hyd i rywbeth rydych chi'n ei garu.

Dwi'n gwybod bod yr athrawon yma wedi cynnau gwreichionen mewn pwnc i bob un ohonoch chi. Rhaid bod rhywun wedi cynnau rhywbeth ynof fi, oherwydd pan ddaeth act gyntaf fy mywyd i ben (allwn i ddim gwneud gwaith teledu mwyach) roedd angen i mi ailddechrau. Yn bersonol, fe wnaeth hyn fy chwalu am rai blynyddoedd, ond cofiais fy mod i wedi mwynhau seicoleg unwaith, felly es ar yr awyren olaf allan o Aberiselder a mynd yn ôl i'r ysgol ychydig flynyddoedd yn ôl i'w hastudio. Y tro hwn, doedd neb i swnian arna i i ymladd am radd. Ac os llwyddais innau i wneud y naid gwantwm honno, gall unrhyw un lwyddo. Dysgwch sut i fethu'n dda ac yna codwch eto... ac os nad ydych chi'n ffitio yn y bocs, popeth yn iawn – fe allwch chi ddyfeisio bocs newydd.

Dwi am orffen gyda'r dywediad hwn, gan fy mod i wrth fy modd ag ef: 'Prawf yw'r bywyd hwn. Dim ond prawf. Pe buasai'n fywyd go iawn, byddech wedi cael cyfarwyddiadau pellach ar ble i fynd a beth i'w wneud.' Gwnewch yn siŵr eich bod yn byw pob munud yn driw i chi'ch hun.

O'r diwedd, mae ymwybyddiaeth ofalgar yn cael ei dysgu mewn ysgolion. Mae rhaglen MindUP Goldie Hawn wedi bod yn llwyddiannus iawn yn yr Unol Daleithiau, a chaiff ei defnyddio ym Mhrydain hefyd erbyn hyn. Enw un o'r rhaglenni ymwybyddiaeth-ofalgar-mewn-ysgolion mwyaf llwyddiannus yn y Deyrnas Unedig yw .b (dot b). Dyfeisiwyd y prosiect gan Chris Cullen a Richard Burnett, ymhlith eraill. Er mwyn gallu dysgu .b rhaid i'r athrawon fynd trwy gwrs hyfforddiant ymwybyddiaeth ofalgar wyth wythnos o hyd eu hunain, oherwydd bod angen iddyn nhw allu gwneud yr hyn maen nhw'n ei bregethu. Mae'r rhaglen wedi'i chynllunio ar gyfer plant ysgol uwchradd (rhwng un ar ddeg a deunaw oed), a cheir rhaglen hefyd ar gyfer plant ysgol gynradd (rhwng pump ac un ar ddeg oed) o'r enw Paws b., sy'n defnyddio animeiddio, clipiau ffilm, gemau, ac ati. Gellir lawrlwytho ymarferion o mindfulnessinschools.org.

Dysgu ymwybyddiaeth ofalgar i'ch plant hŷn

Dyma rai o fy hoff ymarferion o .b, y gall rhieni roi cynnig arnyn nhw gartref gyda'u plant – oni bai bod eu plant yn digwydd bod yn hynod o wrthwynebus. Os ydyn nhw, anghofiwch hyn am y tro.

Ymennydd ci bach gwyllt

Mae .b yn defnyddio'r ddelwedd o gymharu ci bach heb ei hyfforddi â'r meddwl heb ei ddofi sydd gan blentyn. Yn gyntaf, maen nhw'n siarad am yr hyn mae'r ci bach yn ei wneud: mae'n gwneud llanast, yn cyfarth, yn ceisio neidio arnoch, yn brathu bysedd eich traed ac yn gyffredinol yn llawer rhy fywiog. Y peth arall mae cŵn bach yn ei wneud yw ceisio bod yn ddefnyddiol trwy ddod â phethau i chi, fel hen ben doli wedi'i gnoi. Mae hon yn ddelwedd dda i ddangos sut mae ein meddyliau'n gweithio: rydyn ni am feddwl am rywbeth penodol ond mae ein meddwl yn dal ati i ddod â'r holl bethau amherthnasol hyn i ni.

Gofynnir i'r plant, 'Beth fyddai'n digwydd pe baech chi'n ceryddu'r ci bach i wneud iddo ymddwyn yn well?' (Efallai y byddan nhw'n dweud y byddai'n rhedeg i ffwrdd ac yn cuddio.) 'Beth fyddai'n digwydd pe baech yn anwybyddu'r ci bach?' (Byddai'n dal ati i gyfarth a neidio.) Pe baech chi'n dweud wrth y ci bach am gymryd sylw, fyddai e ddim yn gwybod am beth rydych chi'n sôn, am nad yw'n siarad dim byd ond Cyfartheg. Ar y cwrs .b maen nhw'n dweud bod y meddwl fel ci bach, ond ei fod yn creu mwy o lanast.

Erbyn hyn fe fyddwch chi wedi dechrau deall hyn ac yn sylweddoli bod y trosiad yn cael ei ddefnyddio i addysgu'r plant fod meddwl pawb yn ymddwyn fel ci bach oni bai ein bod yn ei drin yn dawel ac yn garedig, yn hytrach na mynd yn gynddeiriog gyda ni'n hunain am fod â meddwl mor aflonydd (nad yw ond yn ein gwneud ni'n fwy aflonydd).

Ymarfer: sylwi

Er mwyn ymarfer defnyddio'r sgìl o sylwi yn fwriadol, gofynnwch i'ch plentyn / plant eistedd a'u coesau wedi'u croesi ar y llawr, yn gefnsyth ond heb fod yn stiff. Yna dywedwch wrthyn nhw am anfon ffocws i fysedd eu traed (efallai hyd yn oed i bob bys troed yn unigol). Gallan nhw chwyddo i mewn i bob rhan o'r corff ac archwilio'r teimladau. Ydy e'n cosi? Yn ffisian? Yn curo? Yn ddideimlad? Mae hyn yn hogi gallu eich plant i sylwi ar y gwahaniaeth rhwng meddwl am ran o'u corff a phrofi'r teimlad ohono. Gwnewch yn siŵr eu bod yn gwybod, os nad ydyn nhw'n teimlo unrhyw beth, fod hynny'n iawn hefyd, oherwydd maen nhw o leiaf wedi sylwi ar hynny.

Dywedir wrth y plant am anfon eu sylw (fel disgleirio pelydryn cul o olau) at bob un o'r rhannau hyn yn eu tro:

Dwylo (efallai pob bys)

Traed (efallai pob bys)

Y pen-glin de

Y penelin chwith

Llabed y glust dde

Y llygad chwith

... Ac yn awr y trwyn, gan deimlo'r anadl yn mynd i mewn ac allan drwy'r ffroenau. (Ydy'r anadl yn oer, yn gynnes, yn hir, yn fyr?)

Ar y diwedd, gofynnwch iddyn nhw ddychmygu agor lens y tortsh i oleuo eu corff cyfan yn anadlu. Dylent ddychmygu bod eu corff fel balŵn sy'n chwyddo ac yn crebachu, yn chwyddo... ac yn y blaen.

Yna dylen nhw agor eu llygaid ac ymestyn eu corff i gyd.

Ymarfer: her dwy funud

Gofynnwch i'ch plentyn ganolbwyntio ar ei hanadl lle bynnag mae'n ei deimlo yn ei chorff: yn ei thrwyn, ei stumog, ei brest... Os yw hyn yn rhy anodd, gall gyfrif ei hanadl hyd at ddeg, a dechrau eto os yw am wneud hynny. Os yw hi'n cyfrif ei hanadl, dylai ddweud, 'Mae anadl i mewn / anadl allan yn un. I mewn / allan yn ddau...' ac yn y blaen.

Y syniad yw gweld a all gadw ei ffocws ar ei hanadl yn y man hwnnw am ddwy funud. Pan fydd y meddwl yn crwydro, dywedwch wrthi am fod yn garedig, fel y byddai wrth ddisgyblu'r ci bach, cyn ailffocysu. Gelwir hyn yn anelu a chynnal.

Meddwl mwnci

Mae gwers arall yn canolbwyntio ar ddysgu peidio â chynhyrfu pan fydd y meddwl yn mynd yn rhy stormus.

Dywedwch wrth eich plentyn fod gan ei meddwl ei fywyd gwyllt ei hun. Fel mwnci'n neidio'n orffwyll o un gangen i'r llall, mae'r meddwl yn neidio o syniad i syniad. Os yw eich plentyn yn dechrau mynd yn rhwystredig neu'n ddig wrth y mwnci, efallai y bydd yn sylwi ei fod yn mynd yn fwy gorffwyll byth.

Ymarfer: traed ar y llawr, pen-ôl ar y gadair

Cyflwynwch eich plentyn i 'draed ar y llawr, pen-ôl ar y gadair'.

Mae 'traed ar y llawr, pen-ôl ar y gadair' yn gynorthwyydd cymorth cyntaf, pan fydd eich plentyn yn sylwi bod ei 'meddwl mwnci' wedi mynd yn drech na hi ac yn ei llusgo o goeden i goeden. Bryd hynny, gall ei ddefnyddio fel angor.

Dywedwch wrthi am eistedd ar y llawr neu ar gadair ac anfon ei sylw at ei thraed lle maen nhw'n cyffwrdd â'r llawr; dylai hefyd synhwyro sut mae ei sanau, ei hesgidiau, bysedd ei thraed, ei sodlau a'i gwadnau yn teimlo. Yna dylai ganolbwyntio ar y teimlad ble mae ei phen-ôl yn cyffwrdd â'r llawr neu'r gadair. Gofynnwch iddi ddychmygu agor lens ei thortsh (llygad ei meddwl) i weld y corff cyfan.

Ymarfer: anadlu

Offeryn arall y gall eich plentyn ei ddefnyddio pan fydd yn ei
'meddwl mwnci' yw sylwi ar ei hanadl (gan anadlu'n hir i mewn
ac anadlu'n hir allan), nid ceisio gwneud i'w meddyliau arafu
neu ddiflannu, dim ond eu gwylio. Ar ôl ychydig, efallai y bydd
yn sylwi bod ei feddwl / y mwncïod yn arafu ac yn blino. Efallai
hefyd y bydd yn dechrau sylwi bod meddyliau'n hofran o gwmpas
ohonyn nhw'u hunain ac nad oes rhaid eu cymryd ormod o
ddifrif: dim ond meddyliau'n ymddwyn fel mwncïod gwallgof
ydyn nhw.

Cnoi cil

Dywedwch wrth eich plentyn am y gadwyn ddiddiwedd o feddwl
a elwir yn gnoi cil (a bod pawb ohonon ni'n ei wneud). Dyma
pryd rydyn ni'n meddwl pethau fel, 'Pam na ches i wahoddiad i'r
parti? Am nad oes neb yn fy hoffi. Dydw i ddim yn hoffi fy hun
hyd yn oed. Pam nad ydw i'n hoffi fy hun? Oherwydd bod pawb
yn meddwl fy mod i'n od. Pam dwi mor od? Oherwydd fy mod
i'n od a dydyn nhw ddim yn fy hoffi. Pam nad ydyn nhw'n fy
hoffi? Oherwydd...' Dyma'r math o bethau sy'n eich cadw ar
ddihun drwy'r nos.

Daw'r ymadrodd 'cnoi cil' o'r hyn y bydd gwartheg yn ei wneud
pan fyddan nhw'n treulio glaswellt – maen nhw'n ei gnoi
drosodd a throsodd cyn ei lyncu, ac nid dyna'i diwedd hi: maen
nhw wedyn yn ei godi eto... ac yn ei gnoi eto. Dyna wnawn
ninnau: oes gyfan o gnoi cil.

Ymarfer: myfyrio amser gwely

Gallwch ddefnyddio myfyrio amser gwely gyda'r nos pan nad yw
eich plentyn yn gallu cysgu.

Yn hytrach na cheisio darganfod pam ei bod hi mor od a pham
nad oes neb yn ei hoffi, anogwch hi i wneud fersiwn arall o 'traed
ar y llawr, pen-ôl ar y gadair' – sganio'r corff wrth orwedd.

Gallech ymuno â hi i wneud yr ymarferiad hwn. Mae'r ddau /
ddwy ohonoch yn gorwedd ar eich cefnau, eich breichiau wrth

eich ochr. Yn gyntaf, rhowch sylw i'ch anadlu a ble'n union rydych chi'n ei deimlo yn eich corff. Anadlwch yn hir, yn araf ac yn ddwfn, ac ar bob anadl allan teimlwch eich corff yn suddo i mewn i'r gwely ar y llawr. Caniatewch i'r holl densiwn ddraenio ymaith. Dylech deimlo holl hyd eich corff, a chanolbwyntio eich sylw ar eich breichiau, eich coesau, y bongorff, eich ysgwyddau, eich gwddf a'ch pen. Os sylwch ar densiwn mewn unrhyw ran, dechreuwch ddychmygu anadlu i mewn iddi, ac yna allan eto. Mae'r anadl i mewn yn eich helpu i ganolbwyntio ar y rhan lle mae'r tyndra ac mae'r anadl allan yn eich helpu i ddychmygu gadael iddo fynd. Hefyd, pan fyddwch yn teimlo tyndra, anfonwch eich ffocws mor bell i ffwrdd o'ch pen ag y bo modd, at eich traed, gan eu teimlo fel petai o'r tu mewn. Teimlwch yr anadl sy'n llenwi eich corff yn mynd yn drymach gyda phob anadl i mewn a phob anadl allan. Gyda lwc, dylai hyn eich arwain i fro'r breuddwydion.

Ymarfer: bod yma ac yn y presennol

Mae'r ymarfer hwn yn ymwneud â'r plentyn yn dod o hyd i'r presennol ac yn dysgu'r sgìl o allu ymweld â'r presennol pan fydd hi'n dymuno gwneud hynny. Gofynnwch i'ch plentyn sylwi pan fydd hi ar awtobeilot. Ydy hi'n sylwi ble mae ei meddwl hi wrth iddi frwsio ei dannedd, cael bath neu chwarae gêm? Dywedwch wrthi fod angen i bob un ohonon ni fod ar awtobeilot weithiau, ond ddim trwy'r amser. Y ffordd uniongyrchol o gyrraedd y presennol yw plygio i mewn i un o'i synhwyrau: gwrando ar sŵn penodol, blasu siocled, arogli blodyn, cyffwrdd â broga, beth bynnag...

Ymarfer: bwyta'n ymwybyddol ofalgar

Gofynnwch i'ch plentyn fwyta siocled fel y byddai fel arfer yn ei wneud, a gofynnwch a flasodd hi'r siocled mewn gwirionedd. Ydy hi eisiau rhoi darn arall yn ei cheg cyn iddi hi hyd yn oed lyncu'r un mae'n ei fwyta? Dyma yw bod ar awtobeilot.

Nawr, dywedwch wrth eich plentyn am gymryd darn o siocled, neu ddarn bach o beth bynnag mae'n hoff iawn ohono, a'i archwilio fel pe na bai erioed wedi gweld unrhyw beth tebyg o'r blaen: y lliw, yr amlinellau, y siâp. Nawr dywedwch wrthi am ei godi at ei thrwyn a'i arogli. Gan arafu pob gweithred yn fwriadol, dylai ei roi ar ei thafod ac yna rhwng ei dannedd, yna cnoi arno, gan brofi a sawru manylion y blas wrth gnoi. Croeso i'r presennol.

Dydy bywyd ddim bob amser yn mynd i fod yn focs o siocledi – bydd pethau mewn bywyd na fydd eich plentyn yn eu hoffi – ond mae angen iddi fod yn ymwybodol o'r eiliadau hynny hefyd.

Dywedwch wrth eich plentyn am estyn rhyw fwyd nad yw'n ei hoffi. Gallai fod yn olif – roeddwn i'n eu casáu nhw pan oeddwn i'n ifanc, yna fe dyfais yn hen a dwi'n dwlu arnyn nhw nawr. Gofynnwch iddi wneud yn union fel y gwnaeth gyda'r siocled. Efallai na fydd yn hoffi'r blas, ond dylai fynd drwy bob cam gan sylwi gyda chwilfrydedd ar y teimlad o beidio â hoffi rhywbeth, a sylwi pa mor daer mae ei meddwl yn dweud wrthi am roi'r gorau iddi a'i boeri allan. Mae hyn yn ei dysgu, hyd yn oed os nad yw pethau'n wych, i ddal i fod yn agored i'r profiad.

Ymarfer: dydy meddyliau ddim yn ffeithiau

Gofynnwch i'ch plentyn wneud ymarferiad o'r enw 'sylwi ar gymylau', lle mae'n gweld meddyliau fel cymylau'n pasio heibio. Gofynnwch iddi edrych i fyny a sylwi sut mae'r cymylau'n mynd a dod; does dim ots a ydyn nhw'n drwm neu'n ysgafn, yn stormus neu'n olau, maen nhw i gyd yn mynd ac yn dod.

Gofynnwch iddi feddwl am y meddyliau yn ei meddwl fel radio, a gwrando ar y meddyliau'n wrthrychol, gan adael iddyn nhw chwarae yn y cefndir ond heb roi llawer o sylw iddyn nhw.

Mae hyn yn ddefnyddiol pan fydd meddyliau (fel alawon) yn dod i'w phen fel 'Dwi'n dwp. Dwi ddim yn ddigon da. Does neb yn fy hoffi. [A'r hen ffefryn] Dwi'n od': gall adael iddyn nhw chwarae heb eu cymryd yn bersonol – alawon yn unig ydyn nhw, nid y gwir. Allan nhw ddim brifo os nad yw'n rhoi pŵer iddyn nhw neu'n eu cymryd o ddifrif.

Ymarfer: dysgu ymdopi â phethau gwael

Bydd teimladau, fel y meddyliau, yn mynd a dod. Allwch chi ddim atal pethau drwg rhag digwydd, ond gall eich meddwl eu gwneud nhw'n waeth.

Ar ddarlun amlinellol o gorff, gofynnwch i'ch plentyn nodi ble mae'n teimlo straen yn ei chorff. Gall wneud rhestr o bethau sy'n peri straen iddi; er enghraifft, arholiadau, teimlo'i bod hi'n cael ei gadael allan, teimlo'n od; ac yna rhestr o sut mae'r rhain yn effeithio ar ei chorff: cur pen, chwysu, y galon yn curo'n gyflym, poen yn y stumog. Nawr, os gall ddysgu canolbwyntio ar y teimladau corfforol yn unig ac nid ar y meddyliau, bydd yn sylwi bod teimladau'n mynd a dod: nid ffeithiau ydyn nhw, dim ond teimladau. Beth bynnag fydd yn digwydd, ddylai hi ddim anwybyddu na cheisio mygu'r teimladau hyn; maen nhw yno bob amser, felly'r unig ffordd i ymdopi â nhw yw syllu'n syth arnyn nhw neu, yn yr achos hwn, canolbwyntio ar y teimladau, a'u derbyn. Peidiwch â'u bwydo.

O'r gorau, mae'n wyliau ysgol. Chwarae gemau digidol yn ymwybyddol ofalgar

Dydy plant ddim yn mynd i roi'r gorau i chwarae gemau digidol ac os ceisiwch chi eu hatal, pob lwc. Gallwn drafod pa mor dda neu ddrwg yw gemau i'w meddyliau, ond maen nhw yma, ac mae rhagor ar eu ffordd. Bydd rhai pobl ifanc yn eu harddegau yn gwrthod dysgu ymwybyddiaeth ofalgar nid yn unig gan yr ysgol ond gan unrhyw un. Dwi'n dechrau meddwl, o bosib, mai un ffordd o ddysgu ymwybyddiaeth ofalgar iddyn nhw yw drwy gemau digidol, a thrwy wella eu gallu i ganolbwyntio ar nodau penodol gan ymwrthod ag unrhyw beth sy'n tynnu eu sylw.

Mae fy mab Max yn ddylunydd a chodydd ac mae'n gweithio ar greu'r dechnoleg ar gyfer cyfuno lleihau straen a deallusrwydd emosiynol mewn gemau. Gan mai fi yw ei fam, dwi'n sôn amdano oherwydd mai dyna wnaeth fy mam i mi. Roeddwn i'n ei chasáu hi am hynny.

Llun y dydd

Fel arfer, pwrpas Instagram yw canfod pa mor boblogaidd yw rhywun yn ôl faint o bobl mae'n gallu eu denu i'w 'hoffi'. Gall ychydig o fodiau am i lawr waethygu ymdeimlad o fethiant. Y syniad yma yw tynnu llun o olygfa neu berson sy'n bachu eich sylw ac yn eich tynnu i'r presennol; nid dim ond hunlun brysiog ond eiliad rydych chi wir eisiau ei mwynhau. Pan fyddwch chi'n oedi i weld beth sydd o flaen eich llygaid go iawn, mae'r sŵn yn eich meddwl yn cilio, a dyna, gyfeillion, yw moment o ymwybyddiaeth ofalgar. Mae hon yn ffordd wych o gasglu eich atgofion oherwydd, yn wahanol i adegau eraill, mae'n debyg y byddwch chi'n cofio eich bod chi yno. Gallwch ddechrau rhannu'r eiliadau ymwybyddol ofalgar hyn â ffrindiau fel bod pawb yn mabwysiadu'r syniad.

Syniad arall gan Max: triniaeth croen gŵydd

Dyma syniad am sut i roi'r gorau i'r ddibyniaeth o draflyncu rhywbeth digidol drwy'r dydd. Rydyn ni'n teimlo rhyddhad pan gawn *ping*, *blîp*, sŵn sioncyn y gwair, udo ci, sŵn gilotîn yn cael ei ollwng, neu beth bynnag yw tôn eich ffôn, oherwydd ein bod yn teimlo bod rhywun yn rhywle yn meddwl amdanon ni – hyd yn oed os yw'n rhif anghywir. Y broblem yw, yn fuan ar ôl y *ping* rydych chi'n ôl lle dechreuoch chi: yn teimlo'n unig ac ar wahân. Dyma'r sefyllfa, felly er mwyn ei gwrthsefyll, pan fydd arnoch angen neu eisiau rhoi sylw i'r gorchwyl sydd gennych i'w wneud, gosodwch eich ffôn am tua'r cyfnod o amser rydych chi eisiau parhau i ganolbwyntio. Yn ystod yr amser hwnnw, bydd wedi diffodd, fel eich cyfrifiadur, felly allwch chi ddim trydar, mynd ar Facebook, e-bostio, tynnu llun, gwylio Netflix na defnyddio Grindr na Tinder. Nawr, canolbwyntiwch ar eich gwaith a phan fyddwch yn sylwi ar yr awydd i blygio i mewn i rywbeth (gallwch chi fentro y bydd hyn yn digwydd), synhwyrwch lle mae'r awydd yn eich corff ac ewch â'ch ffocws yn ôl yn ofalus i ble'r oedd. Pan fydd y larwm yn canu yn y pen draw, dylai fod yn sŵn dathliad: pobl yn clapio, cerddorfa gyfan gyda chôr yn canu eich clodydd, neu'r Prif Weinidog yn diolch i chi'n bersonol. Edrychwch i weld a allwch chi osod y larwm am ychydig yn hirach bob dydd. Yna, ar ddiwedd yr wythnos, yn union fel Duw, dylech orffwys am ddiwrnod. Un o'r pethau gorau am y gweithgaredd hwn yw eich bod chi mewn gwirionedd yn defnyddio ffôn er mwyn ei rwystro rhag tynnu eich sylw. Y gorau o'r ddau fyd.

Dwi'n credu y dylai chwarae gemau digidol yn y dyfodol ymwneud llai â lladd y dyn drwg a mwy â negodi gydag e; ceisio mynd i mewn i'w feddwl a theimlo beth mae e'n ei deimlo a gwneud dewisiadau yn seiliedig ar hynny. Mae yna gemau ar gael eisoes sy'n eich dysgu sut i ddarllen emosiynau pobl eraill, fel *Tell Tale's Walking Dead*, sy'n ymwneud â chreu bondiau cymdeithasol mewn amgylchedd lle mae llawer yn y fantol. Mae rhai o'r gemau sydd ar gael nawr yn dda ar gyfer hyfforddi llofruddion; gallai'r genhedlaeth nesaf o gemau ddysgu deallusrwydd emosiynol. Mae angen i ni roi'r gorau i weld ein gilydd fel dynion da neu ddrwg. Rydyn ni i gyd yn bobl sydd â hunaniaethau lluosog – mae rhannau ohonon ni'n angylion, rhannau eraill yn ddieflig. Mae angen i ni ddysgu ychydig o empathi gan ein bod i gyd yr un fath fwy neu lai, o dan ein gwahanol steiliau gwallt.

Os ydych chi yn eich arddegau, darllenwch fy ngwefusau – 'Nid fe sydd ar fai'

Rydyn ni i gyd yn mynd trwyddo, pob copa walltog: mae'r glasoed yn mynd i ddigwydd ac mae wedi bod yn digwydd ers miloedd o genedlaethau. Mae smotiau'n fyd-eang a byddan nhw'n codi ar wyneb Swlw yn ogystal â Swediad. Mae hwyliau cyfnewidiol yn nodwedd sy'n dechrau ym mhedwar ban byd ymysg merched un ar ddeg oed ac yn para tan eu bod yn ddeunaw oed, ac i fechgyn mae'n dechrau'n dair ar ddeg oed ac yn gorffen pan fyddan nhw tua phedair ar hugain… ac i rai, dydy'r glasoed byth yn dod i ben.

Mae magu plentyn yn ei arddegau yn gwneud i strancio plant bach ymddangos fel gwyliau yn Hawaii. Ond dydy ymddygiad afreolus eich plentyn ddim yn rhywbeth mae'n ei wneud ar bwrpas i'ch arteithio chi; mae'n deillio o'r ffaith bod ei ymennydd yn mynd trwy weddnewidiad, felly peidiwch â rholio'ch llygaid a datgan i'r byd fod eich plentyn yn wlithen ddiog ac yn wallgof (os cofiwch chi, roeddech chithau'n un unwaith hefyd, a'ch rhieni'n rholio eu llygaid nhw). Dydy eich plentyn ddim yn gwybod sut i hunanreoleiddio ar hyn o bryd. Mae'n benwan un funud a'r nesaf mae'n fabi Mami; mae fel byw gyda llew newydd-anedig: un eiliad mae'n ysu am grafu'ch llygaid chi allan a'r foment nesaf, mae eisiau cwtsh. Dylai'r ffaith fod hyn yn digwydd i bawb fod yn rhyddhad mawr i rieni. Deallwch fod eich plant yn eu harddegau yn datblygu mewn modd normal am eu hoedran ac na fyddan nhw ddim o reidrwydd (fel roedd fy rhieni innau'n ei feddwl) yn tyfu i fod yn llofruddion.

Mae magu person ifanc yn ei arddegau yn llai o straen os ydych chi'n deall nad oes gan yr hyn sy'n digwydd yn niwrolegol yn ei ben ddim oll i'w wneud â chi. Yn ystod y cyfnod hwn, mae cyfle i lanhau'r llanast y gallech fod wedi'i wneud yn ystod y cyfnod hollbwysig pan oedd eich plentyn yn fabi. Mae'r person yn ei arddegau yn cael cyfnod allweddol arall pan fydd ei gysylltiadau niwral yn ailweirio, gan gael gwared ar y rhai diwerth a gosod rhai newydd, felly dyma'ch cyfle i'w helpu i ailsaernïo.

Mae cylchedau yn yr ymennydd yn ystod blynyddoedd yr arddegau sy'n wahanol iawn i'r rhai a geir yn ystod plentyndod. Fel y soniais, pan fydd eich plentyn yn fabi, mae biliynau o niwronau'n tyfu ar gyflymder mawr. Mae'r fforestydd o niwronau hyn yn aros i gael eu llenwi â biliynau o ddarnau o wybodaeth; mae ei ymennydd yn gweithio fel sbwng, gan amsugno popeth sy'n dod o fewn ei olwg a'i glyw.

Yn ystod y glasoed, ceir cynnydd sydyn anferthol arall yn y niwronau i ailraglennu'r ymennydd, a newidiadau cemegol a hormonaidd i gydredeg â hynny. Mae'r newidiadau hyn yn digwydd yn annibynnol ar ddylanwadau amgylcheddol neu eich swnian chi, felly does dim byd y gallwch ei wneud i'w hatal. Gallwch weiddi gymaint ag y dymunwch; wnaiff hynny ddim atal y llif di-ben-draw o destosteron neu estrogen sydd ar fin ffrwydro yn eich plentyn. Mae'r hormonau'n dechrau ffrwtian tra byddan nhw'n dal i fod yn ffetws: mae merched yn cael estrogen, a bechgyn yn cael testosteron. Does dim angen i mi ddweud wrthych chi beth yw canlyniadau'r gwahaniaethau hyn – gallwch ddarllen miliynau o lyfrau sy'n dweud pam nad yw dynion a merched byth ar yr un dudalen, a byth yn mynd i fod chwaith. Gall testosteron achosi byrbwylltra, ymddygiad ymosodol ac obsesiwn gyda bronnau. Mae estrogen yn creu'r emosiwn chwit-chwat sy'n peri i chi gwympo i mewn ac allan o gariad mewn eiliadau. Mae'r ddau ryw yn cael yr hwyliau cyfnewidiol hyn, sy'n egluro pam y gall eich plentyn yn ei arddegau newid o fod yn Kate Middleton i fod yn Genghis Khan mewn eiliadau.

Gwaethygodd pethau wrth i mi daro'r glasoed. Yr eiliad honno, fe es i mewn i gyflwr o sioc. Roedd fel pe bai fy organau'n segura yn cnoi gwm, yn cicio'u sodlau ac yn sydyn, *bam*! Rhuthr mawr o estrogen, a dechreuodd fy hormonau fyrlymu fel Feswfiws ar fin ffrwydro. Po galetaf y ceisiai fy rhieni fy nisgyblu, gwaethaf y byddwn yn gwrthryfela. Fy unig reswm dros fodoli oedd er mwyn dymchwel yr hen drefn a llosgi'r sefydliad i'r llawr... a doeddwn i ddim yn un i dorri corneli. Nid dim ond rhedeg i ffwrdd o gartref yn un ar bymtheg oed wnes i, fe wnes i fodio fy ffordd drwy Ewrop gyda'r arian a gefais o werthu pot, i ymuno â grŵp theatr *agitprop* o'r enw Living Theatre a berfformiai'n noeth yn bennaf (heblaw am fasgiau nwy), ac a fyddai'n sgrechian yn wynebau'r gynulleidfa ynglŷn â sut roedden nhw'n lladd plant. (Wnes i ddim llwyddo i ddod o hyd i Living Theatre gan iddyn nhw gael eu carcharu yn Barcelona am ymddygiad anllad.) Yn ddiweddarach, fe wnes i helpu i gau fy mhrifysgol am resymau gwleidyddol nad oeddwn yn eu deall, ac na allaf eu cofio chwaith bellach. Fe wnaethon ni foicotio dosbarthiadau yn ein cynddaredd a'n ffieidd-dod tuag at rywbeth neu'i gilydd, a buon ni'n byw mewn pebyll ar y campws gyda symbolau heddwch arnyn nhw, yn smygu dôp tan y bore

bach. Fel arfer, roeddwn i wedi fy ngwisgo fel y Cadeirydd Mao ac yn chwifio llyfr coch, sef llyfr Yellow Pages roeddwn i wedi'i beintio'n goch. Roeddwn i mor filwriaethus fel fy mod wedi mynd i mewn i fwyty ffansi a rhyddhau'r cimychiaid o'r tanc. Yn anffodus, cafodd llawer ohonyn nhw'u lladd gan y lorïau a oedd yn gyrru heibio, ond y syniad oedd yn bwysig. 'Stopiwch greulondeb i anifeiliaid!' oedd fy nghri drwy gorn siarad, wrth i gig cimwch saethu drosof.

Felly dwi ddim yn gwybod pam fod pawb yn synnu cymaint fod pobl ifanc yn eu harddegau yn anodd. Mae fy mhlant yn lliprynnod o'u cymharu â mi.

Deall beth sydd yn yr ymennydd arddegol

Yma, dwi'n crybwyll rhai yn unig o'r prif rannau sy'n newid yn fwyaf dramatig.

Amygdala Ar wahân i'r newidiadau hormonaidd, mae ailaddurno mawr yn digwydd yn yr ymennydd. Mae'r amygdala, mamfwrdd yr emosiynau, yn datblygu ddeunaw mis yn gynt mewn merched, ond mae'r bechgyn yn dal i fyny ac mae'r ddau ryw yn dioddef hwyliau cyfnewidiol sy'n gwneud i berson ag anhwylder deubegwn ymddangos yn esmwyth ei fyd. Golyga'r pyliau emosiynol hyn fod system limbig eich plentyn yn ei arddegau yn gorlifo ag emosiynau na ellir eu rheoli, fel cyfrifiadur sy'n gwrthod gweithio o ganlyniad i'w orlwytho. Os ydych chi'n dechrau dangos dicter, dim ond tanio ei ddicter e wnewch chi, a bydd y Trydydd Rhyfel Byd yn dechrau. Rhaid i chi ei helpu i ddysgu sut i ymdawelu drwy fod yn ddigyffro ac yn barod i wrando a cheisio deall sut mae e'n teimlo.

Cortecs cyndalcennol Mae'r cortecs cyndalcennol yn dal i fod yn waith ar y gweill ar hyn o bryd, felly dydy e ddim bob amser yn gweithio ar ei orau. Weithiau mae'n gallu gwneud penderfyniadau da ac ar adegau eraill dydy e ddim yn gweithio'n iawn ac mae'r person yn ei arddegau yn colli ei ben yn llwyr. Fe fyddwch yn gwybod bod hyn wedi digwydd pan fydd eich plentyn, ar ôl gweiddi rhes o resymau pam eich bod chi mor annheg, yn slamio drws ei ystafell ac yn chwarae roc metel trwm sy'n ddigon i ffrwydro'ch pen gan rwygo'i obennydd yn ddarnau mân. Peidiwch â phoeni: dyma'r ymennydd arddegol nodweddiadol yn cael ei draed dano.

Yn ystod yr arddegau, mae'r cortecs cyndalcennol yn dechrau cysylltu â rhannau eraill o'r ymennydd, ac yn y pen draw mae'r integreiddio hwn yn creu hunanymwybyddiaeth, empathi a'r gallu i feddwl cyn gweithredu.

Coesyn yr ymennydd Yn yr arddegau cynnar mae'r rhan gyntefig yn fwy gweithgar, felly gall emosiynau tanllyd sy'n berwi o dan yr wyneb ffrwydro'n sydyn fel llosgfynydd, a chwistrellu lafa dros bwy bynnag sydd wrth law. Fel dwi wedi sôn yn barod, mae cortecs cyndalcennol eich plentyn yn ei arddegau yn dal i gael ei ffurfio, felly does ganddo ddim ffordd o allu ffrwyno'r dymer honno. Gyda chortecs cyndalcennol hanner-pan, dydy e ddim yn gallu teimlo llawer o empathi, felly does ganddo ddim diddordeb yn yr hyn mae neb arall yn ei deimlo. Dyma pam mae rhieni'n aml yn cael eu trin fel baw. Mae'n bur debyg nad yw'n gynddeiriog tuag atoch chi; rydych chi'n digwydd bod yn y ffordd, dyna i gyd. Efallai eich bod newydd ddweud, 'Oes unrhyw un eisiau brechdan?' ac mae e wedi'i ddehongli fel pe baech chi'n awgrymu ei fod yn ffŵl na fyddai'n gwybod y gwahaniaeth rhwng *mayonnaise* a theclyn smwddio trowsusau.

Hipocampws Mae'r holl weithgarwch nerfol hwn yn galw am egni, sy'n esbonio pam mae pobl ifanc yn cysgu 37 awr y dydd. Pan fyddan nhw'n deffro o'r diwedd, allan nhw ddim canolbwyntio, gan nad yw eu hipocampws wedi gorffen tyfu chwaith, sy'n ei gwneud yn anodd cynnal cof hir dymor. Wyddoch chi sut rydych chi'n ailadrodd pethau dro ar ôl tro ac mae eich plentyn yn ei arddegau yn anghofio bob tro? Dyma pam.

Cemegion Heb unrhyw fath o hunanreoleiddio, dydy'ch plentyn yn ei arddegau ddim yn gallu cynnau ei fiocemegion da – ocsitosin, serotonin a dopamin i'w dawelu mewn eiliadau o argyfwng – i ymdopi â'r ffordd mae ei emosiynau'n ei feddiannu. Dydy e ddim yn gallu cynhyrchu endorffinau (cemegyn arall sy'n gwneud i ni deimlo'n dda), a fyddai'n diffodd ei adrenalin ac yn gostwng y lefelau straen a'r meddyliau negyddol sy'n dod gyda nhw.

Y cemegion drwg Wna i ddim o'ch diflasu drwy sôn am gortisol – dwi wedi dweud digon amdano eisoes – ond dyma sy'n boddi pobl ifanc yn eu harddegau, yn union fel y gweddill ohonon ni, pan fyddwn ni dan straen, yn ofnus ac yn benwan. Mae mwy na thraean o bobl ifanc yn eu harddegau hŷn yn dioddef o anhwylderau cysgu a bwyta. Dyma pam y gall ymwybyddiaeth ofalgar fod o gymorth mawr gyda diffyg cwsg, poeni am arholiadau, meddyliau gorbryderus a gorbryder, ac anhwylderau bwyta.

Serotonin Mae serotonin yn cymedroli ymddygiad mympwyol eich plentyn yn ei arddegau ac yn rheoleiddio ei batrymau cwsg. Dyma pam fod ei oriau cysgu mor rhyfedd.

Dopamin Mae angen i'ch plentyn gael y lefelau cywir o ddopamin i'w ysgogi, ond gall gormod arwain at ddibyniaeth, iselder, neu anhwylder corfforol hyd yn oed. Bydd yn dechrau cymryd risgiau mwy a mwy oherwydd bod hwn mor gaethiwus. Bob tro y daw 'i lawr' o un wefr, bydd angen un arall arno.

Mae dopamin yn hybu ymddygiad mympwyol; does dim botwm diffodd... byth. Dyma gyflwr o'r enw 'hyper-resymoledd' lle nad oes ganddo syniad ynghylch y senarios gwaethaf posib; mae popeth er mwyn y gic a gwefr y foment. Rhan o'r rheswm y gallech fod mor llawdrwm ar eich plentyn yn ei arddegau yw oherwydd eich bod, yn y bôn, yn eiddigeddus ei fod yn cael amser i'r brenin, yn wahanol i chi.

Ychydig o bethau eraill sy'n digwydd i'ch plentyn yn ei arddegau

Annibyniaeth

Yn union fel y bydd anifail bach yn trotian, llamu a hedfan oddi wrth ei rieni yn fuan ar ôl ei eni, felly'n union y bydd eich plentyn yn ei arddegau yn hedfan o'r nyth i geisio annibyniaeth, rhywbeth y bydd ei angen arno os yw am lywio'i ffordd drwy greigiau geirwon bywyd. Mae'n ffarwelio â chi i ddarganfod y byd ar ei ben ei hun, i chwilio am bethau newydd, i fentro, i gysylltu â chyfoedion, i ymdopi â ffyliaid a sylweddoli o'r diwedd fod yr ymadrodd mae pobl yn eu harddegau bob amser yn ei ynganu – 'Dydy hi ddim yn deg' – yn wir mewn gwirionedd. Mae'r neocortecs yn mynd yn fwy trwchus ar yr adeg hon, a gellir mesur hyn mewn delweddau o'r ymennydd. Canlyniad hyn yw cynnydd mewn ymwybyddiaeth ymwybodol, sy'n creu ymdeimlad o'r hunan. Mae'r hunan hwn eisiau canu'n iach i chi, y rhiant, felly rydych chi wedi mynd, mewn amrantiad, o fod â statws dwyfol i fod yn rhywbeth gludiog ar waelod esgid eich plentyn.

Bondio gyda'u pobl eu hunain: cysylltu cymdeithasol

Mae'r ocsitosin y mae pobl ifanc yn eu harddegau'n ei gael o'u system wobrwyo yn golygu mai cysylltiadau cymdeithasol yw'r pethau pwysicaf yn eu byd. Maen nhw eisiau bod yn boblogaidd, cael eu derbyn gan griw, waeth faint o dylliadau neu datŵs mae'n ei gymryd. Maen nhw'n ystyried bod gwrthodiad cymdeithasol yn fygythiad i'w bodolaeth, felly mae peidio â chael eu gwahodd i'r parti cywir yn waeth na systitis.

Pan fydd plant yn cyrraedd eu harddegau, os mai bechgyn ydyn nhw mae angen iddyn nhw ddatgysylltu oddi wrth Mami; os mai merched ydyn nhw mae angen iddyn nhw ddatgysylltu oddi wrth Dadi. Y rheswm am hyn yw eu bod, fel plant, gymaint mewn cariad â'u rhieni nes y bydden nhw am eu priodi oni bai am y cyfnod hwn o wahanu (*gweler* Oedipws). Ar yr adeg hon, mae ffrindiau'n dod yn llawer pwysicach i bobl yn eu harddegau na rhieni oherwydd, yn y dyfodol, pan fydd Mami a Dadi yn y nefoedd, nhw sy'n mynd i'w diogelu a'u meithrin.

Meddwl yn greadigol

Ar ryw adeg, bydd y plentyn yn ei arddegau yn ystyried bod ei rieni'n ddiflas ac yn hen ffasiwn (pwy feddyliai!), sy'n ei annog i feddwl yn fwy arloesol, gan ddyfeisio syniadau a chysyniadau newydd – unrhyw beth fel na fydd yn rhaid iddo fod yn debyg iddyn nhw. (Fe fydd, fel arfer, ond fel rhywun yn ei arddegau, mae'n dal i anelu'n uwch.) Yn hytrach na dysgu drwy arfer fel y gwnaeth yn blentyn, mae bellach yn dadlau ac eisiau rhoi cynnig ar bopeth. (Mae hyn yn blino rhywun yn lân.) Bydd hyn yn parhau nes ei fod yn oedolyn, pan gaiff ei stwffio'n ôl i'r bocs. Mae pob cenhedlaeth yn teimlo bod yn rhaid iddyn nhw ragori ar y genhedlaeth ddiwethaf a meddwl am atebion unigryw i allu goroesi mewn byd mwyfwy cymhleth – yn union fel mae eich hen ffôn deialu rhifau wedi'i ddisodli gan iPhone 208, a'ch sugnydd llwch bellach yn ufuddhau i orchmynion llais.

Mae pob cenhedlaeth yn credu bod eu rhieni wedi dinistrio'r byd. Gwaith pobl ifanc yn eu harddegau yw glanhau ar ôl camgymeriadau eu rhieni a'u beio am fod yn gythreuliaid hunanol, barus sy'n meddwl am neb ond nhw'u hunain ac sydd ar fai am fod y byd yn llanast a'r cap iâ yn toddi, ac am y ffaith nad oes swyddi nac arian ar ôl am eu bod nhw wedi gwario'r cyfan. (Maen nhw'n llygad eu lle ar bob un o'r pwyntiau hyn.)

Mentro

Y fenter fwyaf i rywun yn ei arddegau fyddai peidio â chymryd risg. Dydyn ni ond yn symud ymlaen oherwydd bod y genhedlaeth ddiweddaraf bob amser yn mynd allan ac yn ymddwyn yn gwbl fyrbwyll tra bod yr hen un yn gwylio'r teledu a driblan. Mae ymennydd person yn ei arddegau bellach yn cynhyrchu dopamin yn gyflym iawn, felly mae'r cyfan yn ymwneud â'r wobr, waeth pa mor beryglus yw'r her. Os yw ffrindiau eich plentyn yn ei arddegau yn gwylio, bydd yn mentro ddwywaith cymaint. Mae cyfradd marwolaeth rhai sydd yn eu harddegau rhwng pymtheg a phedair ar bymtheg oed chwe gwaith yn uwch na'r gyfradd ymhlith plant rhwng deg a phedair ar ddeg oed.

Pan oeddwn i'n ddwy ar bymtheg oed, fe wnaeth fy ffrindiau a minnau fodio am saith awr ar hugain i Fecsico i fynd i ŵyl y Punta Yaya (neu rywbeth tebyg) y clywson ni amdani. Pan gyrhaeddon ni, cynigiodd hen gogydd tacos crin lond lletwad o mesgal i mi, a dwi'n credu mai dyna yw'r fersiwn organig o mesgalin (cyffur naturiol sy'n achosi effeithiau tebyg i LSD). Fe lyncais gegaid a dihuno dri diwrnod yn ddiweddarach, yn gorwedd ar y stryd gydag ôl carn ar fy wyneb... Roeddwn i wedi colli'r ŵyl. Roedd fy ffrindiau wedi fy ngadael, felly daliais fws yn llawn o bobl leol wallgof dan ddylanwad peiote i mewn i'r jyngl ar arfordir deheuol Mecsico. Roeddwn i wedi clywed bod cymuned o hipis yn byw yno ac eisiau dod o hyd iddyn nhw. Ar ôl pedwar diwrnod o deithio ar fws tair olwyn gydag iâr ar fy mhen, cefais hyd iddyn nhw. Arhosais am fis; yn y cyfamser, roedd fy rhieni'n ffonio'r ffrind roeddwn yn rhannu ystafell â hi yn y brifysgol i ofyn ble roeddwn i. Am fis fe ddywedodd fy mod i yn y gawod. Pan ddeallon nhw o'r diwedd na allai neb fod eisiau bod mor lân â hynny, fe wnaethon nhw ddechrau chwilio amdana i, ac ar ôl i mi ddychwelyd, cefais fy arestio.

Wrth gwrs, mae yna anfanteision i fentro a chymryd risg, fel crasio'r car i mewn i ystafell fyw rhywun a beichiogi heb allu cofio gyda phwy.

Magu plentyn yn ei arddegau yn ymwybyddol ofalgar

Os ydyn ni'n dechrau gweiddi ar y plentyn sy'n cael y pwl o dymer, bydd yn gweiddi'n ôl ac yn mynd yn fwy cynddeiriog. Os gallwch reoli eich emosiynau, mae mwy o obaith y gall e wneud hynny hefyd. Drwy ei helpu i ymdopi â'i ormodedd o gortisol (a'ch un chi), gall ei gortecs cyndalcennol flodeuo a thyfu. Y peth cyntaf i'w wneud yw dysgu sut i addasu tôn eich llais yn fwriadol pan fyddwch am wneud eich pwynt yn hytrach na defnyddio'r llais nychlyd, gwichlyd y cefais i fy magu gydag e.

Ceisiais gael llawdriniaeth i dynnu fy rhieni allan o fy meddwl, ond roedd yn amhosib. Mae fy meirniad mewnol hyd heddiw yn parhau i siarad ag acen Fiennaidd ac ar draw F uchaf, fel seiren ryfel anferth nad yw byth yn diffodd. Dyma pam mae pob organ yn fy nghorff wastad yn barod ar gyfer y Blitzkrieg nesaf. Doedd fy rhieni ddim yn hapus pan ddilynais fy nhrywydd gwallgof fy hun, a'r canlyniad oedd na fuon ni'n agos erioed a fydda i byth yn gwybod pwy oedden nhw fel pobl. Anaml iawn y gwelen ni'n gilydd wedi hynny ac roedden ni'n gwrthdaro hyd at y diwedd un. Dwi'n teimlo'u bod nhw a minnau ar ein colled. Pe gallen nhw fod wedi dweud, unwaith, iddyn nhw fod yn anghywir am rywbeth, mae'n bosib iawn y bydden nhw wedi cael maddeuant.

Byddwch yn ymwybyddol ofalgar eich hun

Os ydych chi fel rhiant yn ymwybyddol ofalgar, mae'n haws gwneud eich plentyn yn ymwybyddol ofalgar. Os ydych chi'n chwarae gemau meddyliol, yn gwneud ati ac yn strancio, bydd eich plentyn yn ei arddegau yn gwneud yr un fath â chi ac yn rhoi'r un peth yn ôl i chi. Os yw'n eistedd yno ac yn ei gymryd, gallai honno fod yn broblem hyd yn oed yn fwy; naill ai mae'n eistedd ar ei gynddaredd, neu mae ei feddwl wedi cau. Mae'n rhaid i chi siarad ei iaith a gweld pethau drwy ei lygaid e, yn hytrach na chodi'ch dwylo mewn rhwystredigaeth gan dyngu ei fod yn siarad iaith na allwch mo'i deall. Mae angen i chi gydnabod bod y ffordd mae'n mentro, yn ceisio annibyniaeth, a'r ffaith ei fod yn gosod ei ffrindiau'n uwch na chi, i gyd yn rhannau angenrheidiol o'i ddatblygiad naturiol.

Peidiwch â dechrau gwenu'n wallgof arno chwaith: gall synhwyro os nad ydy'ch gwedd allanol chi'n cyd-fynd â'r hyn sy'n digwydd tu mewn i chi. Mae'r unigolyn yn ei arddegau yn dditectif 'pobl ffug' proffesiynol (*gweler Catcher in the Rye*).

Cyfaddefwch eich camgymeriadau

Os collwch eich tymer – ac mae pawb ohonon ni wedi gwneud hynny – ar ôl i'r storm dawelu, dywedwch ei bod yn flin gennych a chyfaddefwch nad ydych chi'n berffaith. Mae eisoes yn gwybod nad ydych chi, ond mae'n dda ei fod e'n gwybod eich bod chi'n gwybod. Dydych chi ddim eisiau cael eich dal yn y 'gêm gweld bai', lle mae'r ddau ohonoch yn edliw, 'Dy fai di yw'r cyfan.' 'Na, dy fai di.' 'Na, ti sydd ar fai.' Bydd eich dicter chi yn tanio ei ddicter yntau, a fyddwch chi ddim yn cyrraedd unman.

Dangoswch empathi

Pan fydd eich plentyn yn ei arddegau yn dod adref gyda'i galon wedi torri am nad yw e wedi cael ei ddewis ar gyfer y tîm pêl-droed neu am ei fod wedi cael ei wrthod gan rywun sydd wedi ennill lle yn ei galon, byddwch yn glust iddo. Peidiwch â rhoi cyngor, ond cydymdeimlwch â'r boen… dewch, rydych chi'n cofio faint o boen oedd cael eich gwrthod, felly rhannwch eich profiadau erchyll ag e. Mae pobl ifanc yn eu harddegau wrth eu bodd yn clywed eich bod chi hefyd wedi dioddef fel maen nhw'n dioddef nawr. Gwaetha'n y byd fydd eich profiad, hapusa'n y byd fydd eich plentyn yn teimlo. Byddwch yn dod yn debycach i fod dynol iddo, yn hytrach na rhywun o'r blaned Mawrth. Os ydych chi'n ceisio ei ddeall e, fe fydd e'n ceisio'ch deall chi. Peidiwch â phregethu; byddwch yn chwilfrydig, yn agored ac yn hyblyg yn hytrach nag yn feirniadol (mae pobl ifanc yn eu harddegau yn casáu cael eu beirniadu). Gallai hyd yn oed eich gadael chi i mewn i'w fyd ac fel bonws, gallai adael i chi weld pwy ydy e mewn gwirionedd.

Os ydych chi'n digwydd bod yn iawn am rywbeth, peidiwch byth, *byth* â dweud, 'Fe ddywedais i wrthyt ti 'mod i'n iawn' neu 'Pam na wnest ti wrando arna i yn y lle cyntaf?' Ceisiwch ddal yn ôl rhag gorddatgan pethau, a gorbwysleisio'ch neges. Os gallwch chi fel rhiant wneud hyn, rydych chi'n haeddu Croes Fictoria. (Dwi ddim wedi cyrraedd yno eto; dwi'n dal i rygnu 'mlaen a 'mlaen a 'mlaen.)

Cyfaddawdwch

Cyfaddawd yw'r allwedd. Efallai y bydd rhaid i chi adael i'ch plentyn yn ei arddegau gadw ei ystafell fel pe bai bom wedi glanio ynddi os ydych am iddo olchi'r llestri a newid ei drôns unwaith y mis. Bydd hyn nid yn unig yn gwneud eich bywyd yn haws ei oddef, bydd yn gwneud i'ch plentyn ddysgu technegau negodi gan ei baratoi ar gyfer bod yn oedolyn.

Ceisiwch daro bargen. Efallai y gallech roi amser iddo ar-lein os yw'n treulio'r un faint o amser yn glanhau'r gegin. (Dwi wedi ceisio egluro i fy mhlant nad caethwas ydw i na glanhäwr proffesiynol, ond dydyn nhw ddim yn fy nghredu i.)

Cyfathrebwch â nhw

Pan fyddwch chi a'ch plentyn yn ei arddegau ar fin croesi cleddyfau, dylai un ohonoch ddechrau meddwl am strategaethau amgen. Mae'n debyg mai chi fydd yn gwneud hynny, oherwydd bod gennych chi gortecs cyndalcennol mwy o faint, ac mewn byd delfrydol, chi ddylai fod â'r hunanreolaeth fwyaf. Ar sail arbrofion wnes i fy hun, dydy sgrechian yn uwch, bod yn sarcastig, gwneud bygythiadau a stompian allan o'r ystafell ddim yn gweithio'n dda i ddatrys gwrthdaro.

Ymwybyddiaeth yw popeth, felly ceisiwch sylwi pan fydd ymlusgiad cynddaredd yn dal i fod yn ei fabandod cyn iddo droi'n Dyranosor. Os byddwch chi'n ei ryddhau, bydd eich plentyn yn gwneud hynny hefyd, a bydd dadl yn troi'n frwydr. Cyhyd â bod 'Dy fai di yw e. Na, ti sydd ar fai. Na, dy fai di…' yn parhau, bydd y ddau ohonoch yn colli. Dwi'n gwybod pa mor braf yw'r teimlad o gael bwrw eich bol, ond yn y pen draw bydd eich perthynas yn cael ei niweidio'n fwy ac erbyn hynny bydd y ddau ohonoch wedi dioddef llifogydd o gortisol, nad yw'n dda i'ch iechyd fel dwi wedi sôn yn barod. Rydych wedi gwenwyno eich plentyn a chi'ch hun mewn un frwydr sydyn.

Os gallwch chi fod yn ymwybodol o'ch cynddaredd cynyddol cyn iddo ferwi drosodd, neu hyd yn oed yn y camau cynnar, gallech geisio dweud, 'Dwi'n clywed yr hyn rwyt ti'n ei ddweud, ond mae'n rhaid i mi gymryd ychydig funudau i feddwl am hyn i gyd ac fe ddof yn ôl atat ti.' Nawr gallwch adael yr ystafell i gael eich gwynt, ac ymatal rhag torri twll yn y wal gyda'ch dwrn... neu ei ben. (Os gallwch wneud hyn, dwi'n llawn edmygedd.)

Efallai y bydd yn dal i fod yn gynddeiriog pan ddychwelwch chi, ond credwch chi fi, dyma'r unig ffordd y gallwch chi'ch dau ymdawelu. Pan ddewch yn ôl i'r ystafell, fydd mynd yn ôl dros y ddadl a pham y digwyddodd ddim yn help – fydd hynny ond yn tanio'r ffiws eto neu'n ailgychwyn yr edliw. Ceisiwch esbonio (pan fydd y tymheredd wedi gostwng efallai, a phan fyddwch chi'n cyd-dynnu eto) mai rhan o'r cyflwr dynol yw ein bod yn dal yn gyntefig iawn.

Gadewch i'ch plentyn yn ei arddegau eich addysgu chi

Gall oedolion ddysgu gwersi gan bobl yn eu harddegau, fel byw yn y foment, gweld ffyrdd newydd o wneud pethau yn hytrach na mynd i rigol, mynd ar drywydd gwefr newydd a gwneud mwy o gysylltiadau cymdeithasol. Mae rhai ohonon ni'n gwybod mai dyma'r llwybr at hapusrwydd, a dyna pam rydych chi'n gweld cynifer o bobl hŷn yn Glastonbury. Treuliwch amser gyda phobl yn eu harddegau, oherwydd weithiau mae'n llawer mwy o hwyl na bod gyda rhai o'ch hen gyfoedion diflas chi.

Iawn, digon o Mrs Perffaith

Dewiswch eich brwydrau. Os ydych chi'n swnian byth a hefyd ar eich plant, fe fyddan nhw'n siŵr o droi'n fyddar yn y pen draw. Os ymataliwch chi rhag ymateb i ddim heblaw'r ymddygiad annerbyniol iawn, bydd eich plentyn yn ei arddegau yn deall eich bod o ddifrif pan fyddwch chi'n dweud y drefn a bydd yn eich clywed chi'n glir. Pan fyddwch chi'n dweud y drefn, gwnewch hynny heb fod yn sarcastig, yn sinigaidd nac yn feirniadol – mae'n cael digon o hynny tu mewn i'w ymennydd, wedi'i anelu ato ef ei hun. Gwnewch yn siŵr fod maint y gosb yn cyfateb i faint y drosedd a pheidiwch â gwneud iddo deimlo cywilydd.

Ei helpu

Os ydych chi'n sylwi bod eich plentyn yn orlawn o ddopamin ac yn awyddus i gymryd risgiau peryglus, prynwch fag dyrnu iddo, neu raced dennis, gwaywffon, ceffyl gwyllt i'w ddofi – unrhyw beth i'w helpu i losgi'r hormonau mewn ffordd lai niweidiol. Helpwch e (os yw am gael help) i lunio strategaeth i gael gwared ar y dopamin.

Felly sut rydych chi'n dysgu ymwybyddiaeth ofalgar iddyn nhw?

Fydd dysgu ymwybyddiaeth ofalgar i bobl ifanc yn eu harddegau ddim yn hawdd, yn enwedig os mai chi sy'n awgrymu eu bod yn gwneud hynny; fel rhiant, ar hyn o bryd rydych chi'n destun embaras, yn un o wehilion cymdeithas.

Efallai y bydd eich plentyn yn meddwl tybed pam y byddai angen iddo wneud rhywbeth mor rhyfedd ac ymddangosiadol ddiwerth. Os yw'n gwrthod gwneud rhywbeth sy'n ei helpu i hunanreoleiddio, dywedwch wrtho y bydd yn fwy poblogaidd, yn cael canlyniadau arholiadau gwell heb losgi twll yn ei ymennydd ac yn gallu siarad â'r rhyw arall heb atal dweud a chwysu. Peidiwch â sôn am ymwybyddiaeth ofalgar oni bai ei fod yn gofyn yn ei gylch. Ar hyn o bryd, does dim angen i chi wneud mwy na phlannu hadau'r ffaith y gall wneud rhywbeth ynglŷn â theimlo allan o reolaeth i'r fath raddau a bod ar drugaredd ei feddwl, a thrwy ddod yn ymwybodol o'r hyn mae ei feddwl yn ei wneud, y bydd yn gallu gostwng ei lefelau straen ei hun.

Pan fydd yr arddegau yn dechrau a gwrthryfela'n dod yn norm, y cwestiwn mae llawer o rieni'n ei ofyn i mi yw sut rydych chi'n cael eich plentyn i ymarfer, neu hyd yn oed ddeall ymwybyddiaeth ofalgar pan mae ei ymennydd yn debyg i darw gwyllt? Rydych chi'n ymdrin â pherson nad yw'n dod oddi ar ei beiriant Twitter na'r Gweplyfr. Dydy e ddim yn mynd i fod eisiau gwybod am ryw dechneg sy'n sefydlogi'i feddwl – pam trafferthu?

Ymarfer: ei enwi er mwyn ei ddofi

Efallai y gallech awgrymu bod eich plentyn yn ceisio mesur ei dymheredd emosiynol bob hyn a hyn, hyd yn oed os mai'n rhannol y bydd yn gwneud hynny. Wrth i'r teimladau ddechrau cynhesu, awgrymwch efallai y gallai eu labelu. Does dim rhaid iddo ddweud wrthych chi beth ydyn nhw, gall eu hysgrifennu neu efallai eu dweud wrtho'i hun. Efallai na fydd llawer o bobl ifanc yn eu harddegau ond yn gwybod am ychydig o eiriau sy'n disgrifio teimladau; dwi'n gwybod hyn oherwydd pan oeddwn i'n gofyn i fy mhlant yn eu harddegau sut oedden nhw, bydden nhw'n ymateb drwy ddweud eu bod naill ai'n 'iawn' neu'n 'crap'. Efallai y byddai'n ddefnyddiol rhoi rhestr fwy eang o eirfa iddyn nhw. Mae yna beth wmbredd o eiriau i ddisgrifio emosiynau, felly gallan nhw ehangu eu geirfa gryn dipyn.

Pan fydd yn rhoi label syml, un gair, i deimladau, yn enwedig y rhai tanllyd, esboniwch y bydd yn osgoi'r cnoi cil diddiwedd ynglŷn â pham ei fod yn teimlo'r hyn mae'n ei deimlo. Mae label yn golygu ei fod wedi sylwi, ond does dim rhaid iddo ei ddehongli.

Gallwch hefyd ddweud wrth eich plentyn am ailgyfeirio'r emosiwn tanllyd o'r meddwl i'r synnwyr ohono yn y corff. Dywedwch wrtho fod pob teimlad yn iawn: mae'n rhan o fod yn ddynol, rydyn ni i gyd yn eu cael – hyd yn oed y teimlad o fod eisiau lladd eich rhieni. (Efallai mai'r peth pwysig yw dysgu peidio â gweithredu arno.)

Dyma ymarfer y gallech chi roi cynnig arno.

Gwnewch ddau gylch o gardfwrdd a thynnwch luniau tafelli arnyn nhw fel pitsa. Ar bob tafell ysgrifennwch enw emosiwn; er enghraifft, dicter, diflastod, unigrwydd neu gyffro – a rhai o'r miloedd o eiriau eraill. Gosodwch y ddau gylch ar yr oergell a gofynnwch i'ch plentyn yn ei arddegau roi magned ar y gair sy'n cyd-fynd â'i hwyliau. Rhowch chi, fel rhiant, eich magned ar eich cylch emosiwn chi. Bydd hyn yn rhoi syniad clir i chi'ch dau o'ch tywydd mewnol; beth rydych chi'n ei deimlo yn y foment honno.

Pan fyddwch chi'n gwneud eich hwyliau'n glir, gall eich plentyn ddeall lle rydych chi'n emosiynol ac felly gall addasu ei ddeialau'n well i ymdopi â chi. Os ydych chi'n gweld bod ei fagned ar 'cynddeiriog', ewch o'i ffordd; os yw ar 'llawen', dewch â'r conffeti allan.

Ymarfer: dangos eu hymennydd iddyn nhw a sut mae'n gweithio

Defnyddiwch ddarlun o'r ymennydd i ddangos beth sy'n digwydd pan mae'r amygdala yn llywodraethu a'r ffrwydrad o gortisol ac adrenalin yn dod yn ei sgil. Gadewch i'ch plentyn wybod ei bod hi'n anodd i bob un ohonon ni atal y llif pan fyddwn yn ffrwydro. Eglurwch am goesyn yr ymennydd, sut mae ganddo ei feddwl ei hun a sut mae'n gallu gwneud i bob un ohonon ni (nid dim ond pobl ifanc yn eu harddegau) ymddwyn yn wallgof ac yn fympwyol.

Dangoswch iddo sut mae'r cortecs cyndalcennol yn gweithio, ond eglurwch ei fod e'n dal i ddatblygu. (Gwnewch yn siŵr ei fod yn gwybod nad rhywbeth personol yw hyn na rhywbeth mae e wedi'i wneud o'i le – mae gan bob person ifanc yn ei arddegau gortecs cyndalcennol sy'n datblygu.)

Ymarfer: ei ddychmygu

Pan fydd eich plentyn yn ei arddegau yn dechrau ei cholli hi, gall geisio dychmygu rhywbeth neu rywun sy'n ei wneud yn hapus. Gallai hyn gynnwys treulio amser gyda'i ffrindiau; edrych ar lun o'i ffrind gorau, llun gwyliau neu lun o'i gath (mae fy merch wrth ei bodd â morloi bach; os yw'n gweld llun mae hi'n toddi ar unwaith); cicio rhywbeth (nid person); ffonio ffrind; loncian / chwarae offeryn cerdd yn uchel (mae drymiau'n dda, ond nid gartref, os gwelwch yn dda).

Mae'n beth da iddo ddeall nad atal ei deimladau yw nod yr ymarferiad, ond y bydd, trwy ddysgu sut mae ei ymennydd yn gweithio a beth y gall ei wneud i ymdopi â'r emosiynau cythryblus hynny, yn gallu ymdopi'n well â rhai o'r pethau erchyll a'r straen sydd ynghlwm â bod yn berson ifanc yn ei arddegau. Dyma rai o'r pethau a allai fod yn peri gofid iddo: canlyniadau arholiadau; diffyg hunan-barch; teimlo nad yw'n ddigon da; nad yw'n edrych yn ddigon da; ei fod yn cael ei wneud i deimlo fel ffŵl; ei fod yn cael ei anwybyddu; ei fod yn cael ei fwlio; ei fod yn destun chwerthin; nad yw'n gwybod beth i'w wneud am ryw / cyffuriau / diod; nad yw'n perthyn; ei fod yn wahanol; yn unig ac yn orbryderus; dan bwysau oddi wrth rieni / athrawon / pawb; smotiau; y dyfodol...

Pan fydd eich plentyn yn dychmygu beth sy'n digwydd wrth iddo hunanreoleiddio, bydd hynny'n dechrau digwydd go iawn. Gobeithio, ryw ddydd, y bydd yn gallu dweud, 'O, yr amygdala sy'n cymryd drosodd' neu 'Waw, sôn am ruthr o gortisol!' Yn y modd hwn, gall wylio sut mae ei deimladau'n gweithio yn hytrach na dim ond eu mynegi. Y syniad y tu ôl i hyn oll yw y bydd yn y pen draw yn gwrando ar ei emosiynau ac yn gallu synhwyro ei dywydd mewnol. Gadewch iddo feddwl am ei atebion ei hun o ran sut i reoleiddio ei emosiynau, fel mai fe sydd â'r pŵer i gyd.

9

Ymwybyddiaeth ofalgar a fi

I orffen y llyfr, roeddwn i'n meddwl yr awn i Brifysgol Bangor, sy'n ganolfan ymchwil ymwybyddiaeth ofalgar, a sganio fy ymennydd cyn ac ar ôl encil wythnos o hyd, heb unrhyw Wi-Fi a gyda saith awr o fyfyrdod y dydd. (Wn i ddim pa un sy'n swnio waethaf.) Gan fy mod i'n ysgrifennu'r llyfr hwn am ymwybyddiaeth ofalgar, roeddwn i'n meddwl y byddai waeth i mi weld a yw'n llwyddo i roi'r hyn mae'n ei ddweud ar y clawr... a pha ffordd well o wneud hynny na thrwy ddefnyddio fy hun fel mochyn cwta? Cafodd y cyfan ei drefnu gan Sharon Hadley, rheolwr ar y Ganolfan Ymchwil ac Ymarfer Ymwybyddiaeth Ofalgar, popeth o sganio fy ymennydd i drefnu encil ar fy nghyfer.

Dwi'n cyrraedd yr adeilad niwrowyddoniaeth yn y brifysgol a chaf fy arwain i'r ystafell lle mae'r sganiwr ymennydd. Mae'n foment syfrdanol pan fyddwch chi'n edrych ar beiriant sy'n eich galluogi i weld y gweithgaredd ym mhob rhan o'ch ymennydd trwy gyfrwng darn o feddalwedd sy'n cynhyrchu lluniau lliw o bwy ydych chi mewn 3D. Caf fy nghyflwyno i Paul Mullins (Cyfarwyddwr Uned Niwroddelweddu Bangor yn yr Ysgol Seicoleg ac Uwch Ffisegydd MRI), sydd wedi neilltuo amser o'i dymor sabothol i ddod i wneud y sganiau ymennydd. (Diolch, Paul.) Mae'n mynd â fi drwy holiadur sy'n gofyn pethau fel, 'Os down o hyd i rywbeth "anarferol", ydych chi am gael gwybod?' I bwy arall fydden nhw'n rhoi gwybod? Mae'r cwestiynau eraill yn cynnwys 'A ydych chi erioed wedi bod mewn sganiwr o'r blaen?' a 'Sut ydych chi mewn mannau caeedig?'

Dwi'n dweud wrth Paul fy mod wrth fy modd mewn sganiwr; fe fues i'n byw mewn un yn Glastonbury (dydy e ddim yn chwerthin). Yna daw'r ymwadiad, sy'n datgan, pe bai unrhyw beth yn digwydd i mi, na fyddwn i'n eu beio nhw. Mae'n dweud wrtha i na fydd neb byth yn gwybod mai fy ymennydd i yw hwn; bydd y sgan yn gwbl ddienw. Dwi'n meddwl, 'Pam fyddai ots gen i? Fi sydd i mewn yno. Dwi wedi bod ar y teledu, beth yw'r gyfrinach fawr?' Go brin eu bod nhw'n mynd i weld fy ymennydd a fy riportio i'r heddlu meddwl!

Mae Paul yn gofyn a oes gen i unrhyw fetel yn unrhyw ran o 'nghorff, oherwydd mae gan y sganiwr MRI fagned digon cryf i sugno oergell ar draws Gwlad Pwyl. Mae'n gofyn a ydw i'n gwisgo bra gyda weiren. Pan holaf pam fod hyn yn berthnasol, mae'n dweud na fyddwn i eisiau gwybod. (Yn ddiweddarach yn y dydd dwi'n cwrdd â rhywun yn yr adeilad sy'n dweud straeon arswyd am bobl yn cael eu gwasgu yn y sganiwr gan wrthrychau metel a sugnwyd i mewn; cafodd cadair fetel ei llusgo i mewn un tro a lladd y person yn y sganiwr. Dychmygwch hynny. Dyna nhw, yn poeni am diwmor ar yr ymennydd, a'r peth nesaf maen nhw'n cael eu lladd gan gadair.)

Beth bynnag, ar ôl cael gwared ar y metel, dwi'n gorwedd ar y trac, wedi fy lapio mewn blanced, caiff helmed ei gostwng dros fy wyneb ac ar ôl pwyso botwm, caf fy nghludo i mewn i ogof agored mewn strwythur tebyg i arch. Maen nhw'n gofyn a ydw i eisiau defnyddio drychau i mi allu gweld y staff drwy'r gwydr yn edrych ar y monitors. Wrth gwrs fy mod i: dwi eisiau nodi'r olwg ar eu hwynebau pan welan nhw'r goleuni gwyn yn fy ymennydd. (Yn dawel bach, dwi bob amser wedi dychmygu, o dan y llanast, mai fi yw'r 'ferch ddarogan'.) Felly mae Paul yn dweud ei fod yn barod, ac mae'r synau drilio'n dechrau – mae wedi fy rhybuddio am hyn. Mae'n swnio fel pe bai rhywun yn dymchwel adeilad... a fi yw'r adeilad. Dwi'n meddwl, 'Mae'r offer yma'n costio miliynau ac allen nhw ddim dod o hyd i ffordd o'i wneud yn dawel?' Dwi'n edrych arnyn nhw yn fy nrych a dwi'n eu gweld yn siarad â'i gilydd a chwerthin fel pe baen nhw'n trafod y canlyniadau pêl-droed. Mae fy ymennydd ar y sgrin o'u blaenau; maen nhw'n edrych ar luniau byw o'm hatgofion, fy meddyliau, fy ngobeithion, fy mreuddwydion, fy hapusrwydd, fy anobaith...

fy mhopeth – ac maen nhw'n trafod beth sydd i ginio? Ar ôl awr o'u gwylio'n sgwrsio heb weld unrhyw arwydd o ryfeddod ar eu hwynebau mai fi yw'r meseia nesaf, dwi'n codi, ac ar y monitor gwelaf fy ymennydd mewn lliwiau byw... ac mae'n hardd. Mae wedi'i oleuo fel pysgodyn neon gyda thriliwn o wifrau fflworolau, a gallaf ei weld o bob ongl. Mae mor anhygoel dwi'n meddwl y gallwn ei werthu yn oriel Saatchi... neu o leiaf ar eBay. Yna dwi'n gweld ar y sgan yr hyn sy'n edrych fel miloedd o ddelweddau pelydr X o'r holl rannau hynny sydd i fod mewn ymennydd. Diolch i Dduw, does dim mannau gwag.

Yna mae Paul yn dweud y geiriau mae pawb yn eu hofni: mae wedi gweld 'abnormaledd'. Dwi wedi dychmygu'r eiliadau hyn, fel hypocondriag proffesiynol, am y rhan fwyaf o fy mywyd, felly, oherwydd fy mod i wedi ymarfer digon, dwi ddim yn ymateb rhyw lawer. Mae'n dweud bod yna bethau ar rai o'r delweddau nad yw'n gwybod beth ydyn nhw (wrth gwrs, dof i'r casgliad ei fod yn dweud celwydd), ac yn gofyn a fyddwn i'n hoffi i niwrolegydd eu harchwilio. Wel, wrth gwrs y byddwn i!!!

Ar ôl adfer fy holl fetelau, ac mewn cyflwr o sioc, dwi'n mynd i ystafell arall, i gael prawf EEG. Dyma'r un lle maen nhw'n rhoi gwifrau dros eich pen. Mae'r broses hon yn dangos eich gweithgaredd niwral yn electronig wrth iddo ddigwydd. Dr Dusana Dorjee, sydd â PhD mewn niwrowyddoniaeth wybyddol ac sy'n ymchwilydd blaenllaw yn y Ganolfan Ymchwil ac Ymarfer Ymwybyddiaeth Ofalgar, sy'n gwneud y prawf. Ar ôl gosod cap cawod gyda thyllau yn gyffordddus ar fy mhen, mae hi'n rhoi tri ymarferiad i mi. Mae'n gofyn i mi fyfyrio am ddwy funud, gan ganolbwyntio ar fy anadl. Yna, am ddwy funud arall, dylwn adael i fy meddwl grwydro a chaniatáu i mi fy hun gnoi cil, a bachu ar y meddyliau wrth iddyn nhw ddod i mewn. Yn y trydydd ymarferiad mae'n gofyn i mi adael i fy meddwl grwydro ond peidio â chael fy machu gan y straeon, gadael i fy meddyliau fynd a dod heb i mi geisio eu dadansoddi. (Gelwir hyn yn sylw agored.)

Wedyn, mae'n gofyn i mi wneud y tri ymarferiad eto, ond y tro hwn, bydd dau lun yn ymddangos ar fonitor ac mae'n rhaid i mi daro'r botwm chwith os yw'r lluniau'n debyg a'r botwm ar y dde os ydyn nhw'n wahanol. Mae hi eisiau gweld, pan fydd rhywun mewn cyflwr myfyriol, a yw'n ymateb yn llai cryf i ddelweddau sy'n peri pryder. Y pâr cyntaf yw awyren yn hedfan ac awyren wedi crasio ar y ddaear, felly fe wnes i daro'r botwm chwith i ddynodi eu bod nhw'n debyg. Y pâr nesaf yw siarc a bwrdd smwddio. (Dwi'n gwybod bod rheini'n wahanol.) Yna tarantwla a ffon golff. Dwi ddim yn meddwl bod unrhyw un o'r lluniau wedi peri pryder i mi; dim ond ar ôl i mi wneud camgymeriad rydw i'n cynhyrfu, pan bwysaf y botwm 'tebyg' yn lle'r un 'gwahanol' ar gam. Dwi'n dychmygu fy mod ar ryw raglen gwis ar y teledu ac mae'n rhaid i mi ennill doed a ddêl; dwi'n bod yn gwbl gystadleuol... gyda mi fy hun. (Mae hyn mor nodweddiadol ohonof.)

Yn ddiweddarach y diwrnod hwnnw, caf fy nghludo i'r gwesty lle byddaf yn aros, ac mae grŵp o bobl leol yno yn y cyntedd yn dysgu dawnsfeydd gwerin Cymreig. Mae'r merched yn gwisgo hetiau fel Abraham Lincoln a hen ffrogiau Piwritanaidd gyda ffedogau, ac yn chwarae ffidlau ac acordion. Caf fy machu gan ddyn mewn dillad mwy rhyfedd byth ac mae'n fy nhroi mewn cylchoedd; dim ond cylchoedd. Sut gall hyn fod yn ddawnsio Cymreig pan nad yw'n ddim byd ond cylchoedd? Dwi'n gadael iddo fy nhroi: mae'n rhaid mai dyma yw effaith beth bynnag yw'r abnormaledd yn fy ymennydd, meddyliaf.

Diwrnod un

Drannoeth, maen nhw'n mynd â fi i Ganolfan Encil Trigonos, sydd ar lan llyn rywle ynghanol bryniau mwyaf anghysbell Cymru; dechrau mis Awst yw hi, ac mae'n aeaf. Cyn gynted ag y cyrhaeddaf yno, sylweddolaf fy mod i'n teimlo'n sâl a rhaid i mi fynd i orwedd. Efallai mai'r rheswm am fy salwch yw fy mod wedi cael gwybod am yr amserlen ddyddiol, sy'n golygu codi am 7 y bore a myfyrio, brecwast rhwng wyth a naw, yna myfyrio o naw tan hanner dydd (hanner awr o fyfyrio wrth eistedd, hanner awr o fyfyrio wrth gerdded, yna eistedd eto, yna toriad i gael paned o de, yna myfyrio wrth eistedd am hanner awr, yna wrth gerdded am hanner awr). Wedyn cinio. Yr un peth rhwng tri a chwech o'r gloch: myfyrio wrth eistedd a cherdded am dair awr. Yna cinio ac yna eistedd, ac am 9 o'r gloch, cysgu... a hyn i gyd mewn *distawrwydd*.

Dyma wersyll milwrol ar gyfer y meddwl; os oes unrhyw un yn meddwl mai nonsens 'oes newydd' ydy e, rhowch gynnig arni eich hun. Felly, am y diwrnod cyntaf, dwi'n teimlo fel chwydu. Dwi'n eistedd mewn distawrwydd (ac yn teimlo'n sâl) a dwi'n gobeithio na fyddaf yn chwydu. Wedyn – a dwi ddim yn gwybod sut cyrhaeddais i yno – dwi'n suddo i mewn i fy ngwely ac yn gorwedd yno'n anymwybodol tan fore trannoeth. Y noson gyntaf honno dwi'n breuddwydio bod Obama yn glanhau bwrdd coffi gwydr wrth wneud araith wych am heddwch byd-eang.

Diwrnod dau

Dwi'n codi pan mae larwm fy ffôn yn canu am 6.57 a.m. ar gyfer fy myfyrdod saith o'r gloch (dwi'n hoffi ei gadael hi tan yr eiliad olaf er mwyn y rhuthr o adrenalin, hyd yn oed ar encil). Felly dwi'n sgrialu i'r ystafell fyfyrio fawr, lle mae pobl yn eistedd eisoes, rhai wedi'u lapio mewn siolau mewn ystumiau Bwdhaidd, rhai ar glustogau a rhai ar yr offer diweddaraf ym maes myfyrdod ar gyfer eich pen-ôl: *zafu* (fe welwch, os ewch chi ar Google, mai clustog yw peth felly). Eisteddais innau ar gadair er mwyn gwrthryfela.

Caiff ein hencil ei arwain gan ddwy ddynes y byddwn i'n eu gosod dan y pennawd 'Mamau Daear'; mae eu gwallt yn anniben, a chredaf fod un ohonyn nhw'n gwisgo'r clocsiau rwber hynny gyda thyllau fel matiau cawod ynddyn nhw (y gallwn gredu eu bod yn ddefnyddiol os ydych chi ynghanol llifogydd). A dwi'n meddwl eu bod am ddechrau gyda'r lleisiau meddal, gwlanog hynny a gewch mewn canolfannau gwella lle maen nhw'n rhwbio olew ilang-ilang wedi'i gynhesu'n ofalus i mewn i'ch meridian canolog. Pan siaradaf ag un o'r menywod, Jody Mardula, cyn-gyfarwyddwr y Ganolfan Ymchwil ac Ymarfer Ymwybyddiaeth Ofalgar, dwi'n sylweddoli fy mod i'n anghywir. Dwi'n dweud wrthi am yr 'abnormaledd' yn fy ymennydd ac y gallwn fod ychydig yn 'absennol' yn ystod yr encil. Dwi'n disgwyl iddi roi mŵg o sudd rhisgl i mi, ond na, mae'n dweud wrtha i'n ddigon didaro sut y bu'n rhaid iddi ymddeol fel cyfarwyddwr tua phum mlynedd yn ôl oherwydd gwaedlif ar yr ymennydd.

Mae'n dweud wrtha i, am fy mod i'n pwyso arni, iddi'n sydyn deimlo rhaeadr oer yn mynd i lawr cefn ei phen a bod y boen wedi achosi iddi ddisgyn yn anymwybodol. Dywed ei fod fel swnami o waed yn llifo o dan groen ei phen i lawr i'w gwddf. Pan ddihunodd, mae'n dweud iddi deimlo bod ei hatgofion wedi'u golchi ymaith yn y dinistr; claddwyd rhai o dan adeiladau a oedd wedi cwympo ac roedd rhai yn ymwthio allan o'r mwd. Doedd ganddi ddim cof o bwy oedd hi na pham roedd hi yn yr ysbyty (ac i feddwl fy mod i wedi dechrau'r sgwrs hon yn teimlo'n flin drosof fy hun). Ar ôl ychydig wythnosau roedd hi wedi'i chyfyngu cymaint gan yr holl wifrau a oedd yn ei chadw'n fyw fel na allai ond symud ei llaw dde, felly byddai'n gwneud sganiau corff ac yn canolbwyntio, mewn math o ymarfer ymwybyddiaeth ofalgar, ar y teimlad lle'r oedd ei llaw'n cyffwrdd â chynfas y gwely, gan wreiddio ei hun mewn teimlad corfforol. Yn ddiweddarach, pan allai symud y llaw arall, byddai'n canolbwyntio ar deimlad y ddwy law lle'r oedden nhw'n cyffwrdd â'i gilydd. Roedd hyn, meddai, yn mireinio ei gallu i gymryd sylw a dod â'i meddwl yn ôl i ffocws pan âi ar goll yn y boen.

Fisoedd yn ddiweddarach, fe wnaeth hi wella, ond ni lwyddodd i adfer ei hen hunan, felly bu'n rhaid iddi greu hunan newydd. Yn nes ymlaen, mae eraill yn dweud wrtha i fod Jody (pan oedd hi'n iau) yn arfer bodio ar ei phen ei hun ar draws gwledydd ac unwaith bu'n byw ar do ym Mharis, lle'r oedd hi'n adnabyddus am ei phartïon gwyllt. Hyd yn oed pan oedd hi ar ffyn cerdded yn ystod ei hadferiad, roedden nhw'n dweud ei bod hi wedi gofyn i blant a oedd yn sledio i lawr mynydd wedi'i orchuddio ag eira ar ddarnau o gardbord a allai roi cynnig arni. Rhoddodd ei ffyn ar ei glin ac er mawr syndod iddyn nhw, llithrodd i lawr y llethr.

Mae'n dweud wrtha i nad oedd ei phrofiad yn ddrwg i gyd (allwch chi gredu ei bod hi'n bosib i rywun ddweud hynny?), a phan greodd ei hunan newydd doedd ganddi ddim lleisiau beirniadol yn ei phen mwyach yn dweud wrthi nad oedd hi'n ddigon da, nad oedd hi'n gymwys i wneud ei swydd. Bellach, mae'n derbyn yr hyn ydy hi ac mae'n ymddangos yn fodlon ei byd, fel pe bai colli eich cof y peth mwyaf naturiol yn y byd. Mae'n cofio ei merch, ac mae hynny'n ddigon iddi. Felly mae gwers yn hyn: roeddwn i'n meddwl nad oedd fawr o sylwedd yn perthyn iddi, ac mae'n ymddangos ei bod yn fwy esblygedig na bron neb dwi wedi'i gyfarfod erioed.

Diwrnod tri

Dwi ddim yn cael yr amser gorau. Pan fyddwch chi'n eistedd ac yn myfyrio am amser hir, mae eich llais mewnol yn sgrechian am iddo ddod i ben ac yn erfyn am glywed y *ting ting* sy'n arwydd fod y sesiwn eistedd ar ben.

Ac yna mae'n gorffen a rhaid i chi fynd yn syth i'r myfyrdod cerdded, lle rydych chi'n cerdded un ffordd am tua deg troedfedd ac yna'n ôl y ffordd arall. Y syniad yw eich bod yn ceisio canolbwyntio ar ble mae eich traed yn cyffwrdd y ddaear, a phan fydd eich meddwl yn crwydro gallwch dynnu eich sylw yn ôl at un o'ch traed a theimlo'r cam nesaf... yna mae eich meddwl yn mynd at ryw alwad ffôn yr anghofioch chi ei gwneud ddwy flynedd yn ôl... ac rydych chi'n anfon eich ffocws yn ôl at eich troed ac yn symud at y llall. Yn raddol, er mor arteithiol yw gwylio eich meddwl yn chwarae pob tric dan haul i'ch denu'n ôl i feddwl beth mae e eisiau ei feddwl, rydych chi'n dechrau gweld pwynt hyn oll. Rydych chi'n cydio'n dynn yn eich ffocws ac yn defnyddio synnwyr eich traed fel angor i ddod yn ôl ato pan fydd eich meddwl yn eich maglu. Wrth i rai ohonon ni gerdded yn araf yn yr awyr agored, mae hofrenydd yn hedfan drosodd a dwi'n dychmygu'r peilot yn edrych i lawr ac yn meddwl ei fod yn gwylio *The Night of the Living Dead*.

Ar ôl eistedd, cerdded, eistedd, o'r diwedd daw'r *ting* i gael cinio. Mae pawb yn aros yn y ciw, does neb yn gwthio, mae pawb yn ystyriol – yn agor drysau i chi, yn rhoi cwpan i chi. Dwi'n hoffi'r holl bobl hyn, yn bennaf am nad oes rhaid i mi siarad â'r un ohonyn nhw. Dydy eich llygaid byth yn cwrdd gan nad oes rheswm gennych i edrych ar eich gilydd am nad oes gennych ddim i'w ddweud. Rydych chi'n arbed cymaint o egni pan nad oes rhaid i chi ddweud 'Diolch' neu 'Mae'n ddrwg gen i' drwy'r amser; mae'n gymaint o ryddhad. Y cyfan sy'n rhaid i mi ei wneud yw canolbwyntio ar yr hyn dwi'n ei fwyta.

Heddiw dwi'n syrthio mewn cariad â bisgeden. Dwi wedi'u cael o'r blaen... ond ddim fel hyn. Ar ôl un cnoad dwi bron â disgyn oddi ar y gadair oherwydd y ffrwydrad o halen a siwgr a chrensiogrwydd; mae'n berffaith. Dwi byth eisiau iddi ddod i ben. Rydych chi'n dechrau arafu'ch cnoi a rhoi'r gorau i feddwl am gymryd cnoad arall cyn i chi lyncu'r hyn sydd yn eich ceg (sef fy ffordd arferol o fwyta). Rydych chi'n blasu'r foment oherwydd bod y profiad mor deimladwy: rydych chi'n gadael i'r blas, sy'n well na dim byd y gallai bwyty pum seren ei gynnig, ddod yn unig ffocws eich sylw; mae pob meddwl yn cilio. Yn y pen draw, dwi'n lapio hanner arall y fisgeden mewn napcyn, ac yn ei chadw yn fy esgid ar gyfer achlysur arbennig. Ac yna daw'r *ting* i ddweud bod amser cinio drosodd ac fel mewn ffilm sombi, mae pawb ohonon ni'n dychwelyd i'r ystafell at ein *zafu* – neu gadair yn fy achos i.

Dwi'n dechrau pendwmpian wrth i mi eistedd ar fy nghadair, gan feddwl bod amser yn mynd mor araf, ond hyd yn oed yma mae'n dal i symud yn ei flaen. (Dwi'n meddwl fy mod i'n bod yn hynod o ddwfn.)

Erbyn hyn dwi'n gwisgo fy ngwaelod pyjamas a hen siaced ffelt flêr (roedd hi'n rhewi, felly roedd yn rhaid i mi ei benthyg – a welintons i fynd gyda hi), oherwydd pan nad oes neb yn edrych arnoch chi, dydych chi ddim yn edrych arnoch chi chwaith. (Welais i ddim drych drwy gydol yr amser y bues i yno

– rhyddhad arall.) Dwi'n sylwi fy mod i'n dechrau arafu, ac mae hynny'n fy nychryn, fel pe bawn i'n mynd i ddod i stop a throi'n gerflun. Pan fyddwn ni'n gwneud y myfyrdod cerdded, prin y gallaf godi fy nhraed; mae fy nghorff cyfan yn debyg i bwysau marw a dwi'n ei lusgo o gwmpas fel pe bawn i'n cario eliffant marw. Dwi'n teimlo fel fy mam-gu yn ei dyddiau olaf, yn llusgo'i hun o gwmpas y tŷ fel sugnwr llwch.

Yn ystod yr amser rydyn ni yno, caniateir i ni gael cyfarfod chwarter awr gydag un o'r athrawon i ddweud wrthyn nhw beth sydd ar ein meddyliau tawel. Felly dwi'n mynd i weld Jody i ddweud wrthi fy mod i'n teimlo'n hen iawn ac yn ofni fy mod i'n mynd i orffen fy mywyd yn bwyta sgons gyda hen bobl eraill a stwna yn yr ardd am hwyl. Dwi'n teimlo y bydd fy mywyd yn dod i ben yn fuan.

Mae hi'n dweud wrtha i ei bod hi'n saith deg (wfft i fy mhroblemau i) ac yn gofyn beth ydw i wedi'i ddysgu hyd yn hyn. Dwi'n dweud wrthi fy mod yn teimlo i mi lwyddo i ymryddhau o'r syniad oedd gen i pan oeddwn i'n iau fy mod yn cario gwenwyn ac mai mater o amser oedd hi cyn y byddai pobl yn dod i ddeall bod rhywbeth drwg iawn yn fy nghylch ac yn fy niswyddo, yn fy nhroi allan neu'n troi cefn arna i. Dwi'n dweud wrthi nad ydw i'n teimlo felly mwyach – mae'r llechen honno wedi'i sychu'n lân – ond fy mod i'n dal i fod yn narsisaidd; ac meddai, 'Pwy sydd ddim?' Soniaf eto pa mor ofnus ydw i y gallwn golli fy nghof. (Dwi'n dweud hyn wrth fenyw sydd wedi gwneud hynny. Sensitif neu beth?) Dywed hithau y dylwn roi'r gorau i drychinebu... ddywedodd neb fy mod yn mynd i golli fy nghof. Mae ganddi bwynt. Dwi'n dweud wrthi, er ein bod i fod i ganolbwyntio arnon ni ein hunain, fy mod i'n dechrau mynd yn ôl at fy hen ffyrdd: dwi'n dechrau canolbwyntio ar y bobl yn y grŵp nad ydw i'n eu hoffi. Cofiwch: maen nhw'n ddistaw – felly ble ydw i'n cael fy ngwybodaeth? Alla i ddim goddef un person am ei fod yn anadlu'n rhy uchel, nac un arall sy'n eistedd gyda'i lygaid ar gau hyd yn oed ar ôl i'r *ting* nodi bod y sesiwn ar ben... fel pe bai yn nirfana, yn gwisgo sanau Tibetaidd a dot ar ei ben, a dwi'n ffyrnig tuag at un ddynes sy'n bwyta â'i cheg ar agor.

Mae Jody'n dweud ei bod hi, pan fydd ar encil tawel, yn lladd ambell berson yn ei meddwl, yn priodi un neu ddau ac yna'n ysgaru rhai ohonyn nhw. Mae'n dweud wrtha i ei bod yn fy hoffi ac nad yw'n teimlo felly am bawb, a dwi'n dweud yr un peth wrthi hi. Ffrind am oes.

Dwi'n mynd yn ôl at... beth arall ond eistedd? Dydy e byth yn dod i ben. Dwi'n dechrau cyfrif faint mwy o oriau sydd ar ôl nes y gallaf fynd adref. Dwi'n teimlo bod fy meddwl fel plentyn wedi'i ddifetha: mae am fwyta, cysgu, mynd i Ffrainc, mae eisiau i'r cesair stopio (mae'n fis Awst – beth sydd o'i le ar y wlad 'ma?) – ond dwi'n dechrau synhwyro pa effaith y gallai'r ymwybyddiaeth ofalgar hon fod yn ei chael. Yn sgil yr ymarfer diddiwedd hwn, gallaf deimlo cyhyryn fy sylw yn tyfu o fod yn lwmpyn bach pitw yn rhywbeth go bwerus; dwi'n gallu cadw fy sylw ar rywbeth penodol am gyfnod hwy nag y gallwn ei wneud fel arfer. Dydy'r lleisiau ddim yn tewi, ond oherwydd fy mod wedi rhoi'r gorau i geisio'u tawelu (neu i ddymuno eu bod yn rhai mwy dwfn) mae llai o falais yn perthyn iddyn nhw. Dwi'n mynd yn llai ofnus 'mod i ddim mor arbennig â hynny wedi'r cyfan. Mae fy ego yn dechrau dawnsio'n noeth.

(Ddyddiau'n unig yn ôl, yn y sganiwr ymennydd, roeddwn i'n meddwl bod fy ymennydd i'n belen aur o oleuedigaeth.) Does neb ohonon ni eisiau edrych i mewn i'n meddwl a darganfod mai pethau syml ydyn ni ac nad ydyn ni'n wahanol i'n gilydd o dan ein harfwisg. Rydyn ni i gyd yn twyllo ein hunain os credwn ein bod ni'n well nag eraill; rydyn ni i gyd yn bobl sy'n ceisio crafu rhyw fath o fywyd i ni'n hunain. Os ydyn ni'n mynnu gormod gennym ni ein hunain, dydy bywyd ddim yn hwyl ac rydyn ni'n gwneud ein hunain yn sâl, felly pam gwneud hynny? Dwi wedi meddwl erioed pam dwi mor llym â mi fy hun. Fel arfer, alla i ddim meddwl heb wthio fy meddwl i uchder na all ei gyrraedd – fel mam sy'n gwthio ei phlentyn nes ei fod yn mynd dros yr ymyl. Pam na alla i adael llonydd i mi fy hun? Dwi'n sylweddoli efallai mai'r rheswm pam dwi dan gymaint o straen mewn bywyd yw am fy mod i bob amser yn ceisio gwella fy hun pan mae'n iawn i mi fod yn fi fy hun, gyda'r meddyliau disylw, blas fanila hyn. Ac wrth i mi eistedd yno a'r syniadau'n dod, mae fel pe baen nhw'n codi fel gwaddod o waelod bwced o ddŵr clir. Bob tro y bydd un yn datgysylltu o'r gwaelod, mae'r dŵr oddi tano'n dod yn gliriach.

Wrth i mi ddechrau rhoi'r gorau i fod mor llym â mi fy hun, dwi'n sylwi bod yr holl hunangosbi am beidio â gwneud digon yn dechrau diflannu; gallaf hyd yn oed deimlo'r cyhyrau yn fy wyneb yn symud tuag at wên. Dwi'n dechrau gallu camu'n ôl ac arsylwi ar fy meddyliau a phan gaf yr arlliw lleiaf o feddwl negyddol neu'r argoel leiaf o gnoi cil, gallaf ailgyfeirio fy ffocws o fy mhen i fy nghorff, lle gallaf ei archwilio'n synhwyraidd yn hytrach na phoeni amdano. Dwi wedi dweud erioed, gydag iselder, ei bod yn amhosib gwybod pryd mae'n dod, oherwydd nad oes gennych ymennydd sbâr i asesu a oes rhywbeth o'i le, fel y gallech chi gyda bys coll neu lwmp. Felly dwi'n gwybod na allaf gael rhybudd geiriol ei fod yn dod, tebyg i 'O, dwi'n cael iselder. Beth ddylwn i ei wneud am y peth?' Ond yn sgil yr holl ymarfer, a thrwy gryfhau fy inswla fel hyn, dwi'n gwybod y gallaf ei *synhwyro*'n dod. Fydda i ddim yn teimlo mor anymwybodol, mor ddiymadferth, y tro nesaf; dwi'n deall bellach fod y ddau ddatganiad 'Mae yna dristwch' a 'Dwi'n drist' yn wahanol. (Rhan ohonof yw e, nid y cyfan ohonof.)

Dwi'n gwneud fy myfyrdod cerdded y prynhawn yma y tu allan wrth y nant, sydd, dwi'n sylwi, bob amser yn murmur... heblaw pan na fyddaf yn gwrando. Dwi'n chwarae gyda'r syniad hwnnw, gan sylwi ar y gwahaniaeth pan na fyddaf yn gwrando o gymharu â phan fyddaf yn gwrando go iawn, a dwi'n dechrau arbrofi, gan ddewis ble i ganolbwyntio fy sylw – ar sŵn y gwynt filltir i ffwrdd neu ar bryfyn yn agos ataf? Pam dwi'n colli cymaint yn fy mywyd? Dwi ddim yn cofio clywed y gwynt yn Llundain erioed. Yr holl flynyddoedd hyn, ac fe gollais i'r gwynt, sef y cyfan y gallaf ei glywed yma, ar wahân i sŵn y nant yn mynd dros y creigiau i mewn i raeadrau bach y gallwn syllu arnyn nhw am fwy na'r deg eiliad sy'n arferol i mi. Dwi'n arogli rhosyn (gan sicrhau nad oes neb yn edrych) a phenderfynaf wneud fy ngherdded yn ôl ac ymlaen wrth ei ymyl pan mae'r gwynt yn iawn i mi gael fy nharo yn fy wyneb gan yr arogl. Bob tro y byddaf yn ei basio, dwi'n cael ergyd ohono. Drannoeth, mae'r rhosyn wedi marw a does dim arogl. Dwi'n credu bod gwers yno... Dwi ddim yn siŵr beth. Na, dwi'n gwybod: y wers yw bod pob peth yn marw, felly peidiwch â dibynnu arnyn nhw. (Dwfn neu beth?)

Gan fy mod i'n gwybod mai fi sy'n gyfrifol am reoli'r ffocws, amser cinio dwi'n penderfynu fy mod am wylio dafad benodol ar y mynydd pell a thaflu fy ffocws ymlaen ar gorryn heglog ar sil y ffenest. Mae'r corryn heglog yn dal fy sylw cyhyd nes fy mod yn meddwl ein bod am ddechrau perthynas â'n gilydd. Pwy wyddai fod corryn heglog mor ddiddorol? Os estynnwch i gyffwrdd ag un o'i goesau mae'n eich synhwyro ac yn symud o'ch ffordd, gan ddefnyddio'r ddau antena fel blew gwallt. Maen nhw'n teimlo o'u cwmpas fel person dall yn defnyddio ffon wen. Mae corynnod heglog yn ystwyth a gallan nhw gerdded ar unrhyw beth, i'r ochr a ben i waered. (Dwi'n gwneud arbrofion.)

Amser swper y noson honno dwi'n cwympo mewn cariad â thaten. (Dwi wedi symud ymlaen o'r fisgeden.) Alla i ddim credu y gallai flasu mor felys a chrensiog ac yna mor wlanog – mae ganddi bopeth. Dwi'n mynd i'r gegin ac yn torri fy nistawrwydd, a mynnu gwybod sut roedden nhw wedi coginio'r daten. Mae'r cogydd yn dangos taten i mi ac olew olewydd Tesco. Dwi ddim yn deall: dwi wedi bwyta tatws ar hyd fy oes, ond byth ar y lefel hon. Unwaith eto, dwi eisiau un arall tra mae gen i un yn fy ngheg, ac yn meddwl, 'Ie, dyma sut dwi'n byw fy mywyd.'

Diwrnod pedwar

Dwi'n dal yn wael am godi heb neidio o'r gwely o afael rhyw argyfwng sy'n digwydd yn fy mreuddwyd; neithiwr roeddwn yn cael fy saethu gan grwbanod môr. (Pob lwc gyda honno, Freud.) Ar ôl dihuno, dwi'n llenwi'r bath; wnes i erioed sylweddoli'r gwahaniaeth yn y teimlad rhwng dŵr poeth a dŵr oer. I lawr y grisiau, dwi'n ymuno â'r lleill ar gyfer ymarferion tebyg i *t'ai chi*. Dwi'n gwenu wrtha i fy hun, gan feddwl bod y rhain yn symudiadau truenus o hawdd – codi fy mreichiau i fyny ac i lawr yn araf. Dwi'n berson sy'n gallu gwneud gwrthwasgiadau, er mwyn Duw; gallaf wneud ambell ystum ioga am oriau bwygilydd. Felly dwi'n dechrau codi'r ddwy fraich yn araf iawn... a chanfod na allaf. Mae'n rhy flinedig i mi godi fy mreichiau fy hun. Gallwch chi ddychmygu'r cerydd meddyliol dwi'n ei roi i mi fy hun am fod yn gymaint o lipryn, ond dwi'n gwneud rhywbeth nad ydw i bron erioed wedi'i wneud yn fy mywyd: dwi'n rhoi'r ffidil yn y to ac yn codi un fraich... hanner ffordd.

Amser brecwast, lle mae blas rhesinen yn fy ngrawnfwyd yn fy ngadael yn fyr o wynt, dwi'n dechrau ceisio darganfod pam dwi'n teimlo mor lluddedig (nid iselder mohono – mae hyn yn rhywbeth arall, yn fwy breuddwydiol na brawychus). Sylweddolaf fod fy amygdala wedi bod yn segur ers y diwrnod cyntaf am nad oes dim byd yma sy'n frawychus. Gallaf ymddiried ym mhawb; allan nhw mo 'mrifo i pan nad ydyn nhw'n siarad, ac mae'n debyg na fydden nhw'n gwneud hynny hyd yn oed pe gallen nhw. Dyma sut beth yw peidio â bod yn wyliadwrus am drwbl. Ar hyn o bryd, dwi ddim yn poeni am unrhyw beth; mae hyd yn oed yr ofn o beidio â gorffen y llyfr hwn wedi diflannu.

Y prynhawn yma rydyn ni'n torri ar y distawrwydd wrth i'r athrawon ofyn i ni roi'r wybodaeth ddiweddaraf am yr hyn sy'n digwydd yn ein meddyliau. Mae un ddynes yn dweud na all roi'r gorau i gynllunio pethau (dyna yw ei bywoliaeth); yn gynnar yn y dydd, mae hi'n cynllunio pa glustog mae hi'n mynd i eistedd arni a hyd yn oed yr hyn y bydd hi'n canolbwyntio arno yn ei chorff. Dywed dynes arall ei bod hi'n credu bod popeth mae'n ei wneud yn dwp ac yn gwybod bod pawb arall yn meddwl ei bod hi'n dwp. (Dydy hi ddim, ond alla i ddim dweud hynny wrthi yn fy nistawrwydd.) Mae un dyn yn dweud ei fod yn dal i chwilio am ryw broblem oherwydd, mewn bywyd, dyna beth mae'n ei wneud, datrys problemau, felly heb broblem i'w datrys mae'n teimlo'n wag. Yna mae'n ceisio datrys problem y ddynes sy'n dweud ei bod yn dwp. Mae Jody'n dweud wrtho am roi'r gorau iddi. Mae'n dweud, pan fyddwch chi'n meddwl eich bod chi'n empathetig, eich bod chi'n osgoi eich problemau eich hun. Mae'n ymwneud mwy â'ch angen chi i helpu na'u hangen nhw i gael eu helpu. Hefyd, os ydych chi'n parhau i geisio helpu eraill rydych chi'n cael rhywbeth a elwir yn lludded empathi. Mae pobl angen i chi eu clywed yn glir os ydych chi am eu helpu, a pheidio ag ymgolli ym mha mor ddrwg rydych chi'n teimlo drostyn nhw.

Daw'r siarad i ben, ac af yn ôl at... dyfalwch beth ... eistedd. Caf fy nal gan sŵn dau gi yn cyfarth yn y pellter. Mae un yn fariton – dwi'n dyfalu mai Daniad mawr ydyw; mae'r llall yn gi bach sionc sy'n clepian cyfarth. Dwi'n rhoi fy sylw llwyr iddyn nhw, gan sylwi nad ydyn nhw'n elyniaethus, fel y byddwn wedi tybio yn y gorffennol; cael sgwrs cŵn maen nhw, dyna i gyd. Maen nhw'n rhoi'r gorau iddi, a dwi'n gweld colli eu sŵn. Pan mae fy meddyliau'n dechrau arllwys i mewn i fy mhen, dwi'n ceisio eu clywed fel pe baen nhw'n sŵn cŵn yn cyfarth; mae rhai yn uchel, rhai'n feddal, rhai'n wyllt, rhai'n ddoniol. Mae hyn yn gweithio oherwydd nad oes modd cyfieithu'r cyfarth, felly chaf fi mo fy rhwydo ynddo. Dwi'n cyfarth â mi fy hun. Pe bawn i'n gallu gweld fy meddyliau fel hyn drwy'r amser, fyddwn i ddim mor ddryslyd. Dylwn ddechrau marchnata fy ymarfer newydd, Therapi Gwybyddol yn Seiliedig ar Gyfarth.

Diwrnod pump

Dihunais sawl gwaith yn ystod y nos, fel dwi'n ei wneud yn rheolaidd gartref; fel arfer, mae'n cymryd amser hir i mi fynd yn ôl i gysgu, os ydw i'n llwyddo o gwbl. Roedd neithiwr yn wahanol. Pan ddihunais, tua 3 a.m., ceisiais wneud yr hyn dwi'n ei wneud am saith awr bob dydd: canolbwyntio ar fy anadl, a phan fydd fy meddyliau'n cymryd drosodd, dod â'r ffocws yn ôl. Sylwais hefyd ar y foment y trodd y delweddau yn fy meddwl yn afreal, gan ddangos fy mod yn dechrau breuddwydio, er fy mod yn ymwybodol. Gwyddwn hynny oherwydd bod rhywun yn fy meddwl wedi dechrau tyfu breichiau a choesau seren fôr, a dwi'n cofio meddwl, 'All hynny ddim digwydd mewn bywyd go iawn, rhaid mai dechrau breuddwydio ydw i'... ac yna fe gysgais.

Yn ystod myfyrdod cyntaf y bore dwi'n sylwi bod fy meddwl yn tawelu. Mae'n teimlo fel pe bai gen i linynnau banjo tyn ar draws fy stumog sydd bellach yn rhwygo ar wahân gyda *phing*. Mae'r teimlad sâl a gefais ar fy niwrnod cyntaf wedi diflannu a rhyw oglais tawel dan fy asennau wedi cymryd ei le, ac mae'n teithio i fyny fy ochr chwith i ochr fy mhen. Pan ddaw'r sŵn *ting ting*, dwi eisiau parhau i eistedd. Dydy hyn ddim wedi digwydd o'r blaen. Dwi'n sylweddoli nad ydw i'n ceisio cywiro fy osgo na fy anadlu a dwi wedi ymlacio'n llwyr, yn gartrefol yn fy nghorff, heb unrhyw awydd i godi. Mae'r botwm 'Dwi eisiau' wedi cael ei ddiffodd, felly gallaf glywed y synau o fy nghwmpas yn glir. Alla i ddim clywed y cŵn, ond mae'r gwynt yn udo a'i nodau'n gymysg i gyd ac mae'r drws ar agor, felly mae'n taro fy wyneb ac yn teimlo fel pe bai rhywun yn anadlu i mewn i mi. Dwi'n dechrau cael sibrydion: 'Rhaid bod hyn yn golygu fy mod yn gwneud yn dda iawn. Dwi'n gwneud hyn mor iawn. Edrychwch arna i, bawb, fi yw'r gorau yn y dosbarth.' Dwi'n dal fy hun yn gwneud hyn ac am y tro cyntaf, dwi ddim yn dwrdio fy hun; mae'n fy nifyrru.

Ar ôl ychydig, oherwydd bod fy stumog yn gweiddi am fwyd, dwi'n mynd i gael brecwast a darganfod nad oes gen i gymaint o ddiddordeb mewn bwyta bellach ond yn lle hynny dwi'n taflu fy ffocws yn fwriadol o bethau sy'n agos at y pethau pell, fel pe bawn yn defnyddio sbienddrych. Dwi'n taflu fy ffocws yn llydan ac yn gwylio'r mynyddoedd, a'r cymylau'n bwrw golau drostyn nhw fel ton. Yn ystod myfyrdod cerdded dwi'n gweld y gallaf daflu fy ffocws yn haws o ddeilen i'r goeden gyfan, yna i fyny i'r awyr ac yna'n ôl at wenynen a'i sugnwr yn sugno ar flodyn porffor. Mae'r lle hwn yn debyg i baradwys (er ei bod yn dal yn oer), a dwi'n penderfynu os yw'r broblem gyda'r smotiau gwyn yn fy ymennydd yn golygu fy mod yn colli fy nghof, os gallaf brofi'r ergyd lawn hon i fy synhwyrau ac amsugno'n llwyr yr hyn sydd o flaen fy llygaid am weddill fy oes, efallai y byddai hynny'n iawn. Os yw fy meddwl yn mynd dwi'n gobeithio y byddaf yn cofio pwy yw fy ffrindiau a fy nheulu, ond fel arall, mae canolbwyntio ar fanylion y pethau o fy nghwmpas, heb droi at y peth nesaf, yn berffaith.

Yn nes ymlaen mae delwedd yn fy nharo, sef bod gadael i'r holl feddyliau hyn hofran o fy nghwmpas yn debyg i nofio mewn llyn. Gall fod yn glir ac yn rhewllyd neu'n gawl llwyd, ond does ganddo ddim i'w wneud â mi: ddim fi yw'r dŵr, dim ond y nofiwr ydw i. Wrth i mi nofio, gallaf edrych o gwmpas, nid chwilio am broblemau fel riffiau cwrel marw neu siarcod. Gallaf fwynhau fy hun ynddo.

Mae'r cŵn yn cyfarth eto heno; dwi wrth fy modd gyda'r sŵn ac yn meddwl tybed ble maen nhw. Pan ddychwelaf i fywyd go iawn, bydd rhaid i mi ddod o hyd i fy hen bersonoliaeth a'i gwisgo amdanaf fi eto rywsut.

Diwrnod chwech

Y bore 'ma, dwi'n mynd i fy nghadair fel pe bai'n ffrind coll dwi eisiau eistedd arni am byth. Mae gen i'r teimlad gogleisiol hwnnw eto a dwi mor ddiolchgar nad oes gen i unrhyw boen yn unrhyw ran o 'nghorff a 'mod i'n gallu teimlo'r holl egni newydd hwn. Hwrê! Dwi ddim mor hen â hynny. Mae fy meddyliau'n dawelach nag arfer, a phan fyddan nhw'n dod dwi'n eu trin fel rhiant yn dweud wrth ei phlant am fynd i gysgu oherwydd ei bod hi'n hwyr. Dwi ddim yn teimlo gorffennol na dyfodol, dim ond y foment hon, gan wrando ar y llif ymwybod hwn fel pe bawn yn gwrando ar lif y dŵr y tu allan. Dwi'n mynd i gael brecwast am y tro olaf yn y lle hwn ac yn sylwi ar rai o'r bobl, ac yn llithro'n syth yn ôl i'w beirniadu.

Mae'r dyn Bwdha yn dal i fod mewn llesmair a'i lygaid ar gau, yn arogli ei uwd, a dwi'n meddwl, 'Am goc oen', ond dwi'n credu bod hynny'n rhan o bwy ydw i. Does dim rhaid i mi ddweud wrtho ef ei fod yn goc oen; gallaf ei feddwl yn unig. Mae rhai ohonon ni'n eistedd ac yn edrych allan drwy'r ffenest fel pe bai'r ffilm fawr ddiweddaraf yn cael ei dangos yno. Rydyn ni i gyd wedi ein hudo gan aderyn du a gwyn sydd newydd lanio, y tractor yn y pellter a'r defaid sy'n parhau i symud (dwi byth yn sylwi arnyn nhw'n gwneud, ond maen nhw bob amser mewn man newydd). Mae'n anhygoel; gallaf ddweud nad oes neb eisiau bod yn unman arall ond yma, yn gwylio. Dwi'n cymryd un fisgïen olaf ond dim ond ei hanner dwi'n ei fwyta oherwydd mae'n rhaid i mi fynd allan i arogli'r rhosyn... mae wedi marw, ond dwi'n edrych i wneud yn siŵr. Dwi'n ffarwelio â'r cŵn na chefais mo'u cyfarfod. Dwi ddim am i hyn i gyd ddod i ben... ond fe wnaiff... fel popeth arall.

(Rhag ofn fod rhai ohonoch chi'n meddwl tybed beth oedd yr abnormaleddau yn fy ymennydd, roedd yn rhaid i mi gael sgan arall yn Llundain pan ddychwelais a dywedodd niwrolegydd wrtha i nad oedden nhw'n golygu dim. Felly daeth y cyfan i ben yn hapus... neu mor hapus ag y gallwn fod.)

Ar y diwrnod olaf hwn dychwelais i Brifysgol Bangor, lle cynhaliodd Dr Dusana Dorjee y prawf EEG arna i eto. Mae Dr Dusana yn academydd a niwrowyddonydd gwych iawn; dwi am roi fy addasiad syml iawn i o'i hymchwil i chi, sydd i'w weld yn yr atodiadau yng nghefn y llyfr hwn.

Edrychai'r arbrawf ar y dystiolaeth o effeithiau ymwybyddiaeth ofalgar ar hunanreoleiddio emosiynau. Cyn yr encil, pan ddangoswyd y ffotograffau negyddol i mi, er enghraifft y ddamwain awyren, plentyn anghenus, rhywun a gwn yn cael ei ddal at ei ben, fe adweithiais yn emosiynol iawn. Er nad oeddwn i'n ei deimlo, mae'r EEG yn nodi ysgogiad trydanol y niwronau, felly mae'n dangos yr hyn nad ydw i'n ymwybodol ohono. Mae'r adwaith emosiynol iawn (a ddangosir gan y bar du ar y siart ar dudalen 228) yn dynodi amygdala gweithgar iawn gyda'r rhaeadrau o gortisol ac adrenalin sy'n deillio o hynny. Digwyddodd yr adwaith er fy mod wedi cael cyfarwyddyd i anfon fy sylw at fy anadlu. Ar ôl yr encil, pan ddangoswyd yr un lluniau negyddol i mi tra oeddwn i'n canolbwyntio unwaith eto ar fy anadlu, dynodai'r canlyniadau mai prin yr effeithiwyd arna i yn emosiynol o gwbl ac felly fy mod wedi llwyddo i hunanreoleiddio fy ymatebion.

Yn ôl Dr Dusana, er mwyn i'r math hwn o arbrawf fod yn gwbl ddilys, byddai wedi gorfod cynnwys mwy o bobl, ynghyd â grŵp rheolydd.

Ffoniais Mark Williams (cyd-sylfaenydd ThGYO) gyda newyddion am y canlyniadau cadarnhaol a dywedais wrtho, er mawr ddifyrrwch iddo, y byddwn wedi mynnu fy arian yn ôl gan Rydychen pe baen nhw wedi darganfod nad oedd ymwybyddiaeth ofalgar wedi cael unrhyw effaith arna i, a chan mai ef oedd fy athro, fyddai hynny ddim wedi adlewyrchu'n dda arno ef. Byddwn i'n meddwl, 'Yr holl oriau o ymarfer, ac i beth? Gallwn fod wedi bod yn dysgu sut i ddawnsio salsa.'

Mae rhai pobl yn dweud nad yw sgan yn datgelu go iawn sut rydyn ni'n teimlo yn oddrychol ac nad yw'r holl arbrofion niwrowyddonol hyn yn dweud dim wrthyn ni ynglŷn â sut rydyn ni'n meddwl mewn gwirionedd; gallai eich sgan ddangos abnormaleddau, er eich bod chi'n teimlo'n wych.

Yn ôl Willem Kuyken (Athro Seicoleg Glinigol ym Mhrifysgol Rhydychen a Chyfarwyddwr Canolfan Ymwybyddiaeth Ofalgar Rhydychen) mae 'niwrowyddoniaeth ymwybyddiaeth ofalgar yn addawol (i'r graddau ei bod yn dangos manteision ar gyfer anhwylderau clinigol a chynhyrchu meddyliau iachach) ond mae'n dal i fod yn ddyddiau cynnar. Er bod sganio'r ymennydd yn dechnoleg anhygoel ar hyn o bryd, mae fel edrych ar yr alaeth drwy delesgop cyfyngedig'. P'un a ydych chi'n cytuno ai peidio, waeth beth fo'r canlyniadau, dwi'n teimlo'n wahanol yn fy nghorff ac yn fy meddwl. Dwi ddim yn credu y gallwch chi ysgrifennu llyfr fel hwn a pheidio â chael eich effeithio wrth ymgolli yn yr ymarfer.

Dwi'n teimlo braidd yn drist nad ydw i mor gaeth bellach i'r persona y gweithiais mor galed i'w greu. Fe wnaeth fy nghynnal. Yn y gorffennol, roeddwn i'n gallu twyllo fy hun i gredu bod yr hyn a wnawn neu pwy oedd yn ei wneud gyda mi yn bwysig i fy mywyd. Dwi'n teimlo nawr fy mod i wedi gweld drwof fi fy hun; dwi'n gweld fy nghymhellion yn llawer cliriach. Weithiau, er enghraifft, roeddwn yn defnyddio pobl i dynnu fy sylw rhag teimlo mor ffug a dibwrpas.

Dwi'n dal i gael yr un sbardunau emosiynol tanllyd – dwi ddim yn meddwl y caf wared arnyn nhw byth – ond maen nhw'n llawer llai eglur; gallaf eu gwylio'n dod tuag ataf a chofio mai dim ond sbardunau ydyn nhw, nid ffeithiau.

Wn i ddim a gaf bwl arall o iselder, na pha bryd, ond dwi ddim yn byw mewn ofn o'i weld yn dod, felly dwi'n lleihau fy meddyginiaeth ar yr amod, os nad ydw i'n perthyn i'r ganran o bobl sy'n gallu dod oddi arnyn nhw'n llwyddiannus, na fyddaf yn meddwl mai'r rheswm am hynny yw fy mod yn fethiant. Dydw i ddim yn ofni bod ar fy mhen fy hun mwyach. Dwi'n hoffi bod ar fy mhen fy hun y dyddiau hyn a gwrando ar fy meddyliau, yn hytrach na rhedeg oddi wrthyn nhw trwy fod yn brysur drwy'r amser. Dydy fy meddyliau i ddim cynddrwg ag yr arferwn ei gredu; weithiau mae'n hwyl bod yn eu cwmni. Felly do, cefais fy newid gan hyn oll. Am nawr, alla i ddim rhagweld beth fydd yn digwydd nesaf, ond yr eiliad hon, dwi'n teimlo'n effro.

Atodiadau

Newidiadau yn adweithedd yr ymennydd i luniau negyddol yn dilyn encil ymwybyddiaeth ofalgar

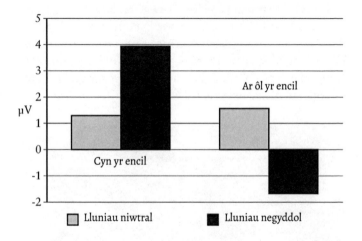

Mae'r ffigur yn dangos maint ymatebion yr ymennydd (potensial sy'n gysylltiedig â digwyddiadau) i luniau niwtral a negyddol cyn ac ar ôl yr encil ymwybyddiaeth ofalgar, gydag ymatebion llai i luniau negyddol ar ôl yr encil.

Isod, ceir graff o fy adweithiau i luniau niwtral a negyddol pan fyddaf yn canolbwyntio ar fy anadlu cyn ac ar ôl yr encil ymwybyddiaeth ofalgar.

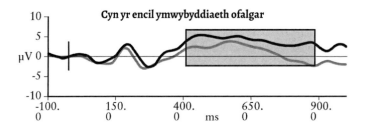

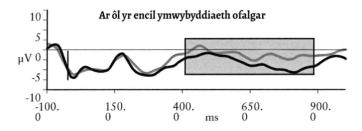

Mae'r ffigur yn dangos ymatebion yr ymennydd (potensial yr ymennydd sy'n gysylltiedig â digwyddiadau) i luniau niwtral a negyddol cyn ac ar ôl yr encil ymwybyddiaeth ofalgar. Y rhan sydd wedi'i huwcholeuo yw'r potensial cadarnhaol diweddar sy'n sensitif i reoleiddio emosiynau.

Dyma'r casgliadau ar fy nghyfer i:

Yn ein dadansoddiadau, roedden ni'n edrych ar indecs ymennydd (potensial ymennydd sy'n gysylltiedig â digwyddiad, a elwir yn botensial cadarnhaol diweddar) sy'n sensitif i ba mor effeithiol y gallwn reoleiddio ein hemosiynau. Mae llai o'r indecs ymennydd hwn yn awgrymu gallu gwell i reoleiddio emosiynau (e.e.,

Hajcak, 2006). Yn yr astudiaeth hon, rydyn ni wedi cymharu ymatebion yr ymennydd i luniau negyddol (o ddwyster cymedrol) a lluniau niwtral, tra gofynnwyd i'r rhai a gymerodd ran fyfyrio (canolbwyntio ar eu hanadlu a chanfod unrhyw beth sy'n codi yn eu hymennydd fel profiad diflannol dros dro). Wrth gymharu canlyniadau Ruby cyn ac ar ôl encil pum niwrnod, rydyn ni wedi canfod gostyngiad yn ymatebion yr ymennydd i luniau negyddol, ond nid i luniau niwtral. Mae hyn yn awgrymu bod ymatebion yr ymennydd i luniau negyddol ar ôl yr encil yn cael eu rheoleiddio mewn modd mwy addasol, tra bod sensitifrwydd i'r lluniau niwtral wedi'i gadw. Mewn geiriau eraill, ymddengys nad yw'r effaith yn deillio'n unig o 'ddadsensiteiddio' i'r lluniau ar ôl gweld yr un lluniau eto, sy'n aml yn digwydd gydag ailadrodd. Ymddengys fod y canlyniadau hyn yn cyd-fynd â'r canfyddiadau o'r unig astudiaeth hyd yn hyn sy'n dangos cysylltiadau rhwng modiwleiddio'r indecs ymennydd hwn ac ymwybyddiaeth ofalgar (Brown et al., 2012). Yn yr astudiaeth honno, gwelwyd bod lefelau uwch o reolaeth ymwybyddiaeth ofalgar yn gysylltiedig â llai o'r indecs ymennydd hwn. Fodd bynnag, mae'n bwysig cofio mai ar gyfer un person yn unig a brofwyd cyn ac ar ôl encil yr oedd y gymhariaeth gyfredol. I ddarparu canlyniadau pendant a thrylwyr, byddai angen i ni brofi grŵp o bobl cyn ac ar ôl encil a hefyd grŵp rheolydd am effaith ailadrodd drwy gymharu canlyniadau'r grŵp encil â'r newidiadau mewn grŵp na chymerodd ran yn yr encil neu a gymerodd ran mewn gweithgaredd gwahanol.

Cyfeiriadau:

Brown, K. W., Goodman, R. J. ac Inzlicht, M. (2012), 'Dispositional Mindfulness and the Attenuation of Neural Responses to Emotional Stimuli', *Social Cognitive and Affective Neuroscience*, 8, Ionawr 2013, (1) 93–9.

Hajcak, G. a Nieuwenhuis, S. (2006), 'Reappraisal Modulates the Electrocortical Response to Unpleasant Pictures', *Cognitive, Affective, & Behavioral Neuroscience*, 6 (4), 291–7.

'Ymchwilio i effaith hyfforddiant ymwybyddiaeth ofalgar ar reolaeth pobl ifanc ar sylw ac emosiwn'

sef astudiaeth gan Kevanne Sanger a Dusana Dorjee, PhD, Canolfan Ymchwil ac Ymarfer Ymwybyddiaeth Ofalgar, Ysgol Seicoleg, Labordy Ymennydd Ymwybyddol Ofalgar Prifysgol Bangor (http://mindfulbrain.bangor.ac.uk)

Nod y prosiect oedd archwilio newidiadau i weithrediad yr ymennydd yn deillio o hyfforddiant ymwybyddiaeth ofalgar a gyflwynir fel rhan o'r cwricwlwm ysgol arferol i fyfyrwyr chweched dosbarth (rhwng 16 a 18 oed). Roedd yr astudiaeth yn cynnwys myfyrwyr o bedair ysgol yng ngogledd Cymru. Cyflwynodd athrawon mewn dwy ysgol gwrs ymwybyddiaeth ofalgar wyth wythnos i'w myfyrwyr ac fe wnaethon ni fesur newidiadau ym mhatrymau gweithgaredd yr ymennydd, ymatebion holiaduron, a nifer ymweliadau â meddygon teulu cyn ac ar ôl y cwrs. Roedd myfyrwyr o'r ddwy ysgol arall (grŵp rheolydd) yn cael eu profi ar yr un pryd er mwyn cymharu; fe wnaethon nhw barhau gyda'u cwricwlwm ysgol fel arfer a chael hyfforddiant ymwybyddiaeth ofalgar wedi i'r asesiadau gael eu cwblhau. Mesurwyd ymatebion yr ymennydd ar ffurf patrymau tonnau'r ymennydd mewn dwy dasg gyfrifiadurol. Roedd y dasg gyntaf yn asesu sylw, gan nodi ymatebion yr ymennydd i siapiau a ddangoswyd yn anaml neu'n aml. Roedd yr ail dasg yn mesur ymatebion yr ymennydd i wynebau hapus, trist neu niwtral a ddangoswyd ar y cyfrifiadur ac yn asesu'r modd y câi emosiwn ei brosesu a'i reoleiddio.

Roedd y canlyniadau'n galonogol, ac yn dangos bod y myfyrwyr chweched dosbarth yn well am allu atal ymatebion i siapiau a oedd yn amherthnasol i'r prawf sylw ac yn tynnu eu sylw oddi wrth y dasg. Mae hyn yn bwysig er mwyn cynnal ffocws y sylw. Yn y dasg emosiwn, roedd myfyrwyr a gafodd hyfforddiant ymwybyddiaeth ofalgar yn prosesu'r emosiynau mewn wynebau'n fwy trylwyr na myfyrwyr nad oedden nhw wedi cael hyfforddiant ymwybyddiaeth ofalgar. Yn wir, dros amser gwelwyd llai o ymatebion yn yr ymennydd i'r wynebau emosiynol yn y grŵp nad oedd wedi cael hyfforddiant ymwybyddiaeth ofalgar. Roedd ymatebion yr holiadur hefyd yn dangos manteision, gyda'r meddwl yn crwydro'n gynyddol yn y grŵp rheolydd o fyfyrwyr. At hynny, nododd myfyrwyr a oedd wedi derbyn hyfforddiant ymwybyddiaeth ofalgar lai o ymweliadau â'u meddyg teulu am resymau iechyd meddwl, e.e. straen neu broblemau cysgu, ar ôl hyfforddiant ymwybyddiaeth ofalgar. Gyda'i gilydd, mae'r canlyniadau hyn yn awgrymu y gallai hyfforddiant ymwybyddiaeth ofalgar gynyddu gallu pobl ifanc i barhau i ganolbwyntio ar dasg, ac atal eu hymateb i wybodaeth sy'n tynnu sylw. Gall hefyd effeithio'n gadarnhaol ar les pobl ifanc, a'u hannog i fod yn agored i ganfod emosiynau mewn eraill.

Ymwybyddiaeth ofalgar gyda phlant ysgol gynradd

Yn ddiweddar, cynhaliodd ymchwilwyr y Ganolfan Ymchwil ac Ymarfer Ymwybyddiaeth Ofalgar yn Ysgol Seicoleg Prifysgol Bangor (Vickery a Dorjee, 2015) yr astudiaeth gyntaf o ymwybyddiaeth ofalgar gyda phlant ysgol gynradd yng nghyd-destun y Deyrnas Unedig. Yn y gwaith ymchwil hwn, cafodd plant 3 a 4 oed mewn un ysgol hyfforddiant ymwybyddiaeth ofalgar a chymharwyd eu canlyniadau â chanlyniadau plant yn yr un blynyddoedd mewn dwy ysgol arall nad oedden nhw'n dysgu ymwybyddiaeth ofalgar (cynigiwyd hyfforddiant ymwybyddiaeth ofalgar i'r ddwy ysgol ar ôl cwblhau'r asesiadau). Darparwyd ymwybyddiaeth ofalgar fel rhan o'r cwricwlwm ABCh rheolaidd gan athrawon y plant eu hunain, a gafodd eu hyfforddi mewn ymwybyddiaeth ofalgar chwe mis ynghynt. Roedd y gwerthusiadau'n canolbwyntio'n bennaf ar newidiadau metawybyddiaeth – gallu plant i sylwi ar eu hymddygiad a'i reoleiddio. Cafodd agweddau ar les emosiynol, megis teimlad cadarnhaol a negyddol ac ymwybyddiaeth emosiynol, eu gwerthuso mewn holiaduron a lenwyd gan y plant. Aseswyd metawybyddiaeth drwy holiaduron a lenwyd gan athrawon a rhieni'r plant. Cafodd y plant eu hasesu cyn dechrau'r hyfforddiant ymwybyddiaeth ofalgar, yn syth ar ôl iddyn nhw gwblhau'r hyfforddiant a thri mis ar ôl cwblhau'r hyfforddiant. Hefyd, gwerthusodd yr ymchwilwyr faint roedd y plant yn mwynhau ymarfer ymwybyddiaeth ofalgar yn yr ysgol.

Dangosodd y canlyniadau fod y rhan fwyaf o blant (76 y cant) yn hoffi ymarfer ymwybyddiaeth ofalgar yn yr ysgol, sy'n lefel derbynioldeb uwch na'r rhan fwyaf o bynciau a gyflwynir o'r newydd, gyda lefel derbynioldeb o tua 50 y cant yn arferol. Roedd yna ostyngiadau arwyddocaol hefyd yn yr effaith negyddol mewn plant dri mis wedi'r hyfforddiant ac roedd athrawon yn nodi gwelliant sylweddol yn lefelau metawybyddiaeth plant. Ni nododd rhieni newidiadau sylweddol ym metawybyddiaeth plant. Mewn rhai plant roedd y rhan fwyaf o'r newidiadau i'w gweld dri mis wedi'r hyfforddiant, ac mae'n debyg fod hynny'n deillio o'r ffaith fod hyfforddiant ymwybyddiaeth ofalgar yn gwella ymwybyddiaeth a gallu gwybyddol plant yn gyntaf a bod hyn wedyn yn cael effaith ar eu gallu i hunanreoleiddio emosiynau. Mae hefyd yn bosib nad yw mesurau holiaduron yn ddigon sensitif i ganfod newidiadau mwy cynnil yng ngallu plant i ganolbwyntio sylw. Yn wir, roedd astudiaethau pellach a gynhaliwyd gyda phlant o'r un ysgolion gan ddefnyddio marcwyr yn seiliedig ar donnau ymennydd yn awgrymu bod y sylw'n fwy effeithlon ar ôl yr hyfforddiant ymwybyddiaeth ofalgar. Mae'r tîm ymchwil ar hyn o bryd yn cynnal gwaith ymchwil pellach, mwy helaeth ar ymwybyddiaeth ofalgar gyda phlant ysgol gynradd, gan ganolbwyntio ar newidiadau mewn marcwyr ymennydd ar gyfer rheoleiddio sylw ac emosiynau.

Cyfeiriad:

Vickery, C. a Dorjee, D. (2015), 'Mindfulness Training in Primary Schools Decreases Negative Affect and Increases Meta-cognition in Children', *Frontiers in Educational Psychology*.

Diolchiadau

Ar ddiwedd rhai llyfrau fe gewch dudalennau ar dudalennau o ddiolchiadau i ffrindiau, cyd-weithwyr, aelodau o'r teulu, ymchwilwyr, enillwyr Gwobrau Nobel, athrawon a mentoriaid. Wel, doedd gen i ddim o'r rheini. Ysgrifennais y llyfr hwn ar fy mhen fy hun. Wnaeth neb fy helpu i'w ysgrifennu.

Byddwn wedi hoffi talu gwrogaeth, fel awduron eraill, a dweud pethau fel, 'Hoffwn ddiolch i fy ysbrydoliaeth a fy ngweledydd, fy ffrind a fy nghymydog Betty F. Soupalski am ddal fy llaw a fy mhen dros y sinc yn ystod fy nosweithiau tywyll; yno bob amser i ddod â myffins draw pan na allwn ddal ati'; 'i Al Kackner (sydd bellach wedi marw) am ei ymroddiad a'i ddewrder anfarwol. Hyd yn oed yn ystod ei anadliadau olaf, tra oedd monitor ei galon yn dangos llinell wastad, llwyddodd i gywiro fy atalnodi'; 'Hoffwn ddiolch, yn wylaidd iawn, i fy nghannoedd o gefnogwyr a anfonodd drydariadau ataf. Mae eich cariad di-baid yn fy syfrdanu. Allwn i ddim bod wedi gorffen y llyfr hwn heboch chi'; neu 'Dwi'n ddiolchgar i Aristoteles a Socrates am drosglwyddo'u doethineb i mi; am fy ngalluogi i gario'r fflam. Diolch i'r ddau ohonoch.'

Ond fel y dywedais o'r blaen, roeddwn ar fy mhen fy hun pan ysgrifennais hwn, heblaw am fy ffrind a fy ngolygydd, Joanna Bowen, a wnaeth y llyfr hwn yn ddealladwy ac a weithiodd yn ddygn bob awr o'r dydd a'r nos, a fy nheulu, a lwyddodd rywsut i fy ngoddef pan oedd fy hwyliau'n gyfnewidiol iawn.

Hefyd, fy nghyhoeddwr, Venetia Butterfield, Penguin, a fy asiant, Caroline Michel, a wnaeth yn siŵr fod y llyfr hwn yn digwydd.

A'r rhai a sicrhaodd fod y niwrowyddoniaeth, er ei bod wedi'i symleiddio, yn dal yn ddilys. Felly hoffwn ddiolch i Dr Dusana Dorjee, prif ymchwilydd niwrowyddoniaeth wybyddol yng Nghanolfan Ymchwil ac Ymarfer Ymwybyddiaeth Ofalgar Prifysgol Bangor, am edrych ar fy ymennydd; Jody Mardula, cyn-gyfarwyddwr y Ganolfan Ymchwil ac Ymarfer Ymwybyddiaeth Ofalgar; yr Athro Oliver Turnbull, Dirprwy Is-ganghellor (Dysgu ac Addysgu) ym Mhrifysgol Bangor; Andrew Dellis, Cymrawd ôl-ddoethurol yn yr Uned Ymchwil mewn Economeg Ymddygiadol a Niwroeconomeg ym Mhrifysgol Cape Town; Dr Willem Kuyken, Cyfarwyddwr Canolfan Ymwybyddiaeth Ofalgar Rhydychen; Paul Mullins, a wnaeth y sgan MRI arna i; Chris Cullen, cyd-sylfaenydd y prosiect Ymwybyddiaeth Ofalgar mewn Ysgolion; Mark Williams, Athro Seicoleg Glinigol a Phrif Gymrawd Ymchwil Wellcome ym Mhrifysgol Rhydychen, a ddatblygodd Therapi Gwybyddol yn seiliedig ar Ymwybyddiaeth Ofalgar, gyda'i gyd-weithwyr John D. Teasdale a Zindel Segal; a Sharon Grace Hadley, Rheolwr y Ganolfan Ymchwil ac Ymarfer Ymwybyddiaeth Ofalgar, am drefnu popeth ym Mhrifysgol Bangor.

Hoffwn ddiolch hefyd i'r holl awduron gwych y cyfieithais eu gweithiau i fy ngeiriau fy hun, sef:

Sharon Begley: *Train Your Mind, Change Your Brain: How a New Science Reveals Our Extraordinary Potential to Transform Ourselves*

Sarah-Jayne Blakemore ac Uta Frith: *The Learning Brain: Lessons for Education*

Vidyamala Burch a Danny Penman: *Mindfulness for Health: A Practical Guide to Relieving Pain, Reducing Stress and Restoring Wellbeing*

Rebecca Crane: *Mindfulness-based Cognitive Therapy: Distinctive Features*

Joe Dispenza: *Evolve Your Brain: The Science of Changing Your Mind*

Janey Downshire a Naella Grew: *Teenagers Translated: How to Raise Happy Teens*

David Eagleman: *The Brain: The Story of You*

Sue Gerhardt: *Why Love Matters*

Paul Gilbert: *The Compassionate Mind: A New Approach to Life's Challenges*

Daniel Goleman: *Focus: The Hidden Driver of Excellence*

Rick Hanson: *Buddha's Brain*

Steven Johnson: *Mind Wide Open: Your Brain and the Neuroscience of Everyday Life*

Jon Kabat-Zinn: *Full Catastrophe Living: How to Cope with Stress, Pain and Illness Using Mindfulness Meditation*

Daniel J. Levitin: *The Organized Mind: Thinking Straight in the Age of Information Overload*

Matthew D. Lieberman: *Social: Why Our Brains are Wired to Connect*

Bruce H. Lipton: *The Biology of Belief: Unleashing the Power of Consciousness, Matter and Miracles*

Jack Kornfield: *A Path with Heart*

Dr Shanida Nataraja: *The Blissful Brain: Neuroscience and Proof of the Power of Meditation*

Robert M. Sapolsky: *Why Zebras Don't Get Ulcers*

Daniel J. Siegel: *Brainstorm: The Power and Purpose of the Teenage Brain*

Daniel Siegel: *Mindsight: The New Science of Personal Transformation*

Daniel J. Siegel a Mary Hartzell: *Parenting from the Inside Out: How a Deeper Self-understanding Can Help You Raise Children Who Thrive*

Eline Snel: *Sitting Still like a Frog*

Chade-Meng Tan: *Search Inside Yourself* (cyfres)

Paul Tough: *How Children Succeed*

Mark Williams a Danny Penman: *Mindfulness: A Practical Guide to Finding Peace in a Frantic World*

Mark Williams, John Teasdale, Zindel Segal a Jon KabatZinn: *The Mindful Way through Depression: Freeing Yourself from Chronic Unhappiness*

Ac ni allaf anghofio holl awduron y papurau ymchwil gwyddonol y benthycais wybodaeth ohonyn nhw:

Dr Elena Antonova: 'Neuroscience of Empathy and Compassion', Institute of Psychiatry

J. A. Brefczynski-Lewis, A. Lutz, H. S. Schaefer, D. B. Levinson a R. J. Davidson: 'Neural Correlates of Attentional Expertise in Long-term Meditation Practitioners' (2007)

Kirk Warren Brown, Richard M. Ryan a J. David Creswell: 'Mindfulness: Theoretical Foundations and Evidence for Its Salutary Effects' (2010)

Kalina Christoff, Alan M. Gordon, Jonathan Smallwood, Rachelle Smith a Jonathan W. Schooler: 'Experience Sampling during fMRI Reveals Default Network and Executive System Contributions to Mind Wandering' (2009)

Richard J. Davidson: 'Well-being and Affective Style: Neural Substrates and Biobehavioural Correlates' (2004)

Richard J. Davidson ac Antoine Lutz: 'Buddha's Brain, Neuroplasticity and Meditation' (2008)

Dr Dusana Dorjee: *Mind, Brain and the Path to Happiness: A Guide to Buddhist Mind Training and the Neuroscience of Meditation* (2013)

Norman A. S. Farb, Zindel V. Segal, Helen Mayberg, Jim Bean, Deborah McKeon, Zainab Fatima ac Adam K. Anderson: 'Attending to the Present: Mindfulness Meditation Reveals Distinct Neural Modes of Self-reference' (2007)

Michael D. Fox, Abraham Z. Snyder, Justin L. Vincent, Maurizio Corbetta, David C. Van Essen a Marcus E. Raichle: 'The Human Brain is Intrinsically Organized into Dynamic, Anti-correlated Functional Networks' (2005)

Jonathan P. Godbout a Ronald Glaser: 'Stress-induced Immune Deregulation: Implications for Wound Healing, Infectious Disease and Cancer' (2006)

Britta K. Hölzel, Sara W. Lazar, Tim Gard, Zev Schuman-Olivier, David R. Vago ac Ulrich Ott: 'How Does Mindfulness Meditation Work: Perspectives on Psychological Science' (2011)

Troels W. Kjaer, Camilla Bertelsen, Paola Piccini, David Brooks, Jørgen Alving a Hans C. Lou: 'Increased Dopamine Tone during Meditation-induced Change of Consciousness' (2002)

Antoine Lutz, Julie Brefczynski-Lewis, Tom Johnstone, Richard J. Davidson: 'Regulation of the Neural Circuitry of Emotion by Compassion Meditation: Effects of Meditation Expertise' (2008)

Antoine Lutz, Lawrence L. Greischar, Nancy B. Rawlings, Matthieu Ricard a Richard J. Davidson: 'Long-term Meditators Self-induce High-amplitude Gamma Synchrony during Mental Practice' (2004)

Antoine Lutz, Heleen A. Slagter, John D. Dunne a Richard J. Davidson: 'Attention Regulation and Monitoring in Meditation: Cognitive-emotional Interactions' (2011)

Mark, G. Williams, John D. Teasdale, Judith M. Soulsby, Zindel V. Segal, Valerie A. Ridgeway a Mark A. Lau: 'Prevention of Relapse/Recurrence in Major Depression by Mindfulness-based Cognitive Therapy' (2000)

Malia F. Mason, Michel I. Norton, John D. Van Horn, Daniel M. Wegner, Scott T. Grafton a C. Neil Macrae: 'Wandering Minds: The Default Network and Stimulus-independent Thought' (2007)

Katie A. McLaughlin a Susan Nolen-Hoeksema: 'Rumination as a Transdiagnostic Factor in Depression and Anxiety' (2010)

L. Mills, F. Lalonde, L. S. Clasen, J. N. Giedd ac S. J. Blakemore: 'Developmental Changes in the Structure of the Social Brain in Late Childhood and Adolescence' (2014)

Jaak Panksepp a Douglas Watt: 'What is Basic about Basic Emotions? Lasting Lessons from Affective Neuroscience' (2011)

Katya Rubia: 'The Neurobiology of Meditation and Its Clinical Effectiveness in Psychiatric Disorders' (2009)

Tania Singer, Ben Seymour, John O. Doherty, Holger Kaube, Raymond J. Dolan a Chris Frith: 'Empathy for Pain Involves the Affective but not Sensory Components of Pain' (2004)

Heleen A. Slagter, Richard J. Davidson ac Antoine Lutz: 'Mental Training as a Tool in the Neuroscientific Study of Brain and Cognitive Plasticity: Frontiers in Human Neuroscience' (2011)

Jonathan Smallwood a Jonathan W. Schooler: 'The Restless Mind' (2006)

Jonathan Smallwood, Daniel J. Fishman a Jonathan W. Schooler: 'Counting the Cost of an Absent Mind: Mind Wandering as an Under-recognized Influence on Educational Performance' (2007)

Jonathan Smallwood, Merrill McSpadden a Jonathan W. Schooler: 'The Lights are on but No One's Home: Meta-awareness and the Decoupling of Attention When the Mind Wanders' (2007)

Yi-Yuan Tang, Britta K. Hölzel a Michael I. Posner: 'The Neuroscience of Mindfulness Meditation' (2015)

Edward R. Watkins: 'Constructive and Unconstructive Repetitive Thought' (2008)

A nifer o rai eraill a fydd yn parhau'n ddienw, am nad ydw i wedi'u crybwyll, ond gobeithio'u bod yn gwybod pwy ydyn nhw, a dwi'n diolch iddyn nhw i gyd.

Mynegai